SUR TOUS LES FRONTS

TOM CLANCY
avec Peter Telep

SUR TOUS LES FRONTS

Tome 1

ROMAN

Traduit de l'américain
par Jean Bonnefoy

Albin Michel

Ceci est une œuvre de fiction.
Les personnages et les situations décrits dans ce livre sont purement imaginaires : toute ressemblance avec des personnages ou des événements existant ou ayant existé ne serait que pure coïncidence.

Toutes les notes sont du traducteur.

Édition originale américaine parue sous le titre :
AGAINST ALL ENEMIES
Publié avec l'accord de G.P. Putnam's Sons,
a member of Penguin Group (USA) Inc.

« Nous estimons qu'Al-Qaïda est nuisible, mais au moins n'ont-ils aucune connexion avec les cartels. »

Un officier du FBI resté anonyme, El Paso, Texas

« Tout a un prix. Le tout est de savoir lequel. »

Pablo Escobar

« Au Mexique, la mort est toute proche. C'est vrai pour tout être humain, parce qu'elle fait partie de la vie, mais au Mexique, on peut la rencontrer de bien des façons. »

Gael García Bernal

PROLOGUE

RENDEZ-VOUS FOXTROT

2 h 15, mer d'Arabie
5 milles nautiques au sud de l'Indus
Côte pakistanaise

UN BÂTIMENT *tous feux éteints est toujours un boulet,* songea Moore, posté devant la cabine de pilotage du *Quwwat*, un patrouilleur d'attaque rapide OSA-1. Construit sur place par les chantiers navals de Karachi sur le modèle d'un ancien navire soviétique, il était armé de quatre missiles surface-surface HY-2 et de deux canons antiaériens jumelés de 25 millimètres. Et c'est grâce à ses trois moteurs diesel entraînant chacun une hélice qu'il fendait à la vitesse de 30 nœuds les flots miroitant sous un quartier de lune au ras de l'horizon. Naviguer ainsi tous feux éteints – sans les fanaux de mâts ou les feux latéraux comme le dictent les règles internationales anticollision du COLREGS signifiait en tout état de cause que la responsabilité du *Quwwat* serait engagée si jamais survenait un incident en mer.

Un peu plus tôt, au couchant, Moore arpentait encore un des quais de Karachi, accompagné du sous-lieutenant Saïed Mallaah et suivi comme son ombre par un détachement de quatre soldats appartenant au SSGN, le Service spécial de la marine pakistanaise – l'équivalent des SEAL américains, disons… en moins expérimentés. Une fois à bord du patrouilleur, Moore avait tenu à effectuer une petite visite, conclue par la présentation tout aussi expéditive du commandant, le lieutenant Maqsud Kayani – il faut dire que ce dernier était accaparé par les manœuvres d'appareillage. L'officier ne devait pas être plus âgé que Moore, qui avait trente-cinq ans, mais la comparaison s'arrêtait là. La large carrure de l'Américain contrastait en effet avec la silhouette fluette de cycliste du Pakistanais, flottant presque dans son uniforme. Le lieutenant avait le nez busqué et il semblait ne pas s'être rasé depuis une semaine. Malgré cet air quelque peu négligé, il était obéi au doigt et à l'œil par les vingt-huit membres de son équipage. Quand il ouvrit la bouche, tous sursautèrent. Serrant vigoureusement la main de Moore, il lui lança un :

« Bienvenue à bord, monsieur Fredrickson.

– Merci, lieutenant. Je vous sais gré de votre assistance.

– Sans problème. »

Ils s'exprimaient en urdu, la langue nationale du pays, que Moore avait trouvé plus facile à apprendre que le dari, le pachtoune ou l'arabe. Pour ces marins pakistanais, il s'appelait Greg Frederickson, citoyen américain, même si son teint basané, sa barbe fournie et ses longs cheveux bruns retenus en queue de cheval auraient pu aisément le faire passer pour un Afghan, un Pakistanais ou un Arabe, à sa guise.

Mais le lieutenant Kayani poursuivait : « Ne vous faites pas de souci, monsieur. Je compte bien arriver promptement à destination, et peut-être même en avance. Le nom de ce bateau signifie "prouesse" et il en est assurément capable.

– Remarquable. »

Le point Foxtrot, la zone de rendez-vous, se trouvait à trois milles au large, juste au débouché du delta de l'Indus. Ils devaient y retrouver le patrouilleur indien *Agray* pour récupérer un prisonnier. Le gouvernement indien avait accepté de leur confier un chef taliban arrêté depuis peu : Akhter Adam, un homme qu'ils prétendaient être une cible de haute valeur, car détenteur de renseignements opérationnels sur les forces postées côté sud de la frontière indo-pakistanaise. Les Indiens pensaient qu'Adam n'avait pas eu le temps d'avertir les siens de sa capture ; il n'avait après tout disparu que depuis vingt-quatre heures. Le temps pressait malgré tout. Les deux gouvernements voulaient s'assurer que les talibans ne pussent avoir vent que leur homme était aux mains des Américains. Raison pour laquelle aucun élément de l'armée américaine n'était intervenu dans l'opération – hormis un certain Maxwell Steven Moore, agent de l'unité paramilitaire de la CIA.

Certes, Moore voyait non sans appréhension cette opération menée par une escouade des commandos de marine pakistanais sous les ordres d'un jeune sous-lieutenant inexpérimenté ; on l'avait toutefois assuré, durant le briefing, que le jeune Mallaah, natif de Thatta dans la province du Sindh, était d'une loyauté à toute épreuve et fort respecté. Pour Moore, loyauté, confiance et respect se méritaient, et l'on verrait bien si le jeune sous-officier saurait relever le défi. Sa tâche était après tout rudimentaire : superviser le transfert tout en assurant la protection de Moore et du prisonnier.

Une fois admis qu'Akhter Adam aurait rejoint leur bord sans encombre, Moore devait commencer à l'interroger durant le retour jusqu'au port de Karachi. Dans ce laps de temps, il comptait pouvoir déterminer si leur homme était une prise méritant toute l'attention de la CIA ou juste quelque menu fretin tout juste bon à amuser les agents pakistanais.

À bâbord avant, l'obscurité fut transpercée par les trois éclairs blancs du phare balisant cette embouchure de l'Indus. La séquence se répétait toutes les vingt secondes. Vers l'est, un peu plus dans l'axe de la proue, Moore avisa le feu blanc isolé du phare de la baie de Kahjar – alias le phare de Sir Creek – qui marquait la frontière indo-pakistanaise si souvent disputée. Son faisceau balayait également la mer toutes les vingt secondes. Moore avait pris grand soin de mémoriser les nom et position des divers phares, ainsi que leur fréquence, en se plongeant dans les cartes marines déroulées lors du briefing. Vieille habitude de plongeur commando.

Entre un coucher de lune à 2 h 20 et une couverture nuageuse à cinquante pour cent, il escomptait une obscurité totale au moment du rendez-vous fixé à 3 heures. Les Indiens naviguaient également tous feux éteints. À la rigueur, il pourrait toujours se repérer grâce aux amers sur la côte.

Le lieutenant Kayani se montra fidèle à sa parole : ils atteignirent le point Foxtrot avec dix minutes d'avance sur l'horaire et Moore contourna la passerelle pour rejoindre les seules jumelles amplificatrices qui étaient montées côté bâbord. Kayani se trouvait déjà à leur oculaire. Dans le même temps, Mallaah et ses hommes attendaient sur le pont, au milieu de l'embarcation, prêts à transférer le prisonnier sitôt qu'ils seraient bord à bord avec le navire indien.

Kayani s'effaça pour laisser Moore regarder. Malgré les nuages qui s'amoncelaient, les étoiles procuraient une lumière suffisante pour baigner le patrouilleur de classe Pauk d'une lueur d'un vert fantomatique, assez en tout cas pour révéler le matricule *36* peint sur la coque. Approchant par le travers, l'*Agray*, qui avec ses cinq cents tonnes jaugeait le double de leur patrouilleur, était armé de huit missiles surface-air GRAIL et d'un duo de lance-roquettes RBU-1200ASW à la proue. Avec ses dix tubes, chaque système était capable de déployer aussi bien des leurres que des roquettes, pour des opérations contre des bâtiments de surface ou contre des sous-marins. En sa présence, le *Quwwat* paraissait rabougri.

Comme l'*Agray* glissait avec lenteur côté bâbord et se préparait à l'abordage, Moore distingua le nom du bâtiment barrant la poupe en lettres noires et visible malgré les embruns projetés dans le sillage du navire. Reportant alors son attention à tribord, il avisa par la porte de la passerelle un clignotement bref-long, bref-long. Il essaya de se rappeler quel phare utilisait cette séquence. Pendant ce temps, l'*Agray* avait fini de virer de bord ; Kayani s'affairait à bâbord, penché par-dessus le bastingage pour veiller à la bonne disposition des protections latérales avant que les bâtiments ne se retrouvent bord à bord.

Les éclairs se répétèrent : bref-long, bref-long.

Un phare, mon cul ! C'était du morse. Et Alpha-Alpha, en morse, ça signifie : « Qui diable êtes-vous ? »

Moore eut des sueurs froides. « Lieutenant, on nous envoie un Alpha-Alpha par tribord. On s'enquiert de nous ! »

Kayani se précipita de l'autre côté de la passerelle, Moore sur ses talons. Combien de fois les avait-on ainsi déjà défiés ? Ils se trouvaient dans les eaux territoriales pakistanaises ; quelles étaient les règles d'engagement du Pakistan ?

Une fusée jaillit dans le ciel, déchirant la nuit et découpant des ombres franches sur les ponts des deux patrouilleurs. Moore regarda vers le large et le vit, à mille mètres de distance, s'élever des flots, cauchemar à l'imposant kiosque noir, puis les flancs mats de la coque fendirent l'onde, ruisselants, l'avant du submersible pointant dans leur direction. Le commandant avait fait surface pour les défier, puis il avait tiré une fusée éclairante pour confirmer visuellement sa cible.

Kayani saisit les jumelles pendues à son cou et zooma sur le bâtiment : « C'est le *Shushhuk* ! L'un des nôtres. Mais il était censé rester à quai. »

Moore se crispa. Que diable un sous-marin pakistanais venait-il faire sur sa zone de rendez-vous ?

Il se dévissa le cou pour examiner l'*Agray*. Le prisonnier taliban devait sans doute déjà être sur le pont. Conformément au plan, Adam portait une combinaison noire, il était coiffé d'un turban et ses poings étaient liés. Étaient censés l'escorter deux membres armés des MARCOS, les commandos de la marine indienne. Sans délai, Moore reporta son attention vers le sous-marin.

Et soudain, il l'aperçut… une traînée de bulles phosphorescentes qui filèrent derrière la poupe pour se diriger vers le bâtiment indien.

Il pointa le doigt : « Une torpille ! »

En une fraction de seconde, il avait surgi derrière Kayani pour le pousser sur le côté tout en se jetant lui-même au sol, au moment précis où la torpille touchait l'*Agray* dans une déflagration épouvantable, d'une violence surréaliste tant elle était survenue près. Une grêle de débris rebondit sur la coque du *Quwwat* avant de retomber dans l'eau en une multitude d'éclaboussures.

Moore vit, les yeux écarquillés, les gerbes d'eau de mer en ébullition se ruer vers eux en sifflant, se soulever tous ces éclats de métal chauffé à blanc issus du pont, de la coque et de l'engin explosif lui-même qui continuaient de jaillir de l'épave de l'*Agray*. Alors qu'il plongeait, évitant de justesse un fragment d'acier déchiqueté, la boule de feu engloutit les deux tourelles installées sur le château avant, déclenchant le lancement des missiles.

Moore s'enfonça sous les vagues, et ses pieds heurtèrent quelque chose un peu plus bas. Il remonta vers la surface, et tourna la tête pour chercher le lieutenant. Il l'aperçut, à quelques brasses.

Soudain, trois des roquettes de l'*Agray* atteignirent le logement des missiles Silkworm équipant le *Quwwat.* Les détonations consécutives furent si puissantes, si aveuglantes, que, d'un mouvement réflexe, Moore enfonça de nouveau la tête sous l'eau. Il nagea vers le lieutenant qui flottait, tête baissée, apparemment inconscient, le visage ensanglanté par une profonde entaille à la tempe gauche. Il avait dû heurter quelque débris en plongeant. Moore refit surface à hauteur de son épaule, et l'éclaboussa d'eau de mer jusqu'à ce que Kayani rouvre les yeux, l'air ahuri. « Allez, lieutenant, on se réveille ! »

À moins de trente mètres d'eux, une nappe de mazout enflammé s'étalait à la surface. L'odeur répugnante le fit grimacer tandis que, pour la première fois, il percevait un grondement sourd de moteurs diesel… le sous-marin. Il avait un répit : le submersible n'allait pas s'approcher de l'épave tant que subsisteraient des flammes.

Il y avait d'autres hommes à la mer, à peine visibles, et leurs hurlements étaient entrecoupés par de nouvelles explosions. Un cri retentit à proximité. Moore parcourut des yeux les environs, cherchant leur prisonnier, mais le double bang d'une nouvelle détonation le força à ramener la tête sous l'eau. Quand il refit surface et se retourna, le *Quwwat* gîtait déjà méchamment sur bâbord, tout près de sombrer. La proue de l'*Agray* était déjà entièrement submergée, l'incendie faisait toujours rage et, noyés dans une épaisse fumée, les stocks de munitions explosaient en crépitant avec des grondements assourdis. L'atmosphère était saturée d'un épais brouillard empestant le plastique et le caoutchouc brûlés.

Malgré la chaleur du brasier contre son visage, Moore se força au calme, il ôta ses souliers, puis les laça ensemble pour se les passer autour du cou. *Trois milles nautiques jusqu'au rivage... certes*, songea-t-il, mais pour l'heure, au ras des flots, il n'avait aucune idée de la direction à prendre : à l'exception des flammes, il régnait tout autour de lui un noir d'encre, et chaque fois qu'il jetait un œil vers les explosions derrière lui, il se retrouvait ébloui.

Trois éclairs en succession rapide... une minute. Ça lui revint... Il compta lentement les secondes. À dix-neuf, les trois éclairs reparurent. Il avait repéré le phare de Turshian.

Moore agrippa Kayani et le retourna vers lui. Toujours à demi inconscient, le lieutenant lui lança un regard, aperçut alors les incendies tout autour d'eux, et fut pris de panique. Il étendit la main, agrippa la tête de Moore. De toute évidence, l'homme n'avait pas entièrement recouvré ses esprits – un comportement fréquent chez les victimes d'accident. Mais si Moore ne réagissait pas, l'homme allait, en se débattant, l'entraîner par le fond.

Sans plus attendre, Moore plaqua les deux mains, doigts écartés contre ses flancs, à hauteur de hanche, et d'un mouvement tournant, le ramena à l'horizontale, forçant par là même le lieutenant à relâcher son étreinte. « On se calme ! Je vous tiens ! Relevez la tête et respirez. » Moore le prit par le col. « À présent, faites la planche. »

Tout en le tirant ainsi derrière lui, Moore se mit à nager à l'indienne en contournant les débris et les flaques de combustible enflammés qui menaçaient de les encercler. Ses oreilles carillonnaient, assourdies par les explosions qui ponctuaient le crépitement des flammes.

Kayani se calma jusqu'à ce qu'ils viennent à croiser une demi-douzaine de corps – des membres de son équipage –, épaves inertes désormais. Il se mit alors à hurler leurs noms et Moore dut battre des pieds encore plus vigoureusement pour les éloigner. Mais le spectacle devint encore plus macabre, avec désormais un bras ici, une jambe là. Et enfin, une masse sombre qui flottait droit devant : un turban. Celui du prisonnier. Moore s'arrêta, haussa la tête et se dévissa le cou jusqu'à ce qu'il parvienne à repérer une masse inerte ballottée par les vagues. Il nagea dans sa direction, fit rouler le corps de côté juste assez pour distinguer le visage barbu, le col de la combinaison noire et découvrir l'épouvantable entaille qui avait sectionné l'artère carotide. C'était leur homme. Moore serra les dents, rajusta sa prise pour traîner à nouveau le lieutenant. Avant de reprendre sa progression, il regarda dans la direction du sous-marin. Il avait déjà disparu.

Lorsqu'il était encore chez les plongeurs commando, Moore pouvait nager trois milles nautiques dans l'océan, sans palmes, en moins de soixante-dix minutes. Tirer par le col un autre homme risquait de le ralentir, mais il refusa de se laisser abattre par ce nouveau défi.

Il se concentra sur le phare, continuant de respirer et de battre des pieds à un rythme régulier, sans à-coups, sans déperdition d'énergie, en mesurant ses mouvements avec précision. Il tournait brièvement la tête vers le haut pour inspirer avant de reprendre sa progression avec une cadence de métronome.

Un cri surgi de nulle part le força à ralentir. Il pataugea, se retourna et repéra un petit groupe de naufragés – dix ou quinze – qui nageaient vers lui.

« Vous n'avez qu'à me suivre ! » leur lança-t-il.

À présent, il ne s'agissait plus seulement de sauver Kayani ; il se devait de motiver le reste des survivants pour les ramener vers la plage. C'étaient des gars de la marine, entraînés à nager et se faire mal, mais couvrir trois milles nautiques n'avait rien d'une sinécure, plus encore si l'on était blessé. Il ne devait pas les perdre de vue.

L'acide lactique s'accumulait dans ses bras et ses mollets, une brûlure régulière qui menaçait d'empirer et de se transformer en crampes. Il atténua le rythme, secoua les jambes, les bras, inspira de nouveau et se répéta qu'il n'était pas question de renoncer. Jamais.

Il se polarisa sur ce seul objectif. Il mènerait la petite troupe, les ramènerait au bercail – quand bien même il devrait y laisser la vie. Il les guidait au milieu des flots, luttant contre la douleur, stimulé par les voix du passé, les voix des surveillants et des instructeurs qui avaient consacré leur vie à les aider à libérer l'esprit combatif enfoui dans leur cœur.

Près d'une heure et demie plus tard, il entendit le ressac des vagues sur le rivage, et lorsqu'il était porté par la houle, il apercevait des lampes-torche qui s'agitaient sur la plage. Qui dit lampes-torche dit présence humaine. Ces gens avaient dû accourir en voyant le feu et en entendant les explosions au large, peut-être même les avaient-ils déjà aperçus. L'opération clandestine de Moore était partie pour faire la une. Flûte. Il se retourna. Le petit groupe de naufragés avait dérivé derrière lui, ils étaient désormais à plus de cinquante mètres, incapables qu'ils étaient de suivre son rythme soutenu. C'est tout juste s'il les distinguait à présent.

Quand ses pieds nus touchèrent enfin le sable, il était vidé, la mer avait englouti ses dernières forces. Kayani était toujours plus ou moins dans le cirage et Moore dut le traîner à l'écart du ressac, pendant que cinq ou six villageois les entouraient déjà. « Appelez des secours ! » leur cria-t-il.

Au large, les flammes et les flashes redoublaient, tels des éclairs de chaleur découpant les nuages à contre-jour, mais les silhouettes des deux navires avaient disparu tandis que le reste de carburant finissait de brûler.

Moore récupéra son téléphone mobile mais il était mort. La prochaine fois qu'il se ferait attaquer par un sous-marin, il veillerait à se munir d'une version étanche. Il demanda à l'un des villageois, un jeune homme à la barbe clairsemée, s'il avait un téléphone.

« J'ai vu les bateaux exploser », dit le jeune homme, haletant, en lui tendant son appareil.

« Moi aussi, lâcha Moore. Et merci pour le téléphone.

– Passez-le-moi ! » s'écria Kayani, resté étendu sur le rivage. Sa voix était rauque mais il semblait un peu plus lucide à présent. « Mon oncle est colonel dans l'armée. Il peut nous faire envoyer des hélicos en moins d'une heure. Ce sera encore le plus rapide.

– Alors, prenez-le », lança Moore. Il avait étudié les cartes et savait qu'ils étaient à plusieurs heures de route de l'hôpital le plus proche. Ils avaient en effet décidé d'organiser le rendez-vous au large d'une région rurale, presque déserte.

Kayani eut son oncle et ce dernier leur promit aussitôt l'envoi de secours. Un deuxième appel au supérieur de Kayani était destiné à demander aux gardes-côtes d'aller récupérer les hommes restés au large, mais la gendarmerie maritime pakistanaise ne disposait d'aucun hélicoptère de sauvetage, uniquement de corvettes et de vedettes de fabrication chinoise qui n'arriveraient sur zone qu'en milieu de matinée. Moore reporta son attention vers la mer et scruta chaque vague en guettant l'apparition de survivants.

Cinq minutes. Dix. Rien. Pas âme qui vive. Entre les flaques de sang et les membres épars rejetés en mer comme quelque bouillon infâme, il y avait fort à parier que les requins étaient rapidement apparus. Ça, plus les blessures dont souffraient déjà les autres survivants, c'en avait été trop, sans doute.

Il s'écoula une demi-heure encore avant que Moore n'avisât le premier corps, drossé par le ressac comme du bois flotté. Bien d'autres allaient suivre.

Il fallut encore plus d'une heure avant qu'un Mi-17 n'apparaisse dans le ciel, arrivant du nord-ouest. Le grondement des deux turbines et les claquements du rotor se réverbéraient contre le flanc des collines. L'appareil, conçu tout exprès par les Soviétiques pour leur guerre en Afghanistan, avait fini par devenir le symbole du conflit : des Goliath du ciel abattus par des frondes. L'armée pakistanaise avait une dotation de près d'une centaine de Mi-17, une précision bien futile que Moore connaissait uniquement parce qu'il avait volé à bord de ces engins à plusieurs reprises et qu'il avait entendu un des pilotes râler contre ces coucous russes qui tombaient en panne une fois sur deux, avant de préciser que l'armée pakistanaise possédait encore une centaine de ces épaves volantes.

Pas trop rassuré, Moore embarqua avec Kayani à bord du Mi-17, pour rallier l'hôpital gouvernemental Sindh installé à Liaquatabad, dans la banlieue de Karachi. Durant le vol, les infirmiers leur administrèrent des analgésiques et les traits douloureux de Kayani se décrispèrent quelque peu. Le soleil se levait quand ils se posèrent.

Moore sortit de l'ascenseur au premier et s'engouffra dans la chambre de Kayani. Ils étaient à l'hosto depuis une heure à présent. Le lieutenant aurait une jolie balafre à exhiber pour briller auprès des filles. Les deux hommes souffraient de déshydratation sévère quand ils avaient touché terre et le lieutenant avait encore une perfusion au bras gauche.

« Comment vous sentez-vous ? »

Kayani leva la main pour effleurer le pansement entourant son front. « J'ai toujours la migraine.

– Ça passera.

– Jamais je n'aurais réussi à regagner le rivage à la nage. »

Moore acquiesça. « Vous avez reçu un coup sévère et perdu pas mal de sang.

– Je ne sais trop quoi dire. Merci est un mot bien faible. »

Moore but une grande lampée d'eau au goulot de la bouteille que lui avait donnée l'une des infirmières. « Eh, n'en parlons plus. » Un mouvement sur le seuil détourna l'attention de Moore. C'était Douglas Stone, un collègue de l'Agence ; tout en caressant sa barbe poivre et sel, il était en train de contempler Moore par-dessus la monture de ses lunettes. « Faut que j'y aille, lança Moore.

– Monsieur Fredrickson, attendez… »

Moore fronça les sourcils.

« Ai-je un moyen de vous contacter ?

– Bien sûr. Pourquoi ? »

Kayani regarda Stone et resta bouche cousue.

« Oh, je vois. Pas de souci. C'est un ami sûr. »

Le lieutenant hésita malgré tout quelques secondes encore avant de lâcher : « Je tiens juste à vous remercier… d'une façon ou d'une autre. »

Moore prit sur la table un bloc et un crayon pour griffonner une adresse de courrier électronique.

Le lieutenant serra précieusement le bout de papier dans sa main. « Je vous recontacte. »

Moore haussa les épaules. « Entendu. »

Il regagna le couloir, s'éloignant délibérément de Stone, tout en marmonnant entre ses dents : « Bon, Doug, raconte-moi : c'est quoi, ce bordel ?

– Je sais, je sais. » Stone avait déployé son ton apaisant coutumier mais Moore ne l'entendait pas de cette oreille. Pas maintenant.

« Nous avions assuré aux Indiens que le rendez-vous se déroulerait sans problème. Il leur fallait pour cela pénétrer dans les eaux territoriales pakistanaises. Ça les préoccupait.

– On nous avait promis que les Pakistanais s'occupaient de tout.

– Alors, d'où vient le pépin ?

– Ils nous disent que le commandant du sous-marin n'a jamais reçu l'ordre de rester à quai. Quelqu'un aura oublié de le lui transmettre. Il a donc appareillé pour sa patrouille habituelle et cru qu'il était tombé au beau milieu d'un engagement. D'après lui, il aurait envoyé de multiples sommations sans jamais recevoir de réponse. »

Moore ricana. « Eh bien, on ne peut pas franchement dire qu'on s'attendait à le voir et quand on a découvert sa présence, il était déjà trop tard.

– Le commandant a également signalé avoir vu les Indiens faire monter des prisonniers sur le pont.

– Donc, il était prêt à torpiller ses compatriotes, en plus ?

– Qui sait ? »

Moore s'immobilisa et pivota sur place pour faire face à son collègue. « Leur seul prisonnier était notre gars.

– Eh, Max, je sais ce que t'as enduré.

– Je t'invite à venir nager six mille mètres avec moi. Là, tu sauras pour de bon. »

Stone ôta ses lunettes et se massa les paupières. « Écoute, ça pourrait être pire. On pourrait être en ce moment en train de chercher un moyen de présenter nos excuses aux Indiens tout en les dissuadant de raser Islamabad à coups de bombes atomiques.

– Tiens, ce serait sympa… parce que c'est justement ma destination. »

1
DÉCISIONS

Hôtel Marriott
Islamabad, Pakistan
Trois semaines plus tard

LA SOLUTION TROUVÉE par le lieutenant Maqsud Kayani pour s'acquitter de sa dette se concrétisa par une invitation à rencontrer son oncle, Saadat Khodaï, colonel dans l'armée pakistanaise. À peine arrivé à Islamabad, Moore la découvrit, fort intrigué, dans la boîte de réception de sa messagerie électronique. L'oncle de Kayani, celui-là même qui avait organisé leur sauvetage héliporté, avait confié au neveu les affres de sa dépression consécutive à une crise de conscience. Le mail ne précisait pas plus avant les raisons de ladite crise, mais Kayani ne manquait pas de souligner les incommensurables effets positifs qu'une telle rencontre pourrait avoir tant pour son oncle que pour son interlocuteur.

Au terme de plusieurs semaines de rencontres et de joutes verbales, Moore en était venu à suspecter que Khodaï était en mesure d'identifier plusieurs sympathisants talibans influents au sein de l'armée. Il but des litres de thé avec le colonel, tout en cherchant à le persuader de tout lui révéler de l'infiltration et l'exploitation par les talibans des zones tribales du nord-ouest, et tout particulièrement dans la région du Waziristan. Le colonel se montrait réticent, hésitant à sauter le pas. Moore se sentait frustré. Dans l'impasse. C'était bien là le nœud du problème.

Le colonel ne s'inquiétait pas seulement des conséquences éventuelles pour sa famille mais il devait aussi admettre qu'une telle attitude irait à l'encontre de convictions profondément ancrées, entre autres celle de ne jamais dénigrer ou trahir ses camarades et collègues portant l'uniforme, quand bien même ils auraient trahi leur serment de fidélité au pays et à cette armée qu'il aimait par-dessus tout. Ses entretiens avec Moore l'avaient toutefois conduit dans l'impasse : si ce n'était pas lui qui s'y collait, alors qui ?

Et puis, un beau soir, le colonel avait appelé Moore pour lui dire qu'il était prêt à parler. Moore était passé le prendre chez lui et l'avait conduit à l'hôtel pour le rencontrer avec deux de ses collègues. Ils s'étaient garés au parking des invités.

Khodaï venait d'atteindre la cinquantaine et quelques mèches grises parsemaient sa brosse de cheveux drus. Il avait les yeux las, cernés, et son menton proéminent affichait des touffes de barbe blanche de plusieurs jours. Il était en tenue civile – pantalon et chemise – mais ses bottes trahissaient l'officier. Et il triturait nerveusement entre le pouce et le majeur la dragonne en cuir de l'étui de son Blackberry.

Moore avança la main vers la poignée pour ouvrir la portière mais Khodaï s'interposa pour arrêter son geste. « Attendez. J'ai dit que j'étais prêt mais j'aurai peut-être besoin d'un peu plus de temps. »

Le colonel avait étudié l'anglais au lycée puis il s'était inscrit à l'université du Punjab à Lahore, où il avait décroché un diplôme d'ingénieur. Son accent était prononcé mais son vocabulaire étendu et le ton de sa voix restait intimidant et ferme. Moore voyait sans peine pourquoi il était si vite monté en grade. Quand il ouvrait la bouche, on ne pouvait s'empêcher de s'approcher de lui, aussi Moore se détendit-il et, retirant sa main de la porte, lui dit : « Mais vous êtes tout à fait prêt. Et vous vous le pardonnerez. Le jour venu.

– Y croyez-vous réellement ? »

Moore écarta une mèche de devant ses yeux, soupira, répondit : « Je veux y croire. »

L'homme eut un faible sourire. « Les casseroles que vous vous traînez sont sans doute aussi lourdes que les miennes.

– Supposition hasardeuse.

– Je sais reconnaître un ancien militaire quand j'en croise un. Et vu votre poste actuel, vous avez dû en voir des vertes et des pas mûres.

– Peut-être. La question pour vous est celle-ci : quelle est la casserole la plus lourde ? Celle d'agir ou de ne pas agir ?

– Vous êtes encore presque un gamin mais j'ose penser que vous avez la sagesse d'un homme mûr.

– Je sais ce que vous avez enduré. »

L'autre arqua les sourcils. « J'ai votre promesse que ma famille sera entièrement protégée ?

– Vous n'avez pas besoin de reposer la question. Ce que vous allez faire sauvera des vies humaines. Vous le comprenez.

– Certes. Mais je ne fais pas que risquer ma propre vie et ma carrière. Mes collègues sont tout aussi impitoyables et impatients que les talibans. Je crains toujours que vos amis se révèlent dans l'incapacité de nous aider – malgré toutes vos belles paroles.

– Alors, je n'en rajouterai pas. Le choix vous revient. Nous savons l'un et l'autre ce qui se produira si vous ne montez pas là-bas. Vous en connaissez aussi bien que moi les conséquences.

– Vous avez raison. Je ne peux pas rester plus longtemps sans réagir. Ils ne nous dicteront pas nos actions. Ils ne nous dépouilleront pas de notre honneur. Jamais.

– Dans ce cas, permettez-moi de vous rappeler que la proposition de conduire votre famille aux États-Unis est toujours sur la table. Là-bas, nous serons mieux à même de les protéger. »

Il hocha la tête, se massa le coin des yeux. « Je ne peux pas bouleverser leur existence. Mes fils sont entrés au lycée. Ma femme vient d'avoir une promotion. Elle travaille au technopôle voisin. Le Pakistan est notre pays. Jamais nous ne le quitterons.

– Dans ce cas, vous devez contribuer à l'améliorer, le rendre plus sûr. »

Khodaï releva la tête, les yeux écarquillés. « Et qu'est-ce que vous feriez, à ma place ?

– Je ne voudrais pas, par mon inaction, offrir la victoire aux terroristes. Cette décision est la plus difficile de toute votre existence. J'en suis conscient. Je ne prends pas la chose à la légère. Vous n'avez pas idée du respect que vous m'inspirez devant ce que vous vous apprêtez à faire… le courage que cela exige. Vous êtes un homme qui réclame justice. Alors, oui, si j'étais vous, je descendrais de cette voiture pour aller rencontrer mes amis – et ainsi rendre à l'armée pakistanaise son honneur perdu. »

Khodaï ferma les yeux, exhala un léger soupir. « Voilà que vous parlez comme un homme politique, monsieur Moore.

– Peut-être, mais la différence est que je crois vraiment à ce que je viens de vous dire. »

Khodaï eut l'ombre d'un sourire. « J'aurais imaginé que vous avez vécu une vie de nanti avant de vous engager dans l'armée.

– Pas moi, non. » Moore réfléchit un instant. « Êtes-vous prêt, colonel ? »

Ce dernier ferma les yeux. « Oui, je suis prêt. »

Ils descendirent, traversèrent le parking pour remonter la rampe d'accès et rejoindre le large dais qui recouvrait l'entrée principale de l'hôtel. Moore parcourait du regard l'allée, le parking, et jusqu'aux toits des bâtiments de l'autre côté de la rue, mais tout semblait calme. Ils dépassèrent les chauffeurs de taxi, qui fumaient tranquillement, appuyés au capot de leur voiture. Ils saluèrent de la tête les jeunes grooms qui s'affairaient près d'un petit pupitre devant un coffre mural où étaient accrochées des dizaines de clés. Ils entrèrent, passèrent devant le nouveau mur antidéflagration, et franchirent le poste de contrôle où on les passa aux rayons X pour s'assurer qu'ils ne transportaient ni bombe, ni munitions. Puis ils traversèrent le hall dallé de marbre étincelant jusqu'au large comptoir richement décoré derrière lequel se tenaient des réceptionnistes en costume foncé. Un barbu vêtu d'un ensemble en coton jouait une mélodie douce sur un piano crapaud installé sur leur gauche. Il y avait quelques clients à la réception, des hommes d'affaires, sans doute, jugea Moore. Sinon, l'hôtel était calme, tranquille, accueillant. Il adressa un discret signe de tête à Khodaï, et ils gagnèrent la batterie d'ascenseurs.

« Avez-vous des enfants ? s'enquit le Pakistanais alors qu'ils attendaient la cabine.

– Non.

– Le regrettez-vous ?

– Ça me paraît une autre vie. Je voyage trop. Je ne pense pas que ce serait juste. Pourquoi cette question ?

– Parce que tout ce que nous faisons, c'est pour leur offrir un monde meilleur.

– Vous avez raison. Un jour peut-être. »

Khodaï posa une main sur l'épaule de Moore. « Ne leur donnez pas tout. C'est une décision que vous regretteriez. Dès que vous êtes père, le monde prend un tout autre visage. »

Moore acquiesça. Il aurait voulu parler à Khodaï de toutes ces femmes qu'il avait fréquentées au cours des années, de toutes ces relations devenues les victimes de sa carrière dans la marine puis à la CIA. Le taux de divorce variait mais d'aucuns disaient que chez les paras-commandos, il frisait les quatre-vingt-dix pour cent. Après tout, combien de femmes étaient prêtes à épouser un homme qu'elles ne verraient presque jamais ? Le mariage finissait par se transformer en relation extra-conjugale – pour reprendre l'expression d'une de ses ex. Elle se disait prête à épouser un autre homme tout en poursuivant ses relations avec lui, car il lui procurait les frissons et la joie de vivre dont l'autre serait bien incapable, tandis que ce dernier lui assurerait la stabilité émotionnelle et financière. Bref, avec un mari d'un côté et un SEAL de l'autre, elle gagnait sur les deux tableaux. Mais non, Moore n'avait pas envie de se livrer à ce jeu. Tant et si bien que, malheureusement, il s'était retrouvé à coucher avec une quantité innombrable de call-girls, de strip-teaseuses et autres filles perdues en état d'ébriété, même si depuis quelques années déjà, sa vie se résumait à un lit d'hôtel avec un seul oreiller. Sa mère continuait de l'implorer de se trouver une gentille fille et de se caser. Il lui expliquait en riant que la dernière partie de la proposition était irréalisable, ce qui *de facto* rendait la première impossible. Alors elle lui demandait s'il ne trouvait pas cette attitude égoïste. À quoi il répondait qu'assurément il comprenait son désir d'avoir des petits-enfants mais que, hélas, son boulot était trop contraignant et qu'il redoutait qu'un père absent fût encore pire que pas de père du tout.

Elle lui avait dit de démissionner. Il lui répondait qu'il finirait bien un jour par trouver un endroit où se poser, après tous les chagrins qu'il avait occasionnés. Mais pas maintenant. Pas question.

Il avait envie de faire part de ces sentiments à Khodaï – il se sentait des atomes crochus avec lui – mais la sonnerie tinta et les portes de l'ascenseur s'ouvrirent. Ils montèrent dans la cabine et le colonel lui sembla pâlir lorsque les portes se refermèrent.

Ils montèrent jusqu'au quatrième sans échanger une parole, les portes s'ouvrirent et Moore avisa presque aussitôt un homme qui se détachait à contre-jour sur le palier de l'escalier à l'autre bout du couloir – c'était un agent de l'ISI – l'Inter-Services Intelligence – le renseignement pakistanais. Remarquant son oreillette de téléphone mobile, Moore glissa machinalement la main dans sa poche afin de ne pas oublier d'appeler les autres pour leur dire qu'ils approchaient de la porte... et c'est là qu'il se rendit compte qu'il avait laissé son smartphone en bas dans la voiture, et merde.

Ils arrivèrent devant la chambre et Moore frappa, tout en annonçant : « C'est moi, les gars. »

La porte s'ouvrit tout grand et Regina Harris, l'une de ses collègues, les invita tous deux à entrer. Douglas Stone était là également.

« J'ai laissé mon mobile dans la voiture, dit Moore. Je reviens tout de suite. »

Moore retourna dans le corridor pour rebrousser chemin et c'est à cet instant qu'il nota la présence d'un second agent posté devant les ascenseurs. Bien joué... Désormais l'ISI contrôlait tous les accès à l'étage. Ce deuxième gars, un petit mec au visage chiffonné et aux grands yeux noisette, était en train de parler au téléphone, d'une voix nerveuse. Chemise bleu, pantalon et souliers noirs, l'air chafouin.

Dès que l'homme aperçut Moore, il rabaissa son téléphone et rebroussa chemin vers la cage d'escalier, ce qui, durant un instant, rendit Moore encore plus perplexe. Il fit quelques pas encore, puis il s'immobilisa, pivota et se rua dans la chambre.

L'explosion ravagea le corridor, soulevant un rideau de flammes et de débris, bloquant l'accès à l'ascenseur. Moore se retrouva le cul par terre. Puis un épais nuage de fumée sortit de la pièce pour envahir le couloir. Moore roula sur lui-même et se mit à quatre pattes, tout en maudissant le ciel. Les yeux lui piquaient et l'air empestait la poudre. Il se mit à réfléchir à toute allure, se remémorant l'ensemble des réserves évoquées par le colonel, comme si tous les doutes de son interlocuteur devaient se concrétiser dans l'explosion. Moore s'imagina Khodaï et ses collègues déchiquetés et cette image le poussa à se relever pour filer vers l'escalier désormais vide…

Et poursuivre le salaud qui avait pris la fuite.

La poursuite ne lui laissa pas le temps de culpabiliser, ce dont Moore rendit grâce au ciel. S'il avait attendu, ne fût-ce qu'une seconde, et songé qu'il avait convaincu Khodaï de « faire le bon choix », un choix qui lui avait coûté la vie à cause d'une défaillance dans la sécurité de son équipe, il se serait effondré. Dans un rapport de mission, on l'avait décrit comme « un homme qui prenait à cœur passionnément sa tâche et qui se montrait d'un dévouement total pour ses collègues », ce qui bien sûr expliquait pourquoi, surgi de son passé dans les commandos de la marine, un visage précis ne cessait de le hanter. Et la disparition soudaine de Khodaï ne fit que raviver encore ce souvenir.

Moore s'engouffra dans la cage d'escalier et aperçut aussitôt le type en train de dévaler les marches. Les dents serrées, il se rua à sa poursuite, se retenant à la rampe pour dévaler les marches quatre à quatre, tout en pestant d'avoir dû laisser son flingue dans la voiture. On voulait bien qu'ils utilisent l'hôtel pour leurs rendez-vous, mais la sécurité de l'établissement, tout comme la police locale, s'étaient montrées inflexibles : pas d'arme à l'intérieur du bâtiment. Ce point n'était pas négociable, et alors que Moore et ses collègues avaient accès à tout un arsenal susceptible de déjouer les portiques de sécurité, ils avaient néanmoins choisi d'honorer cette requête, pour ne pas risquer d'envenimer une relation déjà fragile. Moore pouvait supposer que si l'homme avait réussi à franchir le contrôle de l'ISI, c'est qu'il n'était pas armé. Mais Moore avait également supposé que leur chambre d'hôtel était un point de rencontre sûr. Ils avaient choisi une des quatre chambres libres de cet étage côté rue, pour pouvoir surveiller les allées et venues et le passage des véhicules. Tout changement imprévu pouvait être l'indice que quelque chose se tramait, et ils se plaisaient à y voir là une précaution astucieuse. Bien que n'ayant pas eu la possibilité d'utiliser un chien renifleur de bombes, ils avaient toutefois passé les lieux au peigne fin, à la recherche d'un quelconque mouchard électronique ; du reste, ils avaient utilisé la chambre sans incident au cours des dernières semaines. Que ces brigands aient réussi à faire pénétrer des explosifs était exaspérant et désespérant. Khodaï n'avait pas fait retentir d'alarme en entrant, donc Moore devait en déduire qu'il était hors de cause. À moins bien sûr que le second point de contrôle ne fût déjà noyauté par les talibans.

L'autre loustic avait déjà atteint le rez-de-chaussée et gagna la porte de la cage d'escalier avec six secondes d'avance sur Moore.

En moins de deux, il avait franchi la porte et parcourait le hall du regard : à gauche la réception, à droite, un long couloir menant au club de remise en forme, à la salle de gym et au parking de derrière niché dans l'angle d'une large parcelle boisée.

En attendant, tout l'hôtel était plongé dans le chaos, entre le hurlement des sirènes, les cris du personnel de sécurité et la cohue des employés courant dans tous les sens, tandis que la fumée commençait à se répandre dans le système de ventilation, accompagnée d'une odeur âcre d'explosif.

Après avoir jeté un bref regard derrière lui, l'homme se précipita vers la porte d'entrée. Moore se lança aussitôt à sa poursuite, attirant l'attention de deux femmes de chambre qui se mirent illico à piailler en rameutant la sécurité. *Parfait*.

Moore réduisit l'écart au moment où l'homme levait les deux mains pour ouvrir tout grand la porte de derrière. En deux temps trois mouvements, Moore avait rejoint le seuil ; il se sentit soudain enveloppé par la fraîcheur de la nuit, alors qu'il voyait l'homme se ruer vers le parking où lui-même avait laissé sa voiture. C'était sa meilleure porte de sortie, avec les bois alentours, mais ce faisant, il allait passer devant le véhicule de Moore – avec son pistolet planqué à l'intérieur.

La colère le fit redoubler d'énergie. Ce gars ne s'en tirerait pas comme ça. Ce n'était plus une décision, ou même un objectif, mais un fait. Moore envisageait déjà sa capture ; ce n'était plus qu'une question de temps. Comme prévu, sa proie n'avait pas son endurance physique et l'autre se mit bientôt à ralentir, au seuil de la crampe, quand Moore avait encore de la marge avant d'atteindre ce niveau. Il accéléra de plus belle et se jeta sur l'homme comme un loup sur sa proie, lui expédiant dans le mollet gauche un coup de pied qui l'envoya valser dans l'herbe, quelques mètres avant d'avoir rejoint le bitume du trottoir.

Il y avait un vieux dicton bien connu de tous les pratiquants du muay, cet art martial thaïlandais : « Un coup de pied cède devant un coup de poing, un coup de poing devant un coup de genou, un coup de genou devant un coup de coude, et un coup de coude devant un coup de pied. »

Eh bien, ce connard avait cédé dès le premier coup de pied de Moore et ce dernier le saisit aux poignets avant de l'enfourcher pour le clouer au sol.

« Ne bouge pas. Tu es fait ! » lui dit Moore en urdu – la langue la plus usitée dans la ville.

L'homme releva la tête, se débattit et puis soudain ses yeux se plissèrent et sa bouche s'ouvrit comme pour un cri… d'horreur ? De surprise ?

Une détonation familière retentit derrière eux. Familière, oui, terriblement familière.

Presque au même instant, la tête de l'homme explosa, éclaboussant de sang Moore qui réagit d'instinct, un instinct de survie qui le fit se jeter de côté dans l'herbe pour s'éloigner de la cible.

Haletant, il continua de rouler sur lui-même, toujours en pleine possession de ses moyens, le corps rompu aux exercices et à l'entraînement appris dans les commandos.

Deux autres détonations encore, et les balles tracèrent un sillon dans l'herbe à moins de quinze centimètres du torse de Moore, à l'instant même où il se relevait à quatre pattes pour sprinter vers sa voiture qui l'attendait tout près, à moins de dix mètres. L'arme était un Dragunov, un fusil de précision de fabrication soviétique. Lui-même avait tiré avec, il l'avait vu en action, il avait été blessé par des hommes équipés de ce flingue. Sa portée était de huit cents mètres et pouvait aller jusqu'à treize cents si le tireur était doué et savait exploiter la lunette de visée. Et le chargeur amovible de dix cartouches lui laissait de quoi se faire la main.

Un autre projectile transperça la portière, côté conducteur, à l'instant où Moore glissait la main dans sa poche pour actionner le déverrouillage. La commande centralisée émit un bip tandis qu'il se glissait de l'autre côté, à l'abri du tireur, et ouvrait la portière passager.

Le pare-brise s'étoila, transpercé par une autre balle. Moore sortit de la boîte à gants son Glock 30 avec la mention *AUSTRIA* bien visible sur le côté du calibre 45. Moore contourna la portière, scruta le rideau d'arbres, l'hôtel derrière et bien vite il repéra son bonhomme, posté sur la terrasse de l'atelier voisin, haut d'un seul étage.

Le tireur embusqué était coiffé d'un bonnet de laine noire mais son visage était parfaitement visible. Une barbe noire. De grands yeux. Le nez fort. Et Moore hocha la tête, c'était bien un Dragunov, avec sa lunette de visée et son imposant chargeur que le tireur était en train de lever un peu plus haut, un coude appuyé au rebord de la terrasse.

À peine Moore l'avait-il localisé que le tireur embusqué l'aperçut et tira trois balles coup sur coup contre la portière. Moore fila de nouveau se planquer de l'autre côté de la voiture.

Mais en même temps que retentissait un troisième coup de feu, Moore jaillit et, tenant le pistolet à deux mains, riposta. Ses balles s'enfoncèrent dans la balustrade en béton, à quelques centimètres de l'endroit où se tenait perché son adversaire, à près de quarante mètres de là. Une distance qui dépassait la portée de son arme mais Moore se dit que l'homme devait avoir autre chose en tête que procéder à des calculs balistiques. Il essayait surtout d'éviter une balle perdue.

Quatre vigiles de l'hôtel s'étaient déjà précipités sur le parking et Moore leur lança, le doigt tendu : « Il est là-haut. Planquez-vous ! »

Un des vigiles courut vers lui tandis que les autres filaient s'abriter derrière d'autres voitures garées là.

« Plus un geste ! » s'écria le garde… juste avant que le tireur embusqué ne lui loge une balle en pleine tête.

Un des collègues du vigile se mit à glapir dans sa radio.

Quand Moore reporta son attention sur le bâtiment, il repéra le tireur, à l'extrémité est, en train de descendre par une échelle d'entretien pour rejoindre le garage au rez-de-chaussée. L'homme se laissait glisser avec rapidité, telle une araignée quittant sa toile.

Moore s'élança à sa poursuite et le chemin devint inégal, le gazon cédant la place au gravier, avant qu'il ne retrouve le bitume du trottoir. Une étroite allée, entre le centre technique et une rangée de bureaux de plain-pied édifiés derrière, menait, en direction du nord-ouest, vers Aga Khan Road, l'avenue qui passait devant l'hôtel. Une bonne odeur de porc grillé avait envahi les lieux, comme si la ventilation des cuisines donnait de ce côté, et l'estomac de Moore se mit à gargouiller, même si l'heure n'était pas vraiment aux agapes.

Sans ralentir, il prit à gauche, le Glock pointé droit devant lui et là, à moins de vingt mètres de distance, il découvrit un petit fourgon Toyota HiAce, moteur au ralenti, avec deux hommes armés installés à l'arrière qui brandissaient leur flingue à la portière.

Le tireur embusqué fonça vers la fourgonnette qui démarrait et s'assit, au vol, à l'avant, tandis que les tireurs braquaient leurs armes sur Moore qui n'eut que le temps de plonger s'abriter sous une arcade en retrait avant de se retrouver arrosé par une pluie d'éclats de brique pulvérisée par les tirs d'arme automatique. À deux reprises, il tenta de quitter son abri pour faire un carton mais les autres tiraient sans arrêt et lorsqu'ils cessèrent, la fourgonnette avait déjà viré pour s'engager dans l'avenue et disparaître.

Moore courut vers sa voiture, récupéra son mobile et, d'une main tremblante, essaya de composer un numéro. Puis il renonça pour se laisser aller contre le dossier. Déjà, une meute de vigiles avait rappliqué et leur chef exigeait de lui des réponses.

Il devait absolument faire suivre le véhicule, demander une surveillance aérienne ou satellitaire.

Il devait aussi leur expliquer ce qui s'était passé.

Tout le monde était mort.

Mais il pouvait tout juste haleter, le souffle court.

Village de Saidpur
Banlieue d'Islamabad
Trois heures plus tard

Étroitement niché dans les collines de Margallah qui surmontent Islamabad, le village de Saidpur offrait une vue imprenable sur la ville, attirant des hordes de touristes avides de découvrir ce que certains guides appelaient « l'âme » du Pakistan. À les en croire, on pouvait la trouver à Saidpur.

Toutefois, si la cité avait une âme, celle-ci s'était soudainement assombrie. Des colonnes de fumée continuaient de s'élever de l'hôtel Marriott, salissant le ciel étoilé, tandis que Moore, installé au balcon de la planque, pestait de plus belle. L'explosion avait non seulement détruit leur chambre mais aussi les deux chambres voisines, et avant que quiconque ait pu intervenir, le toit de cette section du bâtiment s'était effondré.

Avec l'aide de trois autres agents appelés à la rescousse pour boucler les abords, accompagnés d'une équipe de police scientifique et de deux spécialistes en criminologie, Moore avait pu collaborer avec la sécurité de l'hôtel, la police locale et cinq agents de l'ISI, tout en alimentant les reporters d'Associated Press d'un flot continu de fausses informations. Le temps que la dépêche parvienne aux grands médias comme CNN, on apprendrait que les talibans avaient fait exploser une bombe dans l'hôtel et que les terroristes avaient revendiqué la responsabilité de l'attentat, en représailles contre l'assassinat par des chiites de certains de leurs alliés, membres d'un groupe d'extrémistes sunnites répondant au nom de Sipah-e-Sahaba. Un colonel de l'armée pakistanaise avait trouvé la mort, victime collatérale de cet attentat. Entre les noms à coucher dehors de ces divers groupes et les circonstances pour le moins floues, Moore était certain que le récit allait encore s'enjoliver de complications inattendues. De toute façon, ses collègues en train d'éplucher la chambre n'avaient aucun élément permettant de les identifier comme des ressortissants américains et encore moins des membres de la CIA.

Il s'écarta du balcon pour laisser une voix résonner dans sa tête : « *Je ne peux pas bouleverser leur existence. Mes fils sont entrés au lycée. Ma femme vient d'avoir une promotion. Elle travaille au technopôle voisin. Le Pakistan est notre pays. Jamais nous ne le quitterons.* »

Moore agrippa la main courante, se pencha en avant, le souffle coupé, et se mit à vomir. Il resta sans bouger, le front posé sur le bras, attendant que le malaise passe, cherchant à se vider l'esprit, quand en réalité l'attentat n'avait fait que raviver ses souvenirs. Il avait passé des années à essayer de les réprimer, se débattant avec eux dans ses nuits d'insomnies, luttant contre la pente facile consistant à noyer la douleur dans l'alcool. Et ces dernières années, il s'était plu à croire qu'il y avait réussi.

Et puis voilà. Il avait rencontré ses homologues quelques semaines plus tôt, à peine, et dans ce bref délai, il n'avait eu que le temps de nouer des relations strictement professionnelles. Oui, il culpabilisait à mort pour ces pertes, mais c'était surtout le sort de ce malheureux colonel Khodaï qui lui était le plus douloureux. Moore avait eu le temps de bien le connaître, rendant cette perte d'autant plus pesante. Comment réagirait le neveu de Khodaï en apprenant sa mort ? Le lieutenant avait cru aider les deux hommes, et bien qu'il ait dû se douter que son oncle courait un risque en se confiant à Moore, il avait sans doute refusé d'imaginer qu'on pût l'assassiner.

Moore avait promis de protéger Khodaï et sa famille. Échec sur toute la ligne. Quand la police s'était pointée à leur domicile juste une heure plus tôt, elle avait retrouvé les cadavres poignardés de son épouse et de ses enfants, et l'agent chargé de leur protection était porté disparu. Les talibans avaient tant de relations, ils étaient si imbriqués dans le tissu social de la cité qu'il semblait virtuellement impossible à Moore et ses hommes de progresser de manière significative. C'était son état dépressif qui reprenait le dessus, il en était conscient, mais les talibans avaient des guetteurs installés partout et il avait eu beau tout faire pour se fondre dans la masse – se laisser pousser la barbe, adopter la tenue autochtone, parler la langue –, ils l'avaient quand même démasqué et avaient deviné qui il recherchait.

Il s'essuya la bouche et se redressa, reportant son regard sur la ville, les derniers panaches de fumée, les lumières qui scintillaient jusqu'à l'horizon. Il déglutit, essaya de reprendre courage et murmura doucement : « Pardon. »

Quelques heures plus tard, Moore était en vidéoconférence avec Greg O'Hara, le vice-directeur du service national clandestin de la CIA. O'Hara avait la cinquantaine athlétique, des cheveux roux grisonnants et des yeux bleus au regard perçant encore accentué par ses lunettes. Il avait un penchant pour les nœuds papillon et devait bien en posséder une centaine. Moore lui fournit un résumé succinct des événements, et ils convinrent de se reparler dans la matinée, une fois que les autres équipes auraient achevé leurs investigations et consigné le résultat de celles-ci. Le supérieur immédiat de Moore, chef de la division des activités spéciales, devait également prendre part à l'entretien.

Israr Rana, l'un des contacts locaux de Moore et un agent qu'il avait recruté personnellement après avoir passé les deux dernières années en Afghanistan et au Pakistan, se présenta à la planque. Rana était un étudiant d'une vingtaine d'années, à l'esprit vif, aux traits déliés, et qui nourrissait une passion pour le cricket. Son sens de l'humour et son charme d'adolescent attardé lui permettaient de collecter une quantité non négligeable d'informations pour le service. Si l'on y ajoutait sa généalogie – sa famille était connue depuis plus de cent ans pour avoir fourni au pays de grands soldats et des hommes d'affaires astucieux –, on obtenait quasiment l'agent idéal.

Moore se laissa choir dans un fauteuil, tandis que Rana restait debout près du canapé. « Merci d'être venu.

– Pas de problème, Monnaie. »

C'était en effet ainsi que Rana surnommait Moore. Logique ; après tout, il était grassement rémunéré pour ses services.

« J'ai besoin de savoir où s'est produit la fuite. A-t-on foiré d'emblée ? Le problème vient-il de l'armée, des talibans ou des deux ? »

Rana hocha la tête et fit une grimace. « Je ferai tout mon possible pour vous informer là-dessus. Mais auparavant, permettez-moi de vous offrir à boire. Quelque chose qui vous aidera à dormir. »

Moore écarta la suggestion d'un geste. « Rien ne peut m'aider à dormir. »

Rana dodelina du chef. « J'ai quelques messages à faire passer. Puis-je vous emprunter votre ordinateur ?

– Il est là. »

Moore se retira dans la chambre et, en moins d'une heure, il se rendit compte de son erreur. Il glissa dans un sommeil lourd, ballotté sans cesse sur des vagues noires, jusqu'à ce que les battements de son cœur, sourds comme le claquement des pales d'un hélicoptère, le réveillent en sursaut, en proie à des sueurs froides. Il parcourut la chambre du regard, soupira et enfouit sa tête dans l'oreiller.

Une demi-heure plus tard, il avait repris sa voiture pour se rendre à nouveau sur les lieux de l'attentat. Il contempla l'immeuble puis le centre technique qui le jouxtait. Il trouva un vigile du centre et, accompagné de deux policiers, put pénétrer dans le bâtiment. Ils montèrent sur le toit – Moore l'avait déjà visité quand ils avaient récupéré les chargeurs vides laissés par le tireur, à la recherche de ses empreintes.

Ce fut une révélation soudaine, comme une illumination, qui lui était venue en lisière de l'inconscient, parce que la question du moyen utilisé par le terroriste pour faire entrer les explosifs dans la chambre avait continué de lui trotter dans la tête jusqu'à ce qu'il trouve la solution, bête comme chou. Tout ce qu'il lui fallait, c'était une preuve.

Il s'approcha du bord du toit, balayant lentement du faisceau de sa torche la balustrade de béton et d'acier couverte d'une croûte de poussière… et enfin, il la découvrit.

La division des activités spéciales (SAD) qui opérait dans le cadre du Service clandestin national était dirigée par des agents paramilitaires recrutés parmi les officiers qui avaient déjà mené des opérations « douteuses » sur le sol étranger. La division était composée de membres des trois armes, terre, air, mer. À l'origine, Moore s'était vu recruter par la branche maritime, comme la plupart de ses collègues des commandos de marine, mais on l'avait prêté à la section terrestre, si bien qu'il avait travaillé plusieurs années en Irak et en Afghanistan, où il avait mené d'excellentes opérations de renseignement en se servant de drones Predator pour balancer des missiles Hellfire sur des cibles talibanes. Moore n'avait pas protesté lors de sa mutation, car il savait que ça ne l'empêcherait pas d'être sélectionné malgré tout en cas d'opération maritime. La ligne de partage entre les services avait été tracée par des bureaucrates, pas par les hommes de terrain.

La SAD était composée de moins de deux cents agents, pilotes et autres spécialistes déployés par unités de six hommes, voire moins ; plus d'une fois, du reste, c'était un agent en solo qui menait les opérations « au noir » et autres activités clandestines, avec l'assistance éventuelle d'un « fixeur » ou d'un « spécialiste » qui le plus souvent restait à l'abri bien au chaud. Les agents du SAD avaient reçu une formation spécifique et s'étaient spécialement entraînés aux techniques de sabotage, d'antiterrorisme, de récupération d'otages, d'évaluation des dégâts collatéraux, d'enlèvements, de sauvetage de personnel et de récupération de matériel.

La SAD descendait en ligne directe de l'OSS – le Service des opérations spéciales créé durant la Seconde Guerre mondiale sous l'égide de l'état-major interarmées et en contact direct avec le président Roosevelt. Dans la plupart des cas, l'OSS opérait en dehors du contrôle de l'armée – une idée qui n'avait pas manqué en son temps de faire débat et d'éveiller un certain scepticisme. On disait que MacArthur voyait d'un très mauvais œil la présence d'agents de l'OSS sur le théâtre de ses propres opérations. De sorte que lorsque l'OSS fut dissoute après la guerre, la loi sur la Sécurité de 1947 instaura la CIA en ses lieu et place. Les missions qui ne pouvaient être ouvertement associées aux États-Unis étaient dévolues au groupe paramilitaire de l'Agence – la division des activités spéciales, héritière directe de l'OSS.

David Slater, chef de la SAD, un Noir à l'air décidé, ancien marine avec vingt années de service dans les forces de reconnaissance, se joignit à la visioconférence avec le directeur adjoint O'Hara. Les deux hommes considéraient Moore sur l'écran de sa tablette tactile, alors que ce dernier était confortablement installé dans la cuisine de sa planque à Saidpur.

« Désolé de n'avoir pu vous contacter hier. J'étais dans l'avion pour rejoindre le CONUS, expliqua volontiers Slater.

– Pas de problème, monsieur. Merci de vous joindre à nous. »

Pour sa part, O'Hara souhaita le bonjour à Moore.

« Sans vouloir vous offenser, toute cette opération est fort mal emmanchée.

– Nous comprenons votre réaction, répondit O'Hara. Nous avons perdu des gens bien et la valeur de plusieurs années d'informations. »

Grimace de Moore qui se mordit les lèvres. « Que sait-on jusqu'ici ?

– On a récupéré Harris et Stone parmi les décombres. Enfin, ce qu'il en restait. Gallagher, qui se trouvait dans la maison de Khodaï est toujours porté disparu. Ils ont dû le fourrer dans quelque cul-de-basse-fosse ou autre caverne car on n'a plus aucun signal de sa balise de repérage. Le gars que vous traquiez était à l'évidence bien entraîné mais ce n'était malgré tout qu'un sous-fifre. »

Moore hocha la tête, dégoûté. « Vous pensez que Khodaï portait une ceinture d'explosifs ?

– C'est bien possible.

– C'est ce que je me suis dit, moi aussi. J'ai dans l'idée que le point de contrôle dans le hall est bidon et, qu'en réalité, il est entre leurs mains. Les rayons X n'auraient de toute manière rien détecté. Toujours est-il que Khodaï est entré sans déclencher aucune alarme. Peut-être l'auront-ils menacé, disant que s'il ne nous faisait pas sauter, ils liquideraient sa famille, ce qui s'est produit malgré tout.

– C'est une théorie qui se tient », convint O'Hara.

Moore ricana. « Sauf que ce n'est pas la bonne.

– Comment ça ? Qu'avez-vous trouvé ? s'enquit Slater.

– Pour l'essentiel, la sécurité de l'hôtel est sans reproche. Je pense qu'ils ont dû recourir aux femmes de ménage pour installer les bombes dans les chambres encadrant les nôtres.

– Attendez voir, coupa Slater. Pour commencer, comment auraient-elles pu faire pénétrer les bombes dans l'hôtel ? Elles ne les ont pas trimballées à travers le hall. »

Moore fit non de la tête. « Les poseurs de bombes ont accédé à l'immeuble en passant par le bâtiment voisin, celui sur le toit duquel se trouvait le tireur. C'était en tout point plus facile, moins de sécurité ou des vigiles plus faciles à acheter. Ils auront fait passer les explosifs d'un toit à l'autre avec une corde et une poulie.

– C'est une blague ! fit O'Hara.

– Pas du tout. Je suis monté sur le toit de l'atelier et j'ai retrouvé l'endroit où ils ont attaché les cordes. Puis je suis retourné au Marriott et j'ai découvert les mêmes traces juste à l'aplomb, au bord du toit. Je vous transfère dans un instant les photos que j'ai prises. »

D'une voix devenue sombre, O'Hara concéda : « C'est d'une simplicité biblique.

– Et c'est peut-être bien là notre problème : on s'est polarisé sur des trucs compliqués pendant que nos gars fonctionnent avec trois bouts de ficelle. S'ils avaient pu oser, ils auraient essayé de lancer les bombes d'un toit à l'autre...» Moore secoua de nouveau la tête.

« Donc, ces chambres autour des vôtres ont été réservées pour des clients qui ne sont jamais venus, conclut O'Hara.

– Tout juste. Un membre du personnel de l'hôtel a pris soin de bidouiller le système d'enregistrement pour faire croire qu'elles étaient occupées alors qu'en fait elles étaient vides. La police locale devrait être à même de coincer l'enculé à la réception qui s'est chargé du tour de passe-passe. J'ai déjà mis Rana sur le coup.

– Bonne idée, répondit O'Hara. Mais au point où nous en sommes à présent, on aimerait bien vous exfiltrer. »

Moore inspira, ferma les yeux. « Écoutez, je sais ce que vous pensez ; vous devez vous dire que j'ai laissé l'affaire se barrer en couille. Un manquement à la sécurité. Mais je peux vous assurer que tout était réglo. J'avais absolument tout vérifié. Point par point. À présent... Non, laissez-moi finir, s'il vous plaît. » Il avait hâte de leur dire qu'il avait besoin de le faire non seulement pour ceux qui étaient morts, mais aussi pour lui-même, mais les mots ne parvenaient pas à sortir.

« On vous veut à la maison. »

Il écarquilla soudain les yeux. « Comment ça, à la maison ? Vous voulez dire aux États-Unis ? »

Slater intervint. « Hier après-midi, plusieurs officiers appartenant au bataillon de Khodaï ont été photographiés en compagnie d'un homme que nous avons identifié comme étant Tito Llamas, un lieutenant bien connu du cartel de Juárez. Et ils étaient accompagnés de deux types non identifiés qui pourraient être des talibans. Vous recevrez les clichés sous peu.

– Donc, nous avons des officiers corrompus de l'armée pakistanaise qui fricotent avec un Mexicain du cartel de la drogue et avec les talibans, résuma Moore. Ça nous fait une sainte Trinité qui est tout sauf catholique, si je puis dire. »

Slater acquiesça. « Max, vous êtes un spécialiste des acteurs du Moyen-Orient, vous possédez l'expertise qu'on recherche. On veut que vous supervisiez sur le terrain la nouvelle équipe d'intervention que nous allons mettre sur pied. »

Moore plissa le front, perplexe. « Est-ce l'équivalent d'une promotion, juste après ce qui vient d'arriver ? Je veux dire, ils m'ont mis deux buts en moins de quinze jours...

– Ça fait déjà un bout de temps qu'on discute de la question et votre nom a toujours figuré en tête de liste. Ça n'a pas changé », expliqua Slater.

Mais Moore continuait de hocher la tête. « Les deux gars dans le couloir de l'hôtel... j'ai cru que c'étaient deux agents de l'ISI qui contrôlaient l'accès au quatrième étage. Alors qu'ils étaient juste là pour s'assurer que les bombes allaient sauter.

– C'est exact », convint O'Hara. Puis, s'avançant vers la caméra : « Il nous faut déterminer quel est le degré d'implication des cartels mexicains de la drogue avec ces trafiquants afghans et pakistanais. Si ça peut vous consoler, vous bosserez sur la même affaire, juste sous un autre angle d'attaque. »

Moore eut besoin d'un moment pour digérer ça.

« D'accord, mais alors comment les Mexicains s'intègrent-ils dans le tableau, en dehors d'être intermédiaires et clients ? »

O'Hara alla se rasseoir. « C'est bien la vraie question. »

Slater se racla la gorge, consulta ses notes. « Votre tâche première sera de déterminer si cette connexion entre les talibans et les Mexicains ne vise qu'à étendre le marché de l'opium ou bien si elle présage d'une implication plus problématique, comme le recrutement d'éléments pour établir une base avancée au Mexique et ainsi faciliter des actions en territoire américain.

– Vous avez évoqué une force d'intervention multilatérale. Quels seraient les autres services impliqués ? »

Sourire de Slater. « Tout l'alphabet y passe : CIA, FBI, ATF[1], CBP[2] et une demi-douzaine d'autres agences de moindre envergure ou d'échelon local pour la logistique. »

Moore tressaillit devant l'ampleur de ce qu'ils réclamaient. « Messieurs, j'apprécie votre offre à sa juste valeur.

– Ce n'est pas une offre, crut bon de préciser O'Hara.

– Je vois. Bon, laissez-moi quarante-huit heures pour remonter la piste des assassins de Khodaï et voir si je peux soutirer quelques infos sur Gallagher. C'est tout ce que je demande.

– On a déjà mis sur le coup une autre équipe, objecta Slater.

– Parfait. Mais laissez-moi encore une occasion. »

Grimace d'O'Hara. « Nous sommes tous responsables de cet échec. Vous n'êtes pas tout seul.

– Ils ont tué le colonel et assassiné sa famille. C'était un type bien. Il était réglo. On lui doit bien ça, pour lui et pour son neveu. Je ne peux pas me défiler. »

O'Hara rumina l'objection, puis il arqua les sourcils. « Bon, d'accord. Deux jours. »

---

1. *Bureau of Alcohol, Tobacco, Firearms and Explosives* : principal service américain de contrôle des importations et de répression des fraudes.

2. *Customs and Border Protection* : service américain des douanes et de contrôle aux frontières. *(Toutes les notes sont du traducteur.)*

2
MOUVEMENT

Dans la jungle,
Au nord-ouest de Bogotà, Colombie

JUAN RAMÓN BALLESTEROS jura dans sa barbe et glissa la main sous son ample bedaine de buveur de bière pour extraire le mobile glissé dans la poche de son short. Son débardeur blanc était trempé de sueur et le cigare Behike Cohiba – non allumé – coincé entre ses lèvres était déjà imbibé d'humidité. L'été avait été brutal, impitoyable et l'air était si moite qu'on avait l'impression de se glisser entre deux miches de pain tout chaud.

Ballesteros avait la quarantaine à peine, mais le poids de ses responsabilités avait creusé des rides profondes autour de ses yeux, fait virer au gris foncé sa barbe et ses cheveux bouclés, et l'avait affligé de douleurs lombaires chroniques qui lui cisaillaient le dos comme des coups de machette.

Ces désagréments physiques étaient toutefois le cadet de ses soucis. Les quatre jeunes gens atteints par des balles en pleine tête mobilisaient toute son attention.

Ils étaient restés étendus sur le sol de la jungle une bonne partie de la nuit et la rosée matinale luisait sur leurs corps pâles. Les mouches bourdonnaient avant de se poser sur leurs joues, leurs paupières ou d'entrer dans leurs bouches béantes. La rigueur cadavérique s'était déjà instaurée, leurs intestins s'étaient relâchés. La puanteur infâme obligea Ballesteros à détourner la tête avec un haut-le-cœur.

L'équipe était venue installer un nouveau labo de fabrication de cocaïne – rien de high-tech et des conditions d'hygiène sommaires : juste quelques tentes improvisées avec des bâches recouvrant des monticules de feuilles de coca mises à sécher à même le sol. Une tente était réservée au stockage d'essence et d'acide sulfurique, une autre abritait les produits chimiques nécessaires à la production d'au moins une tonne de pâte par semaine. Ces dernières années, Ballesteros avait offert à certains de ses meilleurs clients la tournée de ces campements, pour bien leur montrer la pénibilité du processus de fabrication et ses multiples étapes.

Même si chaque producteur avait ses secrets de cuisine, toutes les recettes étaient à peu près identiques. Les hommes de Ballesteros avaient besoin d'une tonne de feuilles de coca pour élaborer un seul kilo de pâte. Dans le cadre des visites, on montrait comment préparer une centaine de grammes. Ses hommes réduisaient en pulpe cent kilos de feuilles en ajoutant à la mixture seize kilos de sel marin et huit de craie. Ils piétinaient vigoureusement le tout pour malaxer ces ingrédients jusqu'à l'obtention d'une pâte noirâtre qu'on versait alors dans un grand bidon. On y ajoutait vingt litres d'essence, puis on laissait mariner le tout pendant environ quatre heures.

Les hommes se tournaient ensuite vers une autre cuve en fin de trempage et le liquide ainsi obtenu était filtré dans un seau pour le débarrasser de la pulpe et des feuilles. À ce stade, le produit semi-fini était la drogue extraite des feuilles de coca, désormais en suspension dans l'essence.

On diluait le tout dans huit litres d'eau avec huit cuillères à café d'acide sulfurique, et cette nouvelle mixture était brassée pendant deux minutes, puis filtrée. On ajoutait enfin au résidu obtenu du permanganate de sodium mêlé de soude caustique. La quantité de soude n'était pas critique, juste suffisante pour noyer le résidu. Le liquide obtenu était à présent d'un blanc laiteux, avec la pâte qui se déposait au fond. On filtrait l'ensemble au travers d'un tissu et la pâte qui restait était alors mise à sécher au soleil jusqu'à ce qu'elle vire au brun clair.

Le coût de production pour Ballesteros était d'environ mille dollars le kilo. Une fois cette base réduite en poudre de cocaïne et transportée au Mexique, le prix grimpait à dix mille le kilo. Sitôt franchie la frontière et écoulé aux États-Unis, ce même kilo était vendu trente mille dollars et plus par les gangs, qui par ailleurs le coupaient avec des additifs qui en diminuaient la pureté mais accroissaient la rentabilité de l'opération. Les gangs vendaient le produit au gramme, de sorte qu'un seul kilo pouvait à la revente générer un profit de 175 000 dollars, voire plus.

Ironique, un acheteur lui avait un jour demandé pourquoi il faisait ça. N'avait-il pas conscience qu'en cet instant, un ado de Los Angeles venait peut-être de mourir d'une overdose de la substance qu'il produisait ? Ne se rendait-il pas compte qu'il détruisait des familles et ruinait des existences partout sur la planète ?

Non, il n'y avait jamais songé et se considérait plutôt comme un simple paysan qui avait bouclé la boucle depuis l'époque où ses propres ancêtres travaillaient dans les plantations de café. Il avait grandi à Bogotà, étudié dans une université américaine, en Floride, puis il était rentré au pays, lesté d'un diplôme de gestion, pour monter sa propre plantation de bananes biologiques… et connaître un lamentable échec. Des amis dans la filière bananière l'avaient alors présenté à un certain nombre de trafiquants de drogue. On connaît la suite. C'était pour lui une question de survie. Au bout de vingt longues années dans la production et le trafic de drogue, Ballesteros recueillait enfin les profits de cette activité à haut risque. Sa famille vivait désormais parmi les riches Blancs européens dans un quartier huppé du nord de la ville, ses deux fils suivaient de brillantes études au lycée, et sa femme ne désirait qu'une chose, pouvoir passer plus de temps avec lui. Il était souvent absent « pour affaires » mais retournait régulièrement chez lui chaque fin de semaine pour les réunions de famille, la messe et le stade afin d'assister aux matches de foot avec ses garçons. En vérité, il vivait dans sa maison enfouie dans la jungle à deux cent cinquante mètres du labo et il avait entretenu jusqu'ici d'excellentes relations avec les FARC, les Forces armées révolutionnaires de Colombie – l'organisation paramilitaire l'aidait à distribuer et exporter sa production. Il espérait que ses hommes n'avaient pas été tués par des membres des FARC ; une certaine tension s'était fait jour entre lui et un colonel, un certain Dios, tout cela pour un simple désaccord sur les prix. Or voilà que des ouvriers de Ballesteros venaient d'être abattus dans leur sommeil, apparemment par une arme munie d'un silencieux.

Il appela Dante Corrales, son contact au Mexique, et attendit que le jeune homme décroche.

« Tu m'appelles toujours quand il y a un problème, répondit d'emblée Corrales, mais il vaudrait mieux cette fois-ci qu'il n'y en ait pas.

– Dios, dit simplement Ballesteros.

– OK. À présent, tâche de ne plus me déranger.

– Attends, je ne suis pas sûr que ce soit Dios, mais peut-être… »

Mais le garçon avait déjà raccroché.

Ballesteros ne l'avait rencontré qu'une fois, deux ans plus tôt, quand des membres du cartel de Juárez étaient descendus à la fois pour inspecter sa petite entreprise et lui proposer des forces de sécurité et de la main-d'œuvre en vue d'accroître la production. Corrales était un jeune homme arrogant, de cette nouvelle race de narcotrafiquants dépourvus de tout sens de l'histoire ou de respect pour leurs prédécesseurs. Ces jeunes *sicarios* étaient plus intéressés par le pouvoir, l'apparence et l'intimidation que simplement par le lucre. Ils se la jouaient stars de Hollywood, se prenaient pour Al Pacino. Ballesteros se serait fort bien passé d'eux mais il avait été contraint d'accepter l'assistance du cartel quand le gouvernement s'était mis à le serrer de près et, désormais, ils étaient devenus ses acheteurs principaux.

Grâce à un autre échange téléphonique tout aussi laconique avec Corrales, la semaine précédente, Ballesteros avait appris que le patron du cartel devait débarquer en personne et qu'il n'était pas question que la prochaine livraison prît du retard. Il étouffa un juron, puis courut chez lui pour envoyer deux de ses hommes retourner au labo récupérer les cadavres.

Quatre vieux camions au plateau couvert de lourdes bâches venaient de se garer devant la maison et une autre équipe y chargeait les caisses de bananes remplies de fruits et de cocaïne.

Ballesteros essayait de dissimuler sa fureur et son dégoût après ce massacre et il engueulait ses hommes, en leur disant de se dépêcher. Le bateau devait déjà être à quai à Buenaventura.

Ils parcoururent les chemins truffés de nids-de-poule, ballottés sur leur siège dans les habitacles étouffants. Pas un seul véhicule n'avait de clim' en état de marche. Tant mieux. Ballesteros n'avait pas envie que ses hommes se transforment en mauviettes. Ils devaient rester aux aguets et lui-même inspectait scrupuleusement, un par un, tous les véhicules, tous les individus rencontrés sur leur route.

Parce que cette livraison était d'envergure (sept tonnes de came, pour être précis) et parce que son équipe venait de souffrir d'une attaque criminelle, Ballesteros redoutait d'autant une nouvelle attaque ; aussi avait-il choisi d'accompagner la marchandise, au moins jusqu'au deuxième, voire au troisième point d'échange.

L'équipage du *Houston*, un crevettier de vingt-sept mètres, se bousculait sur le pont à l'arrivée de Ballesteros et de ses hommes. Sans traîner, les équipes entreprirent aussitôt le transfert à bord de la marchandise, usant d'un chariot à fourche et de la grue du navire pour faire passer les palettes du quai à la cale du bâtiment de pêche.

Pas très loin, à l'extrémité de la rade, deux soldats des FARC observaient le déroulement de l'opération. L'un d'eux adressa un signe de tête à Ballesteros qui était en train de gravir l'échelle de coupée – à la grande surprise de l'équipage. Oui, leur dit-il. Il les accompagnait. Et jusqu'où ? Suffisamment loin.

Ils mirent le cap plein ouest sur environ deux cents milles nautiques, longeant au passage l'Isla de Malpelo, un îlot doté d'à-pics fantastiques et de formations rocheuses qui étincelaient au soleil. Ils comptaient demeurer aux abords jusqu'au crépuscule, se livrant à leur activité de pêche « normale », sans cesse suivis par un banc de requins argentés. Ballesteros demeura silencieux presque tout le temps, encore hanté par les images de ses hommes.

Enfin, une grande ombre sombre s'éleva des flots à quelques encablures sur bâbord, telle une baleine ou un grand requin blanc. L'ombre approcha et les hommes sur le pont échangèrent des cris et des ordres pour réaliser l'abordage. L'ombre montait toujours, révélant une vague forme tachetée de bleu, de gris et de noir, et soudain, tandis que l'eau ruisselait enfin sur ses flancs, le bâtiment creva la surface.

Un sous-marin.

Celui-ci glissa le long de leur navire et, s'adressant au capitaine déjà en train de soulever l'écoutille, Ballesteros s'écria : « Ce coup-ci, je viens faire un tour avec vous ! »

Le submersible était un engin diesel-électrique, long de trente et un mètres, avec une coque de près de trois mètres de haut. Construit en fibre de verre, il pouvait, grâce à ses deux hélices, fendre les eaux à plus de vingt kilomètres-heure, même lesté de vingt tonnes de cocaïne. Il était surmonté d'un kiosque de trois mètres de haut, doté d'un périscope et pouvait plonger à près de vingt mètres de profondeur. L'engin était un remarquable exploit technique, preuve concrète de la créativité et de la ténacité des organisateurs de cette filière. Ce submersible appartenait bien entendu au cartel de Juárez, et sa construction, dans une cale sèche dissimulée sous la triple canopée de la jungle colombienne, était revenue à plus de quatre millions de dollars.

Bien que deux autres engins similaires eussent été découverts et confisqués par les forces militaires avant leur déploiement, le cartel avait des ressources financières largement suffisantes pour pouvoir poursuivre leur fabrication et ce modèle était l'un des quatre en rotation permanente.

Ballesteros se souvenait du temps où ils devaient recourir à des bateaux de pêche ou des voiliers bien lents, voire, pour les plus hardis, une vedette rapide, de temps en temps. Mais désormais, ils avaient franchi un pas de géant en matière de capacité et de furtivité. Les anciens navires semi-submersibles étaient parfois détectables depuis le ciel, mais pas les sous-marins tels que celui-ci.

On l'aida à monter sur le pont et il prit la place d'un des membres d'équipage qui débarqua. Ils allaient retrouver un autre bateau de pêche à cent milles au large des côtes mexicaines, transférer leur cargaison, puis reviendraient en Colombie. Ballesteros ne dormirait pas avant que la cargaison ne soit livrée. Il descendit et se retrouva dans un compartiment étroit mais climatisé tandis qu'à l'extérieur les hommes procédaient au transfert.

Frontière mexicaine
Comté de Brewster, Texas
Le surlendemain

L'agent des douanes Susan Salinas avait garé son 4 × 4 dans un étroit fossé qui le dissimulait au milieu de cette plaine désertique qui s'étendait jusqu'aux montagnes à l'horizon.

Le soleil s'était couché deux heures plus tôt et, accompagnée de son partenaire Richard Austin, elle avait rejoint le bord du fossé en rampant pour inspecter la frontière aux jumelles infrarouges. Dans les oculaires, le désert apparaissait comme une couche ondulante de vert miroitant.

Un éleveur du coin leur avait balancé le tuyau, après qu'il eut aperçu un camion en train de couper à travers champs pour se diriger vers ses terres ; du reste, le véhicule avait déclenché l'un des capteurs électroniques mis en place par la CBP, la Custom and Border Protection, le service américain des douanes et de protection des frontières.

« Ça pourrait bien être encore une fois des mômes qui font une virée en bagnole », remarqua Austin avec un gros soupir. Il braqua ses jumelles vers la droite tandis que sa collègue surveillait le flanc sud-est.

« Non, ce soir je suis sûre qu'on va décrocher la timbale, répondit-elle d'une voix lente.

– Qu'est-ce qui te fait dire ça ?

– Le fait que je suis en train de les mater, ces salauds. »

Un mince panache de poussière s'élevait dans le sillage d'un vieux pick-up F-150 lesté d'une pile branlante de cartons de bananes retenus par des sandows et mal dissimulés sous une bâche déchirée. Non, ces types-là n'étaient pas en train de transporter leur production personnelle dans ces montagnes arides du comté de Brewster et ils ne s'étaient pas non plus trop foulés pour dissimuler leur butin. À moins qu'ils soient assez gonflés pour passer outre. Elle zooma sur la cabine et distingua trois types serrés sur la banquette avant, tout en discernant un vague mouvement derrière eux dans l'habitacle. Ils pouvaient bien être six en tout.

Elle se calma. Salinas travaillait au CBP depuis bientôt trois ans et elle avait intercepté des centaines de clandestins cherchant à franchir la frontière de manière illégale. À vrai dire, jamais elle n'avait imaginé se retrouver un jour sur le terrain avec des jumelles et une arme. Au lycée, elle s'était toujours considérée comme une fille très féminine, elle était capitaine des majorettes de l'école qui paradaient dans les couloirs de l'établissement, sans vraiment faire d'étincelles en classe. Puis, bien malgré elle, elle s'était inscrite à la fac sans trop savoir quelle voie choisir. Aussi quand le frère d'une copine s'était engagé comme garde-frontière, elle avait creusé la question. Et aujourd'hui, à vingt-sept ans, elle était toujours célibataire, mais elle adorait les poussées d'adrénaline que lui donnait ce boulot.

Obtenir ce poste n'avait pas été une sinécure. Elle avait passé cinquante-cinq jours à Artesia, au Nouveau-Mexique, à suivre des cours de droit de la nationalité et de l'immigration, de droit pénal, de procédure pénale, d'espagnol, de formation aux techniques d'intervention, à l'entretien et au maniement des armes à feu, sans oublier la gymnastique, la mécanique et une initiation à l'antiterrorisme. Et non, elle n'avait jamais eu l'occasion de s'exercer au tir quand elle était à la fac. Cette expérience était de loin ce qu'elle avait connu de plus excitant dans sa courte vie. Et à présent, alors que son cœur battait la chamade, elle en avait une confirmation supplémentaire.

« Qu'est-ce que tu t'imaginais ? Qu'on était là pour amuser la galerie ? » avait-elle demandé à un *sicario* interpellé la semaine précédente. « Qu'on venait tout juste de me refiler un flingue avec ordre d'arrêter les méchants ? »

Ironie du destin, sa mère approuvait totalement son choix de carrière ; elle se montrait pleine de fierté de voir sa fille devenir membre des forces de l'ordre, et ce, d'autant plus que, pour reprendre ses propres paroles, « on avait toujours fait tout un foin de ces histoires de protection des frontières ».

Son père en revanche était à peu près aussi enthousiaste qu'un supporter de foot privé de bière. Papa avait toujours été un homme tranquille qui vivait une vie bien tranquille d'inspecteur des impôts dans un bureau bien tranquille de la banlieue de Phoenix. Il aimait les week-ends sans souci, bref, c'était l'antithèse du mâle dominant. Il était tout bonnement incapable d'imaginer sa fille brandir une arme quand lui-même n'y avait jamais touché. Il était même allé jusqu'à citer Gandhi et la mettre en garde : les hommes cesseraient de la trouver féminine, elle aurait du mal à se caser, certains même en viendraient à douter de ses orientations sexuelles. Et puis, bien entendu, elle deviendrait obèse. Tous les flics l'étaient. Les douaniers inclus. Elle n'avait jamais oublié ces paroles.

Austin lui ressemblait par bien des points : célibataire, plutôt solitaire, en relation conflictuelle avec ses parents. C'était un bourreau de travail et un type assez conformiste, sauf en ce qui concernait leur relation. Il lui avait déjà fait des avances, mais il ne l'intéressait pas. Ses traits étaient sévères, sa carrure un peu trop enveloppée à son goût. Elle l'avait gentiment éconduit.

« Très bien, dit-il. J'appelle du renfort. T'as raison. Ça pourrait être un gros truc.

– Reçu cinq sur cinq. Fais intervenir Omaha et les ATV. Donne-leur notre position GPS. » Omaha était le code d'appel de l'hélicoptère Black Hawk de soutien aérien, et les ATV – pour *all-terrain vehicle* – étaient les trois bonshommes équipés de quads, ces petits véhicules tout-terrain capables d'avaler en un clin d'œil les ornières du désert.

Il roula sur le dos pour se redresser, la main sur le bouton d'appel de son talkie, quand soudain il se releva d'un bond et lança : « Hé, vous ! Arrêtez ! Garde-frontière ! »

Elle se retourna pour le mettre en garde.

Juste à l'instant où une détonation la transperçait d'un sentiment de panique.

Elle s'écarta vivement du talus, dégaina son arme et découvrit deux hommes debout près de leur 4 x 4, deux Mexicains en blouson de jean. L'un, cheveux grisonnants, tenait un pistolet qui était sans doute un FN 5.7 de fabrication belge, une arme qu'au Mexique on surnommait *mata policía* – tueuse de flics – parce qu'elle tirait des projectiles capables de transpercer les gilets pare-balles. L'autre tenait un long couteau à lever les filets, à lame incurvée. Le détenteur du couteau sourit, révélant une unique dent en or.

Le premier type lui cria en espagnol de ne plus bouger.

Elle haletait.

Austin gisait au sol, une blessure à la poitrine. Son gilet n'avait, de fait, pas réussi à le protéger contre ces balles. Il respirait encore, les mains crispées sur sa blessure, geignant doucement.

Le type au couteau s'avança vers elle. Elle le regarda, puis regarda l'homme au pistolet, et soudain lui tira dessus, l'atteignant à l'épaule, au moment même où le pick-up vrombissait à moins de cent mètres de là.

Elle se releva alors que le type au couteau se précipitait pour récupérer le flingue de son pote qui était tombé dans la poussière. Elle allait lui tirer dessus quand, le pick-up s'étant rapproché, une rafale jaillit côté passager, et une volée de balles ricocha autour de ses bottes.

Elle détala vers la tranchée, tête baissée, sans se retourner, hors d'haleine, le cœur battant la chamade, au rythme précipité de sa cavalcade à travers la terre et la rocaille. L'idée était de s'éloigner le plus possible, puis d'appeler de l'aide par radio. Mais elle n'osait plus s'arrêter à présent.

Un cri déchirant retentit dans la vallée et elle ne put s'empêcher de se retourner, pour découvrir l'homme au couteau, brandissant la tête décapitée de Richard devant les occupants du pick-up qui venaient de descendre pour mieux voir. Tous beuglèrent en chœur tandis qu'elle se jetait dans le fossé ; elle les entendit remonter en voiture.

Elle se plaqua au sol et se blottit derrière un buisson, tenant son pistolet encore chaud plaqué contre la poitrine. Elle se força à maîtriser sa respiration, entendant la voix paternelle résonner dans sa tête : « Tu finiras par crever comme un chien là-bas, et tout le monde t'oubliera. »

Mais l'espoir sembla renaître quand le bruit du moteur diminua au lieu de s'amplifier. Un miracle ? Ils n'étaient pas à ses trousses ? Trop pressés, peut-être ? Elle saisit son talkie et, l'oreille de nouveau aux aguets, elle pressa la palette du micro.

« Bip-bip pour Coyote Cinq, à vous.

– Susan, putain mais qu'est-ce qui se passe là-haut ? Pas de contact ?

– Richard est mort, murmura-t-elle.

– Je ne t'entends pas.

– J'ai dit : Richard est mort ! » Elle pressa le bouton sur son GPS de poignet. « J'ai besoin que tout le monde se radine ! » Sa voix se brisa tandis qu'elle fournissait les coordonnées GPS avant d'éteindre la radio pour prêter encore une fois l'oreille au bruit du moteur qui commençait à se fondre dans le vent.

3

UNE TERRE FERTILE

Nogales, Mexique
Près de la frontière avec l'Arizona

DANTE CORRALES détestait se trouver loin de chez lui, à Juárez, surtout parce que Maria, sa femme, lui manquait. Il ne cessait de se remémorer le week-end passé, cette façon qu'elle avait de lever très haut ses jambes en l'air en pointant ses orteils vernis, sa façon de ronronner comme une chatte, en lui plantant ses griffes dans le dos, sa façon de lui parler, ses mimiques. Ils faisaient l'amour comme des bêtes sauvages, affamées, et Corrales fut saisi de vertige rien qu'à y repenser, debout dans la *gasolinera* Pemex calcinée, regardant les hommes décharger les caisses de bananes et en extraire les blocs de cocaïne pour les ranger dans leurs sacs à dos. Ils étaient vingt-deux coureurs, supervisés par Corrales, et cinq autres *sicarios*. On les appelait Los Caballeros, les Gentlemen, parce qu'ils avaient la réputation d'être toujours tirés à quatre épingles et bien éduqués, quand bien même ils tranchaient des têtes et envoyaient à leurs ennemis des cadavres en guise de messages. Ils étaient plus malins, plus courageux et certainement bien plus dangereux et roués que les bandes de gros bras au service des autres cartels mexicains de la drogue. Et comme aimait à en plaisanter Corrales, ils ne faisaient qu'affûter leur machisme !

Une partie de la cargaison, Corrales le savait, était entrée au Texas en traversant le comté de Brewster et il venait de recevoir un appel de son responsable sur place, Juan, pour lui annoncer qu'ils avaient eu des ennuis. Son équipe était tombée sur une patrouille de gardes-frontières. L'un des gars que Juan avait engagés pour l'occasion avait décapité un douanier.

Putain, mais c'était quoi, cette embrouille ?

Il éructa encore quelques jurons avant de se calmer un peu et de rappeler à Juan qu'il n'était pas censé engager des étrangers. Juan avait rétorqué qu'il n'avait pas eu le choix, qu'il avait eu besoin d'un coup de main parce que deux de ses gars habituels avaient omis de se pointer, sans doute trop pintés ou défoncés.

« Les prochaines obsèques auxquelles tu assisteras seront les tiennes. » Sur ces fortes paroles, Corrales coupa la communication, se remit à jurer, puis il tira sur le col de son trench-coat en cuir et ôta quelques peluches de son pantalon Armani.

Il ne devrait pas se laisser emporter de la sorte. Après tout, la vie était belle. Il avait vingt-quatre ans, était un important lieutenant dans un des principaux cartels de la drogue, il s'était déjà fait quatorze millions de pesos – plus d'un million de dollars américains. Plutôt impressionnant pour un garçon qui avait grandi dans la pauvreté à Juárez, élevé par une femme de chambre et un agent d'entretien qui travaillaient dans le même motel miteux.

La station-service brûlée et la puanteur persistante de toute cette suie lui donnaient envie de décarrer au plus vite. Ça commençait à sentir mauvais, en lui rappelant une autre nuit, la pire de toute son existence.

Il n'avait alors que dix-sept ans, fils unique, et il avait rejoint une bande qui se baptisait les Juárez 8. Leur groupe de jeunes lycéens tenait la dragée haute aux *sicarios* du cartel de Juárez, répliquant à leurs menaces et s'opposant au recrutement forcé de leurs copains. Trop d'amis de Corrales avaient trouvé la mort à la suite de leur implication avec le cartel, et lui et ses potes avaient décidé que trop c'était trop.

Un après-midi, deux garçons avaient coincé Corrales derrière une benne à ordures et l'avaient prévenu que s'il ne quittait pas ce gang pour rejoindre Los Caballeros, ses parents seraient tués. La menace avait été parfaitement explicite.

Corrales se souvenait encore des yeux de ce voyou, luisant comme des braises dans l'ombre de la ruelle. Et il entendait encore sa voix résonner dans les couloirs du temps : *On tuera tes parents*.

Évidemment, Corrales leur avait dit d'aller se faire foutre. Et deux nuits plus tard, de retour d'une soirée de beuverie, il avait retrouvé le motel en proie aux flammes. Les corps de ses parents furent retrouvés dans les décombres. Tous deux avaient été ligotés avec du ruban adhésif pour finir brûlés vifs.

Il avait pété un câble cette nuit-là, avait piqué un flingue à un ami, pris sa voiture et foncé dans la ville comme un dératé, à la recherche des salopards qui avaient bousillé sa vie. Il avait encastré sa bagnole dans une palissade, l'avait abandonnée là, avant de revenir se réfugier dans un petit bar, où il avait perdu connaissance aux toilettes. La police l'avait récupéré et confié à sa famille.

Après être allé vivre chez sa marraine, et après avoir pris à son tour un emploi de gardien tout en essayant de finir le lycée, il avait décidé qu'il ne pouvait plus continuer à trimer comme l'avaient fait ses vieux. C'était tout bonnement impossible.

Il n'avait pas d'autre choix. Il intégrerait la bande, celle-là même qui avait assassiné ses parents. La décision n'avait pas été facile ou rapide, mais travailler pour Los Caballeros était son unique billet de sortie du ghetto. Et parce qu'il était bien plus malin que la moyenne des brigands, et peut-être plus assoiffé de vengeance, il avait rapidement grimpé les échelons et en avait appris davantage sur le métier que n'auraient pu l'imaginer ses chefs. Il avait découvert très tôt que savoir était synonyme de pouvoir ; il avait donc étudié les arcanes du bizness du cartel et de ses ennemis.

Signe du destin, les deux types qui avaient tué ses parents s'étaient fait dessouder à leur tour, quelques semaines à peine avant que Corrales ne rejoigne la bande. Assassinés par un cartel rival à cause de leur vantardise et de leur balourdise. Les autres Caballeros n'avaient pas été mécontents d'en être débarrassés.

Corrales haussa les épaules et considéra son équipe de passeurs, en jeans et chandail à capuche noire, lestés de leur encombrant sac à dos. Il les mena vers un coin retiré de la supérette. Là, il se pencha pour soulever une large planche de contreplaqué : le tunnel s'ouvrait au-dessous, étroit boyau accessible par une échelle d'alu. Un souffle d'air froid et humide en jaillit.

« Quand vous serez à l'intérieur de l'autre maison, commença Corrales, ne sortez qu'après que vous aurez vu les voitures, et à ce moment, faites-le trois par trois, pas plus. Les autres attendront dans la chambre. S'il y a du grabuge, vous rebroussez chemin par le tunnel, d'accord ? »

Murmures d'assentiment.

Ils descendirent donc, l'un après l'autre, certains munis de lampes torches. Ce tunnel était un des plus étroits du cartel mais aussi l'un des plus longs – pas loin de cent mètres. Large d'un mètre, haut d'un peu moins de deux, avec un plafond renforcé par d'épaisses traverses. Vu le nombre de maçons et d'entrepreneurs du bâtiment au chômage dans le pays, trouver du personnel pour creuser ce genre d'ouvrage était d'une facilité déconcertante ; en fait, de nombreuses équipes d'ouvriers enchaînaient les chantiers sans discontinuer.

Les hommes de Corrales allaient progresser voûtés, en groupe serré, le long du boyau. Le tunnel passait pile sous l'un des postes de contrôle de Nogales, dans l'Arizona, et l'on redoutait toujours le risque d'un affaissement dû au passage d'un gros véhicule, comme un autocar. Cela s'était déjà produit. En fait, Corrales avait appris que les divers cartels creusaient des tunnels dans le secteur depuis plus de vingt ans et que les autorités en avaient déjà découvert plusieurs centaines – et pourtant les forages continuaient, faisant de Nogales la capitale mondiale des tunnels de contrebande. Ces dernières années, toutefois, le cartel de Juárez avait décidé d'étendre son champ d'action, de sorte qu'il contrôlait désormais la quasi-totalité des principaux passages souterrains entre le Mexique et les États-Unis. Des hommes étaient grassement payés pour en assurer la protection et empêcher leur usage par les cartels rivaux. Par ailleurs, on creusait à présent plus profond pour éviter tout repérage par les radars et sonars, ou à tout le moins espérer que ces boyaux seraient confondus avec l'une des nombreuses conduites d'égouts qui couraient entre les deux agglomérations de Nogales, de part et d'autre de la frontière.

Des cris sur le seuil derrière lui l'amenèrent à dégainer son *mata policía*. L'arme au poing, il gagna la porte où deux de ses hommes, Pablo et Raúl, étaient en train de traîner un type, le nez et la bouche ensanglantés. L'homme se débattait, puis il cracha du sang – dont les gouttes manquèrent de justesse les mocassins Berluti de Corrales. Ce dernier était certain que cet abruti ignorait la valeur de ses grolles.

Corrales se renfrogna : « C'est quoi, cette embrouille ? »

Raúl – le plus causant des deux sbires – expliqua : « Je crois bien qu'on a trouvé un espion. Je pense que c'est un des hommes de Zúñiga. »

Corrales poussa un gros soupir, passa les doigts dans ses épais cheveux bruns, puis soudain, colla le canon de son flingue contre le front du bonhomme. « Est-ce que tu nous filais ? Tu bosses pour Zúñiga ? »

L'homme humecta ses lèvres tuméfiées. Corrales accentua la pression du canon en le sommant de répondre.

« Va te faire foutre », cracha l'autre.

Corrales prit alors une voix sépulcrale et se rapprocha encore : « Est-ce que tu travailles pour les Sinaloas ? Si tu me dis la vérité, tu auras la vie sauve. »

Le regard du type se brouilla ; puis il releva légèrement la tête et confirma : « Oui, je travaille pour Zúñiga.

– Es-tu seul ?

– Non. Mon ami est resté à l'hôtel.

– Celui du coin ?

– Oui.

– OK. Merci. »

Sur quoi, sans crier gare – et sans une seule seconde d'hésitation –, Corrales lui logea une balle dans la tête. Il l'avait fait si vite, si délibérément, que ses propres hommes eurent un sursaut. L'espion bascula vers l'avant et nul ne chercha à le retenir.

Corrales bougonna : « Emballez-moi ce connard. On laissera cette ordure sur le seuil de notre vieil ami. Envoyez deux mecs à l'hôtel, qu'ils me ramènent son copain, vivant. »

Pablo fixait toujours le cadavre. Il hocha la tête. « Je pensais que tu lui aurais laissé la vie sauve. »

Corrales ricana, puis en se penchant, il nota une tache de sang sur un de ses mocassins. Avec un juron, il tourna les talons pour rejoindre le tunnel, tout en sortant son mobile pour appeler son complice dans la planque de l'autre côté de la frontière.

Aux environs de Crystal Cave
Parc national des Séquoias
Californie
Quatre jours plus tard

Un camion de déménagement s'était garé devant la grande tente et Michael Ansara, inspecteur du FBI, vit deux hommes descendre de la cabine, aussitôt rejoints par deux autres qui venaient de sortir de la tente. Un des gars, le plus grand, déverrouilla la porte arrière et fit coulisser le volet du hayon et bientôt les quatre hommes faisaient la chaîne pour transporter des caisses dans la tente. Cet endroit était un point névralgique pour l'approvisionnement des groupes situés plus au nord. Que les cartels mexicains de la drogue fassent entrer clandestinement de la cocaïne aux États-Unis, voilà qui n'était guère plus audacieux que l'opération pour laquelle Ansara procédait à des reconnaissances depuis une semaine.

Les cartels avaient installé de nombreux champs de marijuana dans les collines escarpées qui formaient l'arrière-pays du parc national. La zone avait beau être sillonnée de pistes, des coins entiers restaient inaccessibles aux promeneurs et aux campeurs. Les patrouilles à pied demeuraient rares et espacées, de sorte que les cartels avaient à leur disposition de vastes surfaces isolées, bien camouflées et à l'abri de toute surveillance aérienne. Ils cultivaient donc leur marchandise du côté mexicain en toute impunité pour la fourguer aussitôt à leurs clients, tandis que l'argent était renvoyé directement au Mexique. Ansara avait maintes fois hoché la tête, incrédule, en constatant le fait, mais les cartels se livraient à cette activité depuis des années.

Leur fallait-il de l'audace ? À coup sûr. Surtout quand vous aviez passé autant de temps qu'Ansara dans le secteur. Il avait déjà relevé les nombreuses mesures de sécurité mises en place, le front de défense commençant avec les zones courant en parallèle avec les pistes principales. Quiconque s'aventurait quelque peu en dehors de celles-ci courait le risque de tomber dans un des pièges à mâchoires de toutes tailles – jusqu'aux pièges à ours –, sans oublier les fosses garnies d'épieux camouflées sous un tapis de feuilles, de branches et d'aiguilles de pin. Leur fond était garni de pieux hérissés de clous. L'idée était de blesser les curieux et les contraindre à faire demi-tour pour trouver de l'aide. Un peu plus avant, Ansara avait relevé des pièges à fil, là aussi pour faire tomber sur un lit de clous le randonneur sans méfiance. Certes rudimentaires, ces mesures de « dissuasion » n'étaient que la première partie d'un dispositif de défense rapprochée autrement plus élaboré.

Parvenir jusqu'à ce point de vue en hauteur avait exigé de sérieuses qualités d'alpiniste. Il ne s'était encombré que d'un léger sac à dos, escaladant des pentes de plus de dix-huit pour cent pour se frayer un passage entre les éperons rocheux, glissant au moins une demi-douzaine de fois, afin de tracer une piste assez large tout en demeurant indétectable. Entre les rochers branlants, les branches basses, l'escarpement du terrain, il état à présent hors d'haleine.

Une heure environ au nord de la grande tente qu'il était en train d'observer, et à deux heures de marche de la route la plus proche, s'étendait ce qu'Ansara avait baptisé « le jardin ». Cachés à l'ombre des pins, plus de cinquante mille pieds de marijuana – certains hauts de plus d'un mètre cinquante – étaient plantés en rangées régulières espacées de deux mètres.

Les plants recouvraient le terrain escarpé mais fertile. Une bonne partie de ceux-ci se cachaient au milieu de bosquets denses ou près des cours d'eau utilisés par les cartels pour l'irrigation. On avait enterré des canalisations, établi des barrages sur les torrents, tandis qu'un système raffiné d'irrigation au goutte-à-goutte par tout un réseau de tuyaux alimentés par gravité permettait de fournir aux plants la juste quantité d'eau nécessaire. C'était une exploitation professionnelle, élaborée sans regarder à la dépense.

Tout au long du périmètre des cultures, on avait installé de petits groupes de tentes où vivaient les planteurs et les personnels de sécurité. Leurs vivres étaient stockés dans de gros sacs accrochés à des branches hautes pour les tenir à l'abri des ours noirs en goguette dans le secteur. Les champs proprement dits étaient surveillés de jour comme de nuit par des équipes d'hommes en armes – parfois jusqu'à trente simultanément. L'approvisionnement des camps était dévolu à des hommes ignorant sans doute les détails de l'opération ; tout ce qu'ils savaient, c'est qu'il fallait livrer des vivres, de l'eau, des vêtements, de l'engrais et autres denrées indispensables. Les plants récoltés étaient évacués discrètement de nuit par des groupes de planteurs sous la protection de gardes armés. Les équipes de jour se déplaçaient à l'aide de VTT haut de gamme qui leur permettaient de se mouvoir rapidement et sans bruit dans ces vallées inhospitalières. Ansara imaginait que bon nombre de ceux qui travaillaient ici étaient des parents ou des amis des membre des cartels, des personnes de confiance. Tous les accès au parc étaient gardés et les investigations d'Ansara lui avaient permis de constater qu'au moins un des gardes avait dû se faire acheter pour autoriser l'entrée ou la sortie d'un véhicule entre minuit et 5 heures du matin, à peu près tous les dix jours.

La culture de la marijuana n'était pas une nouveauté pour Ansara. Il avait grandi dans les quartiers est de Los Angeles, à Boyle Heights, et le frère aîné de sa mère, Alejandro De La Cruz, vivait à deux pas du domicile familial. Durant la semaine, son oncle faisait office de « jardinier des stars » dans l'opulente communauté de Bel Air. La nuit et les week-ends, De La Cruz cultivait et vendait de l'herbe à ces mêmes clients fortunés. Et Ansara était son fidèle assistant.

Dès l'âge de dix ans, Ansara était capable d'épeler le nom du principe actif du cannabis, le THC ou delta-9-tétrahydrocannabinol. Il avait passé des heures à récupérer et bidouiller des gobelets en plastique. Il commençait par en percer le fond de trous d'évacuation avant de les remplir de terreau pour y planter, côté pointu vers le haut, une graine brun marbré. Il disposait alors de trente à quarante pots sur un large plateau, assez similaire à la sole sur laquelle sa mère faisait cuire ses biscuits, puis allumait les radiateurs qui permettaient de chauffer ses plantations par le dessous.

Il avait appris comment repiquer les plants germés, en leur laissant suffisamment de terreau autour des racines, il savait l'importance d'avoir en permanence un ventilateur oscillant pour les aérer vingt-quatre heures sur vingt-quatre. Il épluchait les journaux pour chercher dans les petites annonces les lampes au sodium haute pression de 600 watts permettant d'éclairer les plants.

Leur ménager une période de repos nocturne était tout aussi critique pour leur croissance. Vu leur puissance, ces lampes avaient tôt fait de cramer les minuteries usuelles et son oncle lui avait enseigné qu'il était indispensable de recourir à de coûteux contacteurs à relais appelés chronorupteurs.

Cette exigence d'une alternance précise de périodes de lumière et d'obscurité engendrait deux problèmes de sécurité.

Masquer entièrement les fenêtres donnant sur la rue pouvait éveiller les soupçons de la brigade des stups. Et l'accroissement transitoire et régulier de la consommation électrique pouvait conduire un employé de la compagnie d'électricité locale à prévenir cette même brigade. Sans compter qu'une zone de culture pouvait vite devenir humide. Aérer en ouvrant les fenêtres à des heures incongrues, et indépendamment des précipitations ou de la température extérieure, c'était encore prendre un risque.

À l'âge de douze ans, Ansara était capable de réciter la liste des douze variétés d'herbe classées par leur richesse décroissante en THC, de la Veuve blanche à la Lowryder. Et durant tout ce temps, jamais Ansara n'avait touché à la drogue – pas plus du reste que son oncle : pour ce dernier, ils étaient des négociants spécialisés dans une denrée de prix. Comme il l'avait expliqué à Ansara, quand on vend des biscuits, on ne passe pas ses journées à les grignoter.

Tout ce petit commerce avait connu une fin brutale quand sa mère avait découvert pourquoi il passait tout ce temps avec tonton Alejandro. Durant des mois, elle n'avait plus adressé la parole à son frère.

Qu'Ansara ait fini par rejoindre le FBI et qu'il ait déjà procédé à l'arrestation de planteurs de cannabis était une de ces ironies du sort – ironie dont, une fois encore, il était l'acteur. Il n'y avait qu'une poignée de policiers chargés de couvrir les dix millions d'hectares de forêt californienne et Ansara n'était hélas pas du nombre. S'il se trouvait ici, c'est parce qu'il était aux trousses d'un trafiquant bien précis, un certain Pablo Gutiérrez ; l'homme qui avait tué un collègue du FBI à Calexico devait avoir un lien direct avec le cartel de Juárez. À la faveur de sa traque, Ansara avait trouvé la Mecque des cultures d'herbe en Californie, mais ses collègues et lui hésitaient à démanteler le réseau car ils espéraient d'abord exploiter ce filon pour collecter d'autres informations sur les cartels. Il était clair qu'ils devaient mettre la main sur les lieutenants et les chefs. Et s'ils agissaient trop vite, les cartels iraient simplement installer leurs cultures quelques kilomètres plus loin.

Avec le renforcement de la sécurité le long de la frontière américano-mexicaine, les cartels s'étaient de plus en plus implantés en territoire américain. Ansara avait pu discuter avec un inspecteur du service fédéral des Eaux et Forêts et celui-ci lui avait précisé que, à peine huit mois auparavant, des gardiens du parc avaient confisqué onze tonnes de marijuana en l'espace d'une seule semaine. On pouvait imaginer, lui avait confié l'inspecteur, les quantités d'herbe qui avaient échappé à la confiscation et quittaient les champs pour être vendues… Les pontes mexicains de la drogue opéraient désormais en territoire américain et il n'y avait pas assez de policiers pour les arrêter. Comme disaient, résignés, les soldats au Viêt Nam, *et voilà…*

Ansara rabaissa sa paire de jumelles et s'enfonça un peu plus dans les broussailles. Il pensait avoir vu un des passeurs regarder à deux reprises dans sa direction. Son pouls s'accéléra. Il attendit quelques secondes encore, puis reprit les jumelles. Les hommes s'étaient remis à la tâche et ils avaient mis de côté plusieurs caisses dont on avait ôté le couvercle. En zoomant, Ansara découvrit des cartons de brosses à dents, de dentifrice, de savon, de rasoirs jetables, des tubes d'aspirine, de pilules pour le foie et de cachets contre la toux. Les plus grosses caisses contenaient des bouteilles de propane, des paquets de tortillas et des boîtes de conserve qui allaient des tomates aux tripes.

Un oiseau traversa les frondaisons au-dessus de lui. Ansara sursauta et retint son souffle. Il rabaissa une fois encore ses jumelles pour masser ses paupières fatiguées. Il entendait la voix de Lisa résonner dans sa tête : « Oui, je savais dans quoi je m'engageais, mais ça fait trop de temps toute seule. Je pensais pouvoir tenir le coup. Je pensais que c'était ce que je voulais. Mais non. »

Et c'est ainsi qu'une autre blonde aux longues jambes, à la voix rauque et aux mains douces avait échappé à l'emprise d'Ansara. Mais celle-ci avait été différente. Elle avait juré qu'elle pourrait se faire à ses absences et elle avait tenu vaillamment la première année. Elle écrivait et enseignait les sciences politiques à l'université d'Arizona, et elle lui avait expliqué que ce n'était pas un problème qu'il ne soit pas là, que de toute façon, elle avait besoin de temps libre. En fait, le soir du premier anniversaire de leur rencontre, elle avait semblé éperdument amoureuse. Lors d'une soirée, elle l'avait comparé à des vedettes de l'écran comme Jimmy Smits et Benjamin Bratt, et elle l'avait même décrit sur sa page Facebook sous les traits d'un « Latino de grande taille, mince et rasé de près, au sourire éclatant et au regard confiant mais plein de modestie ». Il avait trouvé ça plutôt sympa. Il était loin d'utiliser un tel vocabulaire. Mais comme on dit, loin des yeux, loin du cœur – surtout quand on a moins de trente ans. Il comprenait. Il l'avait laissée partir. Or, depuis un mois, il ne pouvait s'empêcher de penser à elle. Il se remémora leur première rencontre ; il l'avait emmenée dans un petit restau familial, un mexicain de Wickenburg, et là, il lui avait parlé de son passage à l'université d'Arizona, puis de son activité au sein des forces spéciales en Afghanistan. Il lui avait narré dans quelles circonstances il avait quitté l'armée pour se faire recruter par le FBI. Elle lui avait demandé s'il avait le droit de lui raconter tout ça.

À quoi il avait répondu : « Je n'en sais rien. Est-ce qu'entendre des trucs confidentiels défense, ça t'excite ? »

Elle avait alors levé les yeux au ciel en gloussant.

Et puis la conversation était devenue sérieuse quand elle l'avait interrogé sur la guerre, sur ses potes tombés au combat, sur ses adieux à un camarade de trop. Après le dessert, elle lui avait dit qu'elle devait rentrer chez elle, sous-entendu qu'il ne l'intéressait pas mais qu'il pourrait toujours remercier sa frangine d'avoir arrangé le rendez-vous.

Bien entendu, il l'avait poursuivie assidûment, en bon agent du FBI recruté dans les forces spéciales, et il avait fini par l'amadouer avec des fleurs, des vers de mirliton écrits sur des cartes maison et d'autres petits soupers… Mais tout ça était encore une fois tombé à l'eau, par la faute de sa carrière, et ça commençait à lui peser. Il s'imaginait déjà en petit fonctionnaire aux horaires réguliers, en congé tous les week-ends. Mais aussitôt la perspective de bosser dans un cagibi avec un supérieur hiérarchique sur le dos lui flanquait la nausée.

Mieux valait encore sillonner la montagne muni d'une paire de jumelles et courir après les méchants. Bon sang, ça lui donnait l'impression de retourner en enfance.

Les hommes terminèrent de décharger le camion, remontèrent dans la cabine et repartirent. Ansara les regarda s'éloigner, puis d'autres individus apparurent qui entreprirent de garnir leurs sacs à dos avec le matériel issu des caisses. En dix minutes, ils avaient terminé et reprenaient la direction du « jardin ».

Ansara attendit qu'ils aient disparu, puis il s'apprêta à lever le camp.

S'il n'avait pas jeté machinalement un coup d'œil à ses pieds, sa vie se serait arrêtée là.

À deux pas, un peu sur sa droite, se trouvait un petit appareil surmonté du cône d'un détecteur laser. Ansara reconnut aussitôt un déclencheur à distance dont le récepteur devait se trouver de l'autre côté de la clairière. Qu'il rompe le faisceau et il déclencherait aussitôt une alarme. Ansara plissa les yeux, reprit ses jumelles et repéra bientôt plusieurs dispositifs analogues installés à la base de certains arbres. Ils n'étaient visibles que lorsqu'on savait quoi chercher et les Mexicains avaient pris soin de scotcher tout autour des feuilles et des brindilles pour encore mieux les camoufler. Déclencheurs à fil et mines antipersonnel parsemaient les abords du jardin mais là, il s'agissait pour Ansara d'une nouvelle zone du parc, et jamais encore il n'avait observé un tel dispositif. Bigre, s'il devait remonter par ici, il allait désormais devoir redoubler de prudence.

Des cris se firent entendre en contrebas. De l'espagnol. *Là-haut sur la montagne, côté est.* L'avaient-ils déjà repéré ?

Et merde. Peut-être avait-il finalement coupé un de ces faisceaux laser. Il prit ses jambes à son cou tandis que les types dans la vallée se ruaient hors de la tente.

4
LES BONS FILS

Miran Shah
Waziristan du Nord
Près de la frontière afghane

MOORE ET SON CONTACT LOCAL – Israr Rana – avaient parcouru quelque deux cent quatre-vingt-dix kilomètres en direction du sud-ouest pour gagner le Waziristan du Nord, l'une des sept zones tribales sous administration pakistanaise – alias FATA – mais de fait contrôlées surtout sur le papier par les gouvernements central et fédéral. Depuis des siècles, ces régions isolées étaient aux mains des tribus pachtounes. Au XIXe siècle, elles avaient été annexées par les Britanniques qui avaient passé leur temps à tenter de contrôler ces populations avec des dispositions spéciales – les FCR ou Frontier Crimes Regulations –, également connues sous le sobriquet de « lois au noir » car elles accordaient aux potentats locaux un pouvoir sans limite, tant qu'ils se conformeraient aux desiderata de la puissance colonisatrice. Ce régime coutumier s'était perpétué après l'indépendance et jusqu'à la formation en 1956 de la République islamique du Pakistan. Au cours des années quatre-vingt, la région s'était un peu plus militarisée avec l'arrivée de combattants moudjahidines venus d'Afghanistan, suite à l'invasion soviétique. Après le 11-Septembre, le Waziristan du Nord et le Waziristan du Sud devaient s'illustrer comme terrains d'entraînement et de repli pour les terroristes après qu'Al-Qaïda eut investi la région. Les habitants avaient accueilli les talibans à bras ouverts car ces derniers avaient su faire vibrer leur corde tribale et coutumière, en leur rappelant qu'ils devaient toujours se méfier des gouvernements centraux et farouchement défendre leur indépendance.

Autant de faits pour rappeler à Moore qu'il mettait décidément le pied dans une région des plus instable voire explosive, mais Rana lui avait promis que cela valait le détour. Ils devaient rencontrer un homme qui, aux dires de Rana, pourrait être en mesure d'identifier les talibans sur les photos que possédait Moore. L'homme vivait dans le village de Miran Shah qui, durant l'invasion soviétique, avait accueilli un vaste camp pour les réfugiés venus de Khost, seule ville afghane de l'autre côté de la frontière dans cette région isolée. En fait, la plupart des routes conduisant à Miran Shah étaient bien souvent impraticables durant les longs mois d'hiver et, pour avoir l'électricité, les habitants ne pouvaient compter que sur quelques rares groupes électrogènes diesel. Dire que les deux hommes mettaient le pied dans une ville demeurée au stade du Moyen Âge était une litote, et pourtant Moore découvrit, ébahi, des traces anachroniques de présence occidentale sous la forme de vieux placards publicitaires pour Seven-Up ou Coca-Cola tendus entre deux murs de pisé. On voyait des voitures poussiéreuses garées au bord des rues, et les mômes jouaient à cache-cache dans des ruelles jonchées de détritus. Un homme vêtu d'une tunique crasseuse et tenant en laisse un singe dressé les croisa, tout comme une demi-douzaine d'autres habitants portant la longue chemise de coton traditionnelle retenue à la taille par une large ceinture en toile. D'autres, qui étaient armés d'AK-47, se déportèrent du côté du marché vers un bâtiment éventré par une explosion, pour rejoindre un groupe d'hommes et de femmes encore affairés à fouiller les décombres. Un peu plus loin, on rôtissait une chèvre à la broche ; Moore reconnut l'odeur de bouc si caractéristique.

« Encore un attentat-suicide », observa Rana, au volant, en indiquant d'un signe de tête le bâtiment détruit. « Ils voulaient tuer un des chefs tribaux mais ils ont échoué.

– Mais ils n'ont pas raté la maison, pas vrai ? » observa Moore.

Arrivés au bout de la rue, ils furent accostés par deux nouveaux hommes équipés de fusil, des soldats de l'armée pakistanaise chargée de renforcer la sécurité dans le village depuis que Miran Shah était devenue de plus en plus souvent la cible des militants pro-talibans réfugiés dans les collines alentour. Nul doute que l'auteur de l'attentat-suicide provenait de là. Le gouvernement avait pris des mesures contre la « talibanisation » de ces zones tribales, en envoyant des renforts en personnel et en matériel mais ces efforts n'avaient jusqu'ici rencontré qu'un succès limité. Moore avait bien étudié la région et les occasions étaient trop nombreuses pour les fonctionnaires gouvernementaux de se laisser acheter par des seigneurs de la drogue à la solde des talibans. Si Khodaï avait survécu, nul doute qu'il aurait eu des noms à livrer.

Rana précisa aux soldats du barrage qu'ils allaient rencontrer Nek Wazir, le chef de la Choura – le conseil exécutif – du Waziristan du Nord, un homme qui n'avait pas sa langue dans sa poche quand il parlait des chefs talibans de la région. Les deux hommes échangèrent un regard et l'un d'eux vérifia sur une liste imprimée avant de leur demander leurs papiers. Moore s'était bien entendu muni de faux documents qui le présentaient comme un fabricant d'armes de Darra Adam Khel, une bourgade entièrement dévolue à la manufacture d'artillerie. L'accès à la ville était interdit aux étrangers, mais les artisans locaux sillonnaient régulièrement les zones tribales pour livrer leur production. Le garde n'eut aucun mal à se laisser convaincre par les papiers de Moore mais après une fouille en règle de la voiture, il s'étonna, la main levée : « Pourquoi pas de livraison ? »

Sourire de l'Américain. « Je ne suis pas ici pour affaires. »

L'autre haussa les épaules, puis les deux gardes leur firent signe de passer.

« Comment avez-vous connu Wazir ? s'enquit Moore.

– Mon grand-père s'est battu avec lui contre les Soviétiques. Tous deux sont venus ici. Je le connais depuis que je suis tout petit.

– C'étaient des moudjahidines.

– Oui, de grands résistants.

– Parfait.

– Je vous avais dit, quand vous m'avez engagé, que j'avais d'excellents contacts, ajouta Rana avec un clin d'œil.

– La route est longue et je t'ai signalé que mes chefs ne m'avaient accordé que deux jours.

– Si quelqu'un connaît ces hommes, c'est bien Wazir. C'est lui qui a le plus de contacts dans toute la région. Il a des centaines d'affidés, jusque dans la capitale. Son réseau est incroyable.

– Mais il vit dans ce trou pourri.

– Pas toute l'année. Mais ce "trou pourri", comme vous dites, lui procure une couverture idéale et lui permet en grande partie d'échapper à la curiosité du gouvernement. »

La piste tournait légèrement à droite avant d'attaquer une côte qui les conduisit à deux bâtiments en brique de taille modeste, installés au pied des collines. On apercevait derrière plusieurs tentes. Deux paraboles étaient installées sur le toit du plus grand des bâtiments et l'on entendait, venant des tentes, vrombir des groupes électrogènes. Un peu plus en retrait, un enclos abritait des vaches et des chèvres tandis que sur la gauche, en contrebas, s'étendaient des hectares de cultures en terrasses où les paysans du coin cultivaient le blé, l'orge et une variété perse de luzerne baptisée *shaftal*.

Deux gardes apparurent sur le toit et brandirent leurs AK-47. *Charmant*. Wazir s'était ménagé un QG sécurisé dans ces collines.

Ils furent accueillis à l'entrée par un vieillard à l'imposante barbe blanche. L'homme portait une tunique marron, avec un gilet blanc et un turban assorti. Il avait une bouteille d'eau dans la main droite. Il ne restait plus grand-chose de la gauche : les doigts avaient disparu, remplacés par de profondes cicatrices qui griffaient le dessus de sa main et remontaient sur le bras vers la manche. En l'examinant mieux, Moore nota qu'il avait également perdu une partie du lobe de l'oreille gauche. OK, sans doute le résultat d'un tir de mortier. Il pouvait s'estimer heureux d'être encore en vie.

On ne s'embarrassa pas de préliminaires. Le nom que s'était choisi Moore était Khattak, un patronyme pachtoune, et avec ses cheveux bruns et son teint basané (l'un et l'autre hérités d'une mère aux origines italo-espagnoles), il pouvait presque passer pour un Pakistanais. Presque.

Wazir gloussa en entendant le nom. « Ce n'est pas toi, bien sûr, remarqua-t-il en anglais avec un fort accent. Tu es américain et ça me va très bien. Ça me fournit l'occasion de pratiquer mon anglais.

– Ce n'est pas nécessaire, lui répondit Moore en pachtoune.

– Accorde-moi ce petit plaisir. »

Moore pinça les lèvres avant d'acquiescer d'un sourire. Autant céder au caprice du vieil homme. Ses yeux bleu délavé avaient sans aucun doute contemplé les derniers cercles de l'enfer. Wazir les conduisit à l'intérieur.

La prière de midi, *Dhuhr*, venait de s'achever, et Moore ne douta pas que leur hôte allait à présent leur servir du thé. Ils pénétrèrent dans la fraîcheur ombragée d'une vaste pièce de séjour aux coussins bariolés arrangés autour d'un tapis persan aux motifs enchevêtrés. On avait préparé trois places. Les coussins – des *toshaks* – et la mince natte au centre – un *dastarkhaān* – faisaient partie intégrante de la cérémonie quotidienne du thé. On cuisinait dans l'une des pièces voisines et les arômes sucrés d'oignons mêlés à quelque autre épice embaumaient l'atmosphère.

Un jeune homme apparut, que Wazir présenta comme son arrière-petit-fils. Âgé de sept ou huit ans, il portait un bol et une cruche – le *haftawa-wa-lagan*. Tous se lavèrent soigneusement les mains. Puis le garçon revint avec le thé et Moore en but lentement une gorgée, avec un soupir d'aise, car cette senteur lui évoquait toujours la pistache.

« Comment s'est déroulé le trajet ? demanda Wazir.

– Sans incident, répondit Moore.

– Très bien.

– Tu as les photos ? »

Moore glissa la main dans la petite sacoche qu'il avait passée à l'épaule et en retira sa tablette informatique. Il l'activa et la tendit à Wazir.

Le vieillard feuilleta l'écran tactile pour faire défiler les photos, comme s'il avait fait cela toute sa vie. Surpris, Moore l'interrogea à ce sujet.

« Laisse-moi te montrer quelque chose », répondit-il avant d'appeler le garçon pour qu'il l'aide à se relever.

Il les conduisit alors dans une pièce en retrait, en fait un bureau, et Moore en resta bouche bée. Wazir avait toute une batterie d'ordinateurs, deux imposants téléviseurs à écran plat et au moins une demi-douzaine d'ordinateurs portables, tous en service. Son PC électronique ressemblait à la passerelle d'un vaisseau spatial. Les écrans affichaient les pages d'accueil de sites d'info, des programmes télé, des écrans de messagerie et de réseaux sociaux. Sans nul doute ce gars était branché.

Et là, dans un coin, sur une table, plusieurs tablettes tactiles identiques à celle de Moore.

« Comme tu peux le constater, dit Wazir en embrassant les lieux de sa main valide, j'aime bien avoir mes jouets. »

Moore hocha la tête, éberlué. « Je suis ici depuis, je ne sais plus, deux ou trois ans… comment se fait-il que je n'aie jamais entendu parler de vous ?

– Choix personnel.

– Alors, pourquoi maintenant ? »

Le sourire du vieillard s'évanouit. « Allons, retournons finir notre thé. Avant de déjeuner. On parlera ensuite. »

Quand ils se furent réinstallés sur les coussins dans la pièce à vivre, le garçon leur apporta une *quorma*, un ragoût aux oignons, épicé de chutney, de légumes aux vinaigres et servi avec du *naan* – un pain azyme cuit dans un four en terre. La chère était délicieuse et Moore se sentit calé lorsqu'ils eurent terminé.

Wazir rompit le silence avec une question : « Quelle est la chose la plus difficile que tu aies dû faire dans ta vie ? »

Moore regarda son interlocuteur. Toute son attitude trahissait qu'il jugeait la question essentielle.

Avec un soupir résigné, Moore le regarda et demanda : « Est-ce vraiment si important ?

– Non.

– Alors, pourquoi cette question ?

– Parce que je suis un vieillard, que je vais mourir bientôt et que je crois que les liens fraternels se tissent à force de sacrifices. Je suis un collectionneur de cauchemars, si tu préfères.

C'est leur évocation, à la froide lumière du jour, qui permet au courage et à la vérité de s'épanouir. Alors, au nom de la fraternité... quelle est la chose la plus difficile que tu aies eu à faire dans ta vie ?

– Je ne pense pas qu'on m'ait jamais posé une telle question.

– As-tu peur de répondre ?

– Je n'ai pas peur, je suis simplement...

– Tu ne veux pas la considérer. Tu l'as enterrée. »

Moore en resta stupéfait, mais il n'était pas certain que son interlocuteur se contentât de cette réaction. « Nous avons tous fait des choses difficiles.

– J'ai besoin de savoir celle qui l'était le plus. Veux-tu que je commence ? »

Moore acquiesça.

« Je tenais à ce que mon père soit fier de moi. Je voulais être un bon fils.

– Et en quoi était-ce difficile ? »

Wazir exhiba sa main estropiée. « J'ai été blessé au tout début de la guerre et, par la suite, chaque fois que j'entrais dans sa chambre, je voyais dans ses yeux s'évanouir cette lueur de fierté paternelle. Son fils était désormais un infirme, il n'était plus un guerrier. Ce ne fut plus jamais comme avant. Et rien ne serait plus difficile pour moi que de regagner sa fierté.

– Je suis sûr que vous y êtes parvenu. »

Le vieil homme sourit. « Il faudrait que tu lui demandes.

– Il est encore en vie ? »

Wazir opina. « Il habite à une heure de voiture d'ici. Il doit être devenu l'ancêtre de son village.

– Eh bien, je suis sûr qu'il est fier de vous, désormais. Moi, je n'étais pas un très bon fils. Et le temps pour moi de me rendre compte de mes bêtises, il était trop tard. Mon père était mort du cancer.

– Je suis désolé de l'apprendre. Tout ce que nous voulions, c'était être de bons fils, n'est-ce pas ?

– Ce n'est jamais aussi simple. »

Moore se sentait au bord des larmes – parce qu'il savait que le vieillard allait insister. Ce fut le cas.

« La chose la plus dure ? »

Moore détourna les yeux. « Je suis désolé. Je ne peux pas y repenser. »

Le vieil homme ne dit rien, but une gorgée de thé, laissa un silence pesant envahir la pièce, tandis que Moore se forçait à faire le vide, à se plonger dans un océan de néant. Et puis, il releva la tête. « J'imagine que si je ne le vous dis pas, vous ne m'aiderez pas.

– Si tu m'en parlais trop vite, je ne te croirais pas. Je comprends que la douleur soit si grande que tu ne puisses parler. Cette douleur, je la connais. Et si, je vais t'aider. Je dois le faire.

– J'ai… j'ai juste pris un jour une décision dont je ne sais toujours pas si elle était la bonne. Chaque fois que j'y repense, j'ai l'impression que je vais vomir. »

Les yeux de Wazir s'agrandirent. « Alors, retourne-toi avant. C'était l'un des meilleurs ragoûts que j'aie dégustés. »

La plaisanterie fit sourire Moore.

« À présent, les deux hommes sur la photo. Je trouverai qui ils sont mais je pense que c'est sans importance. Ce sont les hommes pour qui ils travaillent que tu dois arrêter.

– Avez-vous des noms ?

– Tu as vu mon bureau. J'ai bien plus. » Wazir les ramena auprès de ses ordinateurs et il présenta à Moore des clichés des deux hommes qu'il identifia comme le mollah Abdul Samad et le mollah Omar Rahmani. Samad était le plus jeune des deux, la quarantaine, alors que Rahmani était presque sexagénaire.

« Ces types sont des chefs talibans ? Je… je n'arrive pas à croire que je n'en aie jamais entendu parler. »

Wazir sourit. « Ils ne veulent pas se dévoiler devant vous. La meilleure explication serait de dire qu'il y a talibans et talibans, d'un côté les personnages publics qui vous sont familiers, et de l'autre un petit groupe très spécial qui œuvre dans le plus grand secret. Rahmani est leur chef. Et Samad son exécuteur. Ce sont eux les responsables de la mort de tes amis, de la mort du colonel qui désirait t'aider. »

Moore jeta un coup d'œil à Rana qui avait dû sans doute lui en dire un peu trop. L'intéressé haussa les épaules. « J'avais besoin de lui dire ce qui s'est passé… pour obtenir son aide. »

Moore fit la grimace. Puis il considéra Wazir. « OK. Maintenant, nous avons cet homme qui a disparu. » Il exhiba une photo de l'agent Gallagher, avec ses cheveux gris argentés et sa barbe en broussaille. Ses parents avaient émigré de Syrie pour les États-Unis et c'est là qu'il était né. Son vrai nom était Bashir Wassouf mais il se faisait appeler Bobby Gallagher et il avait obtenu le droit de changer de nom alors qu'il était adolescent. Il avait narré à Moore la discrimination dont il avait souffert, étant enfant, en Californie du Nord.

« Laisse-m'en une copie, dit Wazir.

– Merci. Savez-vous quelque chose au sujet de l'autre Latino ?

– C'est un Mexicain, et ils achètent bien plus d'opium qu'auparavant. Ils n'ont jamais été de très bons clients mais leurs achats ont été multipliés par dix ces dernières années et, comme vous l'avez découvert, l'armée les a aidés à transporter leur marchandise à travers le Pakistan, à la faire sortir du pays, et l'amener au Mexique et, de là, aux États-Unis…

– Savez-vous qui sont ces hommes ? Je veux dire, maintenant.

– Je le crois, oui.

– Wazir, je veux vous remercier pour le thé, pour le repas… pour tout. Sincèrement.

– Je le sais. Et quand tu seras prêt à parler, reviens me voir. Je veux entendre ton histoire. Je suis un vieil homme. Je sais écouter. »

Durant le trajet du retour, Moore réfléchit beaucoup à « son histoire » et aux eaux sombres dans lesquelles il aurait pu patauger…

Le lycée Fairview de Boulder, Colorado (État des Chevaliers), c'est là, en terminale, que Moore avait rencontré un garçon du nom de Walter Schmidt. Schmidt avait un an de plus que tous les autres car il était redoublant. Il s'en vantait. Il se targuait de sécher les cours, de répliquer aux enseignant et de fumer de l'herbe à l'intérieur de l'établissement. Il essayait constamment d'entraîner Moore, et bien que la tentation eût été grande, et l'idée fort séduisante d'échapper au désarroi engendré par le divorce de ses parents, il avait résisté. Malgré tout, Moore n'était pas un crack pour autant, il avait tout juste la moyenne et il voyait non sans envie Walter avoir une popularité grandissante, attirer des filles qui étaient prêtes à coucher avec lui, et le garçon semblait lui faire de l'œil comme pour lui dire : *Tu sais, tu pourrais avoir cette vie, toi aussi, l'ami.*

Finalement, vers la fin de l'année scolaire, les défenses de Moore avaient faibli. Il décida d'assister à une fête organisée par Schmidt. Il tâterait de l'herbe pour la première fois parce qu'une bonne copine serait présente et qu'il savait déjà qu'elle fumait. Alors qu'il dévalait la rue sur son vélo pour rejoindre la maison de Schmidt, la vision de gyrophares de la police le fit se hâter encore plus et, en approchant, il aperçut le garçon qu'on propulsait hors de chez lui comme un chien enragé, encadré par deux policiers. Schmidt se débattait malgré ses menottes, il jurait, il cracha même au visage d'un des flics.

Moore demeura figé, interdit, tandis que le reste des participants étaient arrêtés et embarqués à leur tour – y compris la copine qu'il aimait bien.

Il hocha la tête. Il s'était trouvé à deux doigts d'être arrêté aussi. Non, ce n'était pas une vie. Pas sa vie. Il n'allait pas la gâcher avec ces connards. Il prendrait la direction opposée. Son père, un fondu d'informatique qui bossait pour IBM, lui reprochait toujours son manque de détermination et de projets d'avenir.

Mais cette nuit-là, Moore prit une décision. Il écouterait plutôt la voix d'une autre personne qui avait cherché à l'inspirer et l'encourager : son prof de gym, M. Loengard, un homme qui avait reconnu en lui ce que personne encore n'avait relevé, un homme qui l'avait aidé à comprendre que sa vie avait de la valeur et qu'il pourrait apporter à ce monde une contribution inestimable. Il pourrait répondre à la vocation et devenir un guerrier d'un genre très spécial : un membre des commandos de la marine, un Navy SEAL.

Le père de Moore lui avait dit que la marine, c'était pour les ivrognes et les idiots. Eh bien, il allait lui donner tort. Il se tint dès lors sur la voie étroite de l'effort, décrocha son bachot et, à la rentrée suivante, il était à Grand Rapids, dans l'Illinois, pour huit semaines de classes au centre de recrutement de la marine. Moore dut passer deux fois l'« épreuve de confiance », suivre la formation à la navigation, au tir, à la mécanique, et passer dans la fameuse « salle de confiance », où il devait tenir en déclinant uniquement son nom et son matricule tandis qu'une barrette de gaz lacrymogène sifflait entre ses pieds.

Les classes terminées, Moore coiffa sa casquette de marin et intégra l'école de police de la Navy à San Antonio pour décrocher au bout de six semaines son diplôme de policier-capitaine d'armement. Il avait apprécié ce cursus parce qu'il lui avait permis de manier des armes. Durant son passage, ses instructeurs remarquèrent son adresse au tir et, finalement, après bien des tergiversations, il sortit de formation avec une citation. Il fut alors promu matelot E-3 et envoyé à Coronado, Californie, où se trouvait l'école des commandos de la marine américaine.

Désormais l'attendaient de la sueur, du sang et des larmes.

5

LA FIGURE PATERNELLE

Casa de Rojas
Punta de Mita, Mexique

PLUS DE DEUX CENTS INVITÉS s'étaient réunis sur le front de mer, dans la résidence privée du golf-club des Quatre Saisons. Avec près de deux mille mètres carrés, quatre suites, deux chambres d'enfant et un pavillon séparé, l'édifice n'avait pas eu de mal à devenir le plus célèbre aux environs. Des portes d'entrée en bois massif sculpté à la main, à la débauche de pierre et de marbre qui donnait au hall des allures de cathédrale européenne plus que de résidence privée, la Casa de Rojas était à couper le souffle, sitôt le seuil franchi. Sans surprise, Sonia Batista, la petite amie de Miguel, resta bouche bée quand il la fit passer sous le grand portique à colonnades supportant des voûtes de granit pour gagner l'immense piscine et sa plage de pierre.

« Tout le monde a ses secrets », observa-t-elle, en s'immobilisant pour s'appuyer à l'une des colonnes et contempler les vastes baies vitrées. « Mais là… là c'est carrément trop. » Puis elle baissa les yeux pour admirer le dallage de pierres dont les motifs complexes avaient demandé à des artistes et des architectes de renommée internationale des mois d'effort de conception et des années de réalisation. Cela, Miguel le lui raconterait plus tard, quand ils auraient parachevé la visite.

Pour l'heure, il fallait qu'ils gagnent leur place avant que son père n'entame la présentation.

Malgré tout, il prit quelques secondes pour admirer les boucles de sa chevelure mi-longue qui accrochaient le soleil de fin d'après-midi et scintillaient comme du sable volcanique noir. Il ne pouvait s'empêcher, avec la libido débridée de ses vingt-deux ans, d'imaginer tout ce qu'ils allaient faire un peu plus tard. Elle était svelte comme un mannequin, mais aussi remarquablement athlétique, et il avait eu tout le mois pour explorer chaque courbe de son jeune corps et passer de longs moments à se plonger dans les profondeurs de ses yeux noisette pailletés d'une demi-douzaine de nuances d'or. Il se coula vers elle, lui vola un baiser furtif. « Allez, viens. Mon père va me tuer si nous sommes en retard. »

Elle faillit trébucher quand il la tira en avant, parce qu'elle était encore en train de s'émerveiller devant les trois cuisines géantes accompagnées de bars assez longs pour accueillir douze personnes et la salle de banquet attenante capable de recevoir près d'une centaine de convives. De part et d'autre, on voyait chatoyer d'autres maçonneries s'élevant jusqu'à des plafonds de huit mètres. Il comptait lui parler aussi de tout le mobilier que son père avait importé des quatre coins du monde et dont bien des pièces avaient leur histoire particulière. La visite allait prendre encore plusieurs heures et il espérait qu'ils auraient du temps pour admirer la bibliothèque, la salle de gym, la salle multimédia et le stand de tir avant de se retirer pour la soirée. Elle n'avait aucune idée des dimensions de la demeure mais elle savait qu'à l'issue de cette visite, elle en saurait bien plus non seulement sur lui mais aussi sur son père, Jorge Rojas.

« Je suis pas mal nerveuse », avoua-t-elle en lui pressant la main alors qu'ils parvenaient au bout de la galerie pour sortir et porter leurs pas sur le pavage multicolore bordant la piscine.

Castillo se tenait planté là, comme à son habitude, statue d'un mètre quatre-vingts en costume sombre, avec oreillette et lunettes noires. Miguel se tourna vers la jeune fille pour le présenter. « Sonia… Fernando Castillo, le chef de la sécurité de mon père, mais cela ne l'empêche pas d'être un piètre joueur à *Call of Duty*.

– C'est parce que tu es un tricheur, observa Castillo avec un léger sourire. Tu as piraté tous ces jeux, je le sais.

– Il faut juste que t'apprennes à tirer. »

Castillo hocha la tête, puis il ôta ses lunettes de soleil, révélant qu'il était borgne ; elle tressaillit en avisant les paupières cousues mais lui prit toutefois la main.

« Enchanté de faire votre connaissance.

– Moi de même.

– Je ne voulais pas être discourtois devant une si ravissante personne, dit-il en rechaussant à nouveau ses lunettes. Mais parfois, il vaut encore mieux que je les garde, non ?

– Ne vous en faites pas, répondit-elle. Merci pour le compliment. »

Ils s'écartèrent pour aller se mêler aux groupes d'invités rassemblés près des tables dressées autour de la piscine pour le dîner. Miguel lui chuchota : « Ne te laisse pas avoir. Il en voit bien plus avec un seul œil que bien des gens avec les deux.

– Comment l'a-t-il perdu ?

– Quand il était petit. Une bien triste histoire. Je te la raconterai peut-être un jour mais, ce soir, on boit des crus millésimés et on s'amuse ! » Miguel remua les sourcils en lui pressant la main.

Avec les quatre bars disposés autour du bassin, le vin et le champagne coulaient à flots. On avait tendu un calicot entre deux des bars, face aux eaux calmes du Pacifique Nord, sous un ciel orange roussi, cela formait un parfait rideau de scène.

Sur la bannière on pouvait lire : « BIENVENUE AUX GÉNÉREUX DONATEURS POUR LE PROJET D'AMÉNAGEMENT DE L'ÉCOLE JORGE ROJAS. » C'était un dîner de bienfaisance à mille dollars le couvert, et l'occasion bisannuelle pour le père de Miguel de soutirer quelques sous à ses riches amis pour une bonne cause. Le travail accompli par sa fondation était réellement remarquable. Le gouvernement mexicain n'aurait guère pu mieux faire pour améliorer le système éducatif. Et Jorge Rojas ne comptait pas en rester là.

« Miguel, Miguel », lança derrière eux une voix familière. Un groupe compact d'invités s'écarta pour laisser passer Mariana et Arturo González, l'oncle et la tante du jeune homme, la presque cinquantaine tous les deux, impeccablement tirés à quatre épingles, comme s'ils s'apprêtaient à monter les marches d'un festival de cinéma. Mariana était l'unique sœur de son père après la disparition de leur frère.

« Regarde-moi ça », dit sa tante en le tirant par la manche de son complet gris foncé.

« Il te plaît ? Mon père et moi avons trouvé un nouveau tailleur à New York. Il a pris l'avion pour nous rencontrer. » Jamais Miguel n'avouerait à Sonia que ce costume lui avait coûté plus de dix mille dollars. En fait, il se sentait souvent gêné par la fortune familiale et il en faisait le moins possible étalage. Le père de Sonia était un gros homme d'affaires madrilène, propriétaire d'une manufacture de vélos sur mesure (la marque Castile) qui fournissait plusieurs équipes du Tour de France. Jamais toutefois sa famille ne pourrait rivaliser avec les richesses que son père avait amassées. Jorge Rojas n'était pas seulement l'un des hommes les plus fortunés du Mexique, il était l'une des plus grosses fortunes de la planète, ce qui à la fois compliquait l'existence de son fils et la rendait par moments quelque peu surréaliste.

« Là voilà donc, cette fameuse Sonia ! s'exclama sa tante.

– Oui », répondit Miguel, radieux et fier, puis, comme il était de mise, il prit un ton plus solennel pour enchaîner : « Sonia, je te présente ma tante Mariana et mon oncle, monsieur Arturo González, gouverneur de Chihuahua. »

Sonia, en parfaite dame du monde, les salua avec la même solennité. Son sourire radieux et le pendentif en diamant qui caressait son cou ne passèrent pas inaperçus aux yeux de l'oncle. Mais en attendant, Miguel n'avait d'yeux que pour elle, et il ne voyait que son sourire, que la joie qui inondait son visage et brillait dans ses yeux.

Le père de Miguel les avait présentés à la faveur d'une rencontre d'affaires avec des amis communs. Qu'elle fût espagnole avait surtout impressionné le père. Quant à Miguel, c'était surtout son cul magnifique et son ample poitrine qui l'avaient impressionné, du moins aux premiers stades de leur relation. Il avait découvert qu'elle fréquentait l'Universidad Complutense de Madrid, l'une des universités les plus renommées d'Europe, et il n'avait pas tardé à apprendre qu'il y avait un cerveau derrière cette beauté. « Ne te méprends pas, lui avait-elle dit. Je n'ai pas fréquenté les bancs de quelque coûteuse école privée, mais ça ne m'a pas empêché d'obtenir mon diplôme avec mention. »

L'été qui avait suivi la fin de ses études, elle l'avait passé à voyager et découvrir New York, Miami et Los Angeles. Elle était passionnée de mode et de cinéma. Forte de son diplôme de gestion, elle se voyait bien travailler en Californie pour un grand studio ou peut-être à New York pour un couturier renommé. Son père, hélas, s'était montré intraitable. Il lui avait laissé une année pour trouver sa voie, mais dès l'automne venu, il comptait bien la voir intégrée dans l'entreprise paternelle. Miguel nourrissait bien entendu pour elle d'autres plans, plus ambitieux.

« Alors, vous voilà finalement revenue d'Espagne, dit sa tante. Combien de temps y êtes-vous restés ? »

Il sourit à Sonia. « Presque un mois.

– Ton père m'a dit que c'était pour te récompenser de ton diplôme, remarqua la tante, avec de grands yeux.

– En effet », confirma fièrement Miguel. Puis, se tournant vers son oncle : « Comment vont les affaires au pays ? »

Arturo caressa son front dégarni, puis il hocha la tête. « Nous avons encore du pain sur la planche. Les violences se sont aggravées. »

Mariana l'interrompit d'un geste de la main. « Mais ce n'est pas l'heure pour parler de ça, n'est-ce pas ? Pas lors d'une soirée comme celle-ci, où nous avons tant de choses à fêter ! »

Arturo opina, résigné, avant de sourire à Sonia : « Absolument ravi de vous rencontrer. Et maintenant, nous allons vous conduire à notre table. Elle est par là-bas.

– Oh, parfait, nous sommes donc assis avec vous », s'enthousiasma Sonia.

Avant qu'ils aient pu longer la piscine pour rejoindre leur table, Miguel se vit accoster par au moins quatre autres amis – des associés de son père, d'anciens partenaires dans son équipe de foot à l'université, et au moins une ex-petite amie qui eut le chic pour transformer trente secondes de conversation en trente heures de gêne, alors qu'ils discutaient tous deux en français, tandis que Sonia restait plantée là, l'air paumé.

« J'ignorais que tu parlais français », observa-t-elle, après qu'il eut enfin réussi à échapper à l'importune sirène.

« Anglais, français, espagnol, allemand et néerlandais, et même parfois gangsta, si elle voit de quoi je jacte, la meuf. »

Elle rit, et ils prirent place autour de la table richement décorée de porcelaine et d'argenterie parmi les plus fines au monde. Son père lui avait enseigné à ne jamais être blasé, et tout en vivant une existence de privilégié, il goûtait celle-ci jusque dans les moindres détails, du tissu de sa serviette de table à la qualité du cuir utilisé pour confectionner sa ceinture. Quand tant de ses semblables possédaient si peu, il devait se montrer reconnaissant et savoir goûter tous ces petits luxes de son existence.

Un pupitre doté d'un micro et d'un ordinateur portatif était disposé à proximité d'un écran de projection sur trépied. Selon le vœu de son père, sa présentation aurait lieu avant le repas, car, se plaisait-il à dire, « ventre repu n'a pas d'oreilles ».

Arturo se leva pour gagner le pupitre. « Mesdames et messieurs, si vous voulez bien vous asseoir, nous allons bientôt commencer. Pour ceux d'entre vous qui ne me connaissent pas, je suis Arturo González, gouverneur de Chihuahua. J'aimerais vous parler de mon beau-frère, un homme qu'il est inutile de vous présenter, mais j'ai pensé que cette occasion particulière était le moment idéal pour évoquer une anecdote, car Jorge et moi avons fréquenté la même école et nous nous connaissons depuis toujours. »

Arturo reprit son souffle puis ajouta soudain : « Jorge était un pleurnicheur. Sans déconner. »

L'assistance éclata de rire.

« Chaque fois que nous avions des devoirs à faire, il passait des heures à râler dessus. Puis il venait chez moi, et je faisais ses devoirs, et en échange il me donnait du Coca ou des chewing-gums. Vous voyez ? En ce temps-là, déjà, il s'y entendait en affaires ! »

Nouveaux éclats de rire.

« Mais plus sérieusement, mesdames et messieurs, Jorge et moi avons réellement apprécié notre éducation et nos maîtres, et nous ne serions pas ici sans eux, et c'est là ce qui motive notre profond désir d'en faire bénéficier nos enfants. Jorge vous expliquera plus en détail le travail de la fondation, aussi, sans plus tarder, je laisse la parole à monsieur Jorge Rojas ! »

Arturo se tourna vers l'un des bars, et c'est alors qu'il apparut, vêtu d'un costume assorti à celui de Miguel, hormis la cravate qui était rouge vif avec un liseré doré. Chevelure impeccablement coiffée et gominée – et pour la première fois, Miguel remarqua les mèches grises sur ses tempes et sur ses longs favoris. Jamais jusqu'ici, il ne s'était figuré son père comme quelqu'un d'âgé. Jorge était un homme athlétique qui avait appartenu au club de foot universitaire lorsqu'il était étudiant. Il avait même pratiqué le triathlon durant quelques années avant sa blessure au genou. Il conservait une forme excellente, avec sa carrure imposante et son mètre quatre-vingt-cinq, en comparaison duquel le mètre soixante-dix de Miguel faisait pâle figure.

Alors que Jorge exhibait souvent une barbe de plusieurs jours qu'il justifiait en disant qu'il avait trop à faire pour s'en préoccuper (ce qui ne manquait pas de susciter la réprobation : Comment ? Un des hommes les plus riches du monde n'arriverait donc même pas à trouver le temps de se raser ?), ce soir, il était rasé de près, exhibant la mâchoire volontaire d'une star de cinéma. Il sourit et salua de la main la foule, tout en se ruant quasiment vers le pupitre pour venir serrer dans ses bras Arturo.

Mais il s'écarta aussitôt après pour faire mine de tordre le cou de son beau-frère, déclenchant une nouvelle tempête de rires. Enfin, il le libéra pour s'approcher du micro.

« Je lui avais demandé de ne jamais raconter que je pleurais pour qu'il fasse mes devoirs, mais c'est vrai, mesdames et messieurs, c'est parfaitement vrai. Je suppose que j'ai toujours eu une passion pour l'école – d'une manière ou d'une l'autre ! »

Miguel lança un coup d'œil à Sonia qui contemplait son père, en extase. Jorge faisait cet effet à tout le monde, et si cela rendait Miguel parfois un peu jaloux, il n'aurait pu être plus fier de son père et il savait que Sonia ne manquerait pas de le trouver absolument bluffant – comme du reste la plupart des gens.

Pendant le quart d'heure qui suivit, ils l'écoutèrent et suivirent à l'écran la visite guidée du travail accompli par la fondation pour édifier de nouvelles écoles, équiper les classes des technologies dernier cri, engager les meilleurs enseignants disponibles au Mexique et dans les pays voisins. Jorge fournit même des statistiques et des résultats de tests à l'appui du travail qu'ils accomplissaient. Mais l'argument le plus convaincant venait des élèves eux-mêmes.

Jorge s'effaça pour laisser toute une classe de CM1 se ranger derrière le pupitre, tandis que trois des élèves, deux garçons et une fille, énonçaient avec aisance toutes les améliorations dont avait bénéficié leur établissement. C'étaient les gamins les plus choux que Miguel ait jamais vus et ils ne manquèrent pas de faire vibrer la fibre émotive de tous les membres de l'assistance.

Lorsqu'ils eurent fini, Jorge conclut en pressant chacun de faire de nouveaux dons avant de partir. D'un geste, il embrassa les gamins : « Nous devons investir dans notre avenir, leur dit-il, des trémolos dans la voix. Et cela continue ce soir. Bon dîner à tous ! Et encore merci ! »

Au moment où il quittait le pupitre, Jorge fut rejoint par son amie Alexsi, une blonde sensationnelle qui lui avait tenu compagnie au bar. Il l'avait rencontrée lors d'un voyage d'affaires en Ouzbékistan, et chacun pouvait deviner ce qui l'avait tant attiré chez elle. Elle avait des yeux d'un vert aussi vif que Gula, la fameuse jeune Afghane qui avait fait la couverture de *National Geographic.* Son père était un juge à la Cour suprême qui avait été nommé par le président de la République ; elle-même était avocate et paraissait avoir tout juste la trentaine. Miguel savait que son père ne pouvait supporter une femme avec qui il ne pourrait avoir une conversation intelligente. Elle parlait couramment l'anglais, l'espagnol et le russe, et poursuivait des études en affaires internationales. Détail encore plus surprenant, elle avait tenu plus longtemps jusqu'ici que toutes les conquêtes paternelles précédentes. Leur relation durait depuis bientôt un an maintenant.

Miguel avait été intrigué par une série de sièges vides disposés dans l'angle gauche de la terrasse et quand il y porta de nouveau son regard, il y découvrit installés les musiciens d'un orchestre qui aussitôt entama, tout en légèreté, l'interprétation d'une bossa nova de Jobim.

Alexsi se coula vers la chaise que Jorge lui présenta galamment, puis elle s'assit, souriant à tout le monde.

« Eh bien, je vois que nos bourlingueurs sont enfin de retour d'Espagne, nota Rojas en contemplant Sonia, radieux. Et c'est toujours un plaisir de vous revoir, mademoiselle Batista.

– Et le plaisir est réciproque, monsieur. Merci pour cette présentation. C'était incroyable.

– Nous ne pourrons jamais en faire trop pour ces mômes, pas vrai ? » Il devint songeur. « Oh, mais je manque à toutes mes obligations…, ajouta-t-il aussitôt en se tournant vers Alexsi. Je vous présente mon amie Alexsi Gorbotova. Alexsi, l'amie de mon fils, Sonia Batista. »

Après l'échange de politesses convenu, Miguel s'effaça légèrement pour laisser officier les sommeliers qui emplirent les verres alentour. Il jeta un regard à la dérobée sur l'étiquette : Château Mouton Rothschild, Pauillac, 1986. Miguel appréciait le vin et il savait que chacune de ces bouteilles coûtait plus de cinq cents dollars. Là non plus, il s'abstiendrait d'en faire part à Sonia mais celle-ci porta le verre à son nez, huma le vin et ses yeux s'arrondirent.

Jorge leva son verre. « Je bois à l'avenir de notre grand pays, le Mexique ! *E Viva México !* »

Plus tard, Miguel et Sonia s'éclipsèrent discrètement avant que l'on serve le dessert. Son père était plongé dans une intense conversation avec son oncle et plusieurs autres personnalités politiques de la région. Ils avaient allumé des cigares et Sonia avait été incommodée par l'odeur, et la fumée lui piquait les yeux. Ils se replièrent sur une table vide, à proximité de l'orchestre dont ils écoutèrent l'interprétation assez remarquable de *Samba de uma nota so*. Qu'il connût le titre de la chanson l'impressionna grandement. Ses cours de musique n'avaient pas été que facultatifs. Il les avait pris au sérieux. Elle posa la main sur la sienne et glissa : « Merci de m'avoir amenée avec toi. »

Il rit. « Tu veux faire le grand tour ?

– Pas maintenant, si ça ne te dérange pas. J'aimerais simplement rester assise à bavarder. »

Au loin, une sirène retentit, bientôt suivie par d'autres. Un accident de la circulation, peut-être, mais pas la violence évoquée par son oncle, cette violence qui s'était déposée sur la ville de Juárez comme une brume brouillant la vision des hommes et les poussant à s'entretuer. Non, ce n'était qu'un banal accident…

Sonia haussa le menton et regarda vers l'autre côté de la terrasse. « Alexsi a l'air gentille.

– Elle est bien pour mon père mais jamais il ne l'épousera.

– Pourquoi pas ?

– Parce qu'il n'a jamais cessé d'aimer ma mère. Aucune de ces filles ne peut rivaliser avec elle.

– Pas de problème si tu ne veux pas me répondre, mais tu ne m'as toujours pas dit comment elle était morte. »

Il fronça les sourcils. « J'avais cru.

– C'était à ton autre petite amie. »

Il sourit et fit mine de lui pincer le bras ; puis sa mine redevint sérieuse. « Elle est morte d'un cancer du sein. Tout l'argent du monde n'a pas pu la sauver.

– Je suis désolée. Quel âge avais-tu ?

– Onze ans. »

Elle vint se blottir contre lui, passa un bras autour de son épaule. « Je suis sûre que ce doit être très dur, surtout à cet âge.

– Oui… J'espère juste que mon père a… je ne sais pas… appris à l'endurer mieux que moi. Il a pensé que je craquerais. Que si je restais à la maison, je serais incapable de surmonter l'épreuve. Alors, il m'a envoyé illico au Rosey.

– Mais tu m'as dit que tu t'y étais bien plu.

– C'est vrai. Mais il n'y était pas. »

Elle hocha la tête. « Je dois être honnête. Après que tu m'as dit que tu étais allé là-bas, je me suis renseignée sur Internet. En fait, c'est un des instituts privés parmi les plus chers du monde. Et ça t'a donné l'occasion de faire tes études en Suisse. C'est fantastique.

– J'imagine… mais je m'ennuyais vraiment de mon père et, par la suite, nos relations n'ont plus jamais été les mêmes. Il était tiraillé entre la perte de sa femme et mon éducation, alors je suis parti. Je ne le voyais que trois ou quatre fois l'an, et chaque fois, j'avais moins l'impression de retrouver mon père que de rencontrer mon patron. Mais je ne lui en veux pas. Il voulait juste m'offrir ce qu'il y avait de mieux. Simplement, j'aurais voulu… je ne sais pas, moi, je crois que j'ai parfois l'impression qu'il essaie d'aider tous ces écoliers parce qu'il culpabilise sur mon sort…

– Peut-être que ça te ferait du bien de lui parler. Tu as toujours la bougeotte. Peut-être que tu as juste besoin de te poser chez toi, quelque temps, que vous puissiez réapprendre à vous connaître.

– Tu as raison. Mais je ne sais pas si j'en ai envie. Lui non plus, il ne tient pas en place. Quand on possède une bonne partie du Mexique, j'imagine qu'on doit garder l'œil sur tout.

– Ton père m'a l'air d'un honnête homme. Je pense qu'il serait franc avec toi. Il faut juste que vous vous parliez.

– J'appréhende un peu. Il a déjà planifié mon existence, et si on se lance dans une conversation, il va aussitôt m'indiquer la marche à suivre. À vrai dire, j'espère vraiment avoir pour moi le reste de l'été avant qu'il me mette au travail. Ensuite, à la rentrée, j'entamerai mon troisième cycle.

– Tu ne m'en as pas parlé.

– Je ne t'ai pas parlé de tas de choses. Tu te souviens comme tu disais vouloir t'installer en Californie ?

– Oui.

– Eh bien, à l'automne, nous pourrions partir nous installer là-bas. Pendant que je suivrai mes études, tu pourrais être avec moi, peut-être te trouver un boulot dans un des studios, comme tu l'as suggéré. »

Elle en resta stupéfaite. « Ça serait formidable ! Waouh, je pourrais vraiment trouver quelque chose qui… »

Elle s'interrompit soudain, son visage se renfrogna.

« Qu'est-ce qu'il y a ?

– Tu sais bien que mon père ne me lâchera jamais la bride.

– Je lui parlerai.

– Ça ne marchera pas. » Elle baissa le ton, imitant la voix paternelle. « Sa “tenace obsession de la qualité”, voilà ce qui a permis sa réussite, c'est du moins ainsi qu'il le formule. Et sa tenace obsession vis-à-vis de sa fille est du même ordre.

– Alors je demanderai à mon père de lui parler.

– Qu'est-ce que tu me dis là, Miguel ? » Elle arqua ses sourcils impeccablement épilés.

« Je dis que ton père veut ton bonheur. Et fais-moi confiance… j'en suis capable. Je peux te rendre très heureuse. Enfin, au moins j'essaierai de faire de mon mieux.

– Tu as déjà… » Elle se pencha vers lui et ils échangèrent un baiser intense et passionné qui fit battre le cœur du garçon.

Quand ils eurent terminé, il se retourna et découvrit que son père les contemplait depuis l'autre bout de la terrasse. Jorge leur fit signe d'approcher.

« Et voilà, constata Miguel avec un soupir. Il va me demander mon opinion sur toutes les grandes crises internationales, et gare à moi si je n'en ai pas une…

– Pas de souci, dit Sonia. Je lui donnerai la mienne si tu sèches. »

Il prit la main de la jeune fille en souriant. « Excellent. »

6
VERSET DE L'ÉPÉE

Région de Shàawal
Waziristan du Nord

LE CHEF TRIBAL de Shàawal avait convoqué une importante réunion qui devait se tenir dans le fort en pisé édifié au bout de la vallée de Mana, mais le mollah Abdul Samad n'avait pas l'intention d'y assister. À la place, alors que les *misharans* du chef commençaient à se rassembler devant le fort, il demeurait sur la crête, tapi près d'un bosquet d'arbres, accompagné de ses deux plus fidèles lieutenants, Atif Talwar et Wajid Niazi.

Samad avait détecté des mouvements sur la pente opposée et, après une inspection plus minutieuse aux jumelles, il repéra deux hommes, un barbu brun et un autre bien plus jeune et mince, barbe rare et courte. Ils portaient la tenue traditionnelle mais le premier avait un téléphone satellite et consultait ce qui parut à Samad être un GPS portable.

Talwar et Niazi étudiaient les deux hommes eux aussi. L'un et l'autre avaient à peine plus de vingt ans, soit quasiment deux fois plus jeunes que Samad, mais ce dernier avait passé les deux dernières années à les former et tous deux se présentaient de manière identique aux visiteurs : ils étaient éclaireurs avancés pour le renseignement américain, l'armée pakistanaise, voire pour une unité des forces spéciales américaines. Les imbéciles mal entraînés qui entouraient le chef ne les avaient pas encore repérés, et ses forces allaient payer le prix de leur incompétence.

Le chef aimait à jeter le code de conduite tribal à la face des fonctionnaires gouvernementaux. Il aimait bien menacer l'armée et souligner ses pertes au Waziristan du Sud, comme un exemple du sort qu'il leur serait réservé si jamais ils s'avisaient de l'attaquer. Il disait que le gouvernement devrait savoir que ses affidés auraient recours au code tribal traditionnel et aux conseils comme les *jirgas* pour régler leurs problèmes et que le recours au gouvernement central ne leur était utile que pour remplir les besoins essentiels, et sûrement pas régenter leur peuple. Il leur donnait l'assurance que jamais ils n'hébergeraient de criminels, qu'il n'y avait pas d'« étrangers » à Shäawal et que s'en prendre à ses hommes et à leurs terres était certainement la dernière de leurs préoccupations. Mais le chef ne savait pas très bien mentir et Samad veillerait à ce qu'il meure pour ça... Peut-être pas aujourd'hui ni demain, mais bientôt.

Toujours parfaitement immobiles, les éclaireurs inspectèrent aux jumelles les vallées alentour. Semblaient particulièrement les intéresser les longues rangées de pommiers qui suivaient la pente, pour rejoindre en contrebas des vergers d'abricotiers. On avait en partie déboisé et mis en culture les abords des collines les plus escarpées surmontant le village et la végétation subsistant fournissait un abri bien pratique. Les hommes avaient du reste repéré plusieurs guetteurs postés sur le périmètre. Mais ils ne prêtaient qu'une attention distraite aux espions derrière eux et, une fois encore, Samad ne put que hocher la tête, écœuré.

Les gouvernements américain et pakistanais avaient de bonnes raisons de croire que ces tribus hébergeaient des combattants talibans ou d'Al-Qaïda ; les Datta Khaïl et les Zakka Khaïl étaient réputés depuis des siècles pour leur loyauté à toute épreuve et leurs terres avaient de tout temps servi de sanctuaire naturel aux rebelles. Leur chef actuel ne faisait pas exception à la règle, à cette différence près qu'il avait subi récemment de fortes pressions de la part des Américains ; Samad n'était pas loin de croire qu'il allait d'ici peu céder à leur force et les trahir, lui et les quarante hommes qui s'entraînaient ici, du côté pakistanais et à une dizaine de kilomètres de là, dans la partie afghane de la zone.

Après le 11-Septembre, l'armée pakistanaise était entrée dans la région pour protéger la frontière des incursions depuis l'Afghanistan de soldats de l'Alliance du Nord. Au lieu d'une confrontation avec les tribus locales (qui, pour Samad, eût été dans l'ordre naturel des choses), ces dernières au contraire les avaient accueillis chaleureusement et des points de contrôle avaient été bientôt établis. Au cours des années ultérieures, toutefois, les chefs tribaux allaient regretter leur erreur, car un grand nombre des leurs et de leurs proches devaient tomber victimes des drones et sous les bombes des Américains, qui soupçonnaient la présence de terroristes dans la zone. Certes, les Américains ne manquèrent pas de présenter leurs excuses et d'offrir des compensations symboliques, tout en continuant de massacrer des civils au nom de la justice.

Ces derniers temps, cependant, les responsables tribaux avaient retrouvé leurs esprits et décidé de décliner les requêtes émanant tant du gouvernement américain que des autorités pakistanaises. Depuis quelques années, avait été constitué un *lashkar*[1] tribal, et la mission de ce groupe était d'arrêter tous les fugitifs et tous les combattants de la résistance qui opéraient dans la région de Shâawal. Tout juste quelques jours plus

1. Du persan signifiant « armée » – qui a donné « lascar » en français. Milices tribales pakistanaises formées à l'été 2008.

tôt, le chef avait eu vent que les autorités d'Islamabad étaient mécontentes des piètres résultats obtenus par cette milice et qu'en conséquence, il se pouvait que l'armée revînt en force pour nettoyer la région de ses fugitifs. Samad et ses hommes, tout comme leur chef, le mollah Omar Rahmani (ce dernier se trouvant du côté afghan de la zone), avaient alors conclu un marché : si jamais l'armée revenait, les talibans et les forces d'Al-Qaïda équiperaient et renforceraient les indigènes pour qu'ils se protègent contre toute attaque. Par-dessus le marché, Rahmani avait garanti au chef des tribus qu'il serait grassement récompensé pour son assistance. Rahmani disposait de fonds illimités tant que la culture du pavot continuerait de se développer et les briques d'opium de se vendre à l'étranger. Le marché conclu dernièrement avec le cartel mexicain de Juárez allait faire d'eux les principaux fournisseurs d'opium du pays, pour peu que ledit cartel parvînt à éliminer ses ennemis. Alors que le Mexique n'avait jamais été parmi les principaux acheteurs d'opium afghan, Rahmani avait l'intention de changer cet état de fait et il comptait bien voir sa marchandise concurrencer la cocaïne sud-américaine ou les cristaux de méthamphétamine dont les labos approvisionnaient en quantité les cartels, ces derniers arrosant à leur tour de coke et d'amphés le marché nord-américain.

Samad rabaissa ses jumelles. « Ils vont s'en prendre à nous ce soir, dit-il à ses lieutenants.

– Comment le sais-tu ? demanda Talwar.

– Souviens-toi bien de ça : les éclaireurs ont toujours quelques heures d'avance. C'est tout. Jamais plus. Rahmani appellera pour nous avertir.

– Qu'est-ce qu'on devrait faire ? Peut-on rameuter les autres à temps ? Peut-on fuir ? » C'était Niazi.

Samad fit un signe de dénégation tout en pointant un index vers le ciel. « Ils nous surveillent, comme toujours. » Puis il caressa sa longue barbe, l'air songeur, et moins d'une minute plus tard, un plan s'était formé dans son esprit. Il fit signe à ses hommes de battre en retraite, en longeant les arbres, mettant à profit la crête pour s'abriter des espions.

Sur l'autre flanc de la colline, on voyait une petite ferme entourée d'enclos pour quelques chèvres, des moutons et une demi-douzaine de vaches. Le paysan qui y logeait regardait toujours Samad d'un sale œil quand ce dernier amenait ses troupes dans la vallée proche pour s'y entraîner au tir sur cible. L'endroit servait de terrain d'entraînement aux talibans et le paysan le savait parfaitement. Mais le chef tribal lui avait ordonné de prêter assistance à Samad en toutes circonstances. Le paysan avait accepté non sans réticence. Samal ne lui avait jamais adressé la parole mais Rahmani, après s'être entretenu avec lui, avait averti Samal qu'on ne pouvait pas lui faire entièrement confiance.

En temps de guerre, on doit sacrifier des hommes. C'est également ce que lui avait dit le père de Samad, un moudjahidine qui avait combattu les Russes, la dernière fois qu'il l'avait vu en vie. Son père était parti à la guerre lesté d'un AK-47 et d'un maigre paquetage. Ses sandales étaient usées jusqu'à la corde. Il s'était retourné pour contempler Samad avec un sourire. Son regard pétillait. Samad était son unique enfant. Qui sous peu, se retrouva seul au monde avec sa mère.

On doit sacrifier des hommes. Samad avait toujours sur lui une photo de son père, protégée par un étui en plastique jauni, et les nuits où il sentait peser la solitude, il sortait la photo et lui parlait, pour lui demander s'il était fier de toutes les prouesses de son fils.

Avec l'aide de plusieurs associations humanitaires, Samad avait réussi à achever ses études en Afghanistan, et il avait été sélectionné par un autre de ces groupes pour parachever sa formation comme boursier à l'université de Middlesex, au Royaume-Uni. Il avait suivi les cours de leur antenne régionale située à Dubaï où il avait obtenu une licence en technologies de l'information et aiguisé un peu plus sa conscience politique. C'était là qu'il avait rencontré de jeunes membres des talibans, d'Al-Qaïda et du Hezbollah. Autant d'esprits rebelles qui avaient contribué à enflammer son âme naïve.

Après avoir décroché son diplôme, il s'était rendu avec quelques amis à Zahedan, une ville au sud-est de l'Iran, située dans cette zone stratégique où se rejoignaient les frontières de trois États : Pakistan, Iran et Afghanistan. Avec les fonds tirés du commerce de la drogue et l'aide d'experts en démolition recrutés pour la circonstance parmi les Gardiens de la révolution, ils avaient créé un atelier de fabrication de bombes. Samad s'était vu confier la charge d'établir et d'entretenir leur réseau informatique. Ils fabriquaient des bombes dissimulées dans des parpaings qui étaient livrés de l'autre côté de la frontière, en Afghanistan et au Pakistan. Les livraisons étaient organisées, balisées et suivies électroniquement grâce au logiciel créé par Samad. Telle avait été sa première incursion dans le monde du terrorisme.

Le djihâd était une des obligations fondamentales de l'islam mais le sens du mot avait été grossièrement dévoyé et même Samad n'en avait connu le sens réel qu'alors qu'il travaillait à la fabrique de bombes. Certains théologiens le décrivaient comme un effort spirituel, le combat intérieur de l'âme, ou bien la défense de la foi contre les critiques, voire l'émigration vers des terres non musulmanes pour y répandre l'islam. On luttait ainsi au nom d'Allah. Mais y avait-il vraiment une forme de djihâd qui ne fût pas violente ? Les infidèles devaient être chassés de Terre sainte. On devait les détruire. Ils étaient les principaux responsables de l'injustice et de l'oppression. Ils rejetaient la foi même après qu'on la leur eut révélée. Ils étaient déjà en train de se détruire eux-mêmes, et si on ne les arrêtait pas, ils entraîneraient dans leur chute le reste du monde.

Samad avait toujours sur la langue ce verset du Coran : « *Tenez prêt contre eux ce que vous pouvez de force et de chevaux que vous serez capables de réunir, pour effrayer l'ennemi de Dieu et votre ennemi*[1]... »

Et aucun groupe, aucun peuple ne représentait mieux les ennemis de Dieu que les Américains, ces consommateurs d'ordures, gâtés, veules et impies. L'Amérique, terre des fornicateurs et pays des obèses. Ils constituaient une menace pour tous les peuples du monde.

Samad, suivi par ses hommes, se rapprocha de la ferme, puis il héla le paysan, lui demandant de sortir. L'homme, qui vivait seul après la mort de sa femme et le départ de ses deux fils pour Islamabad, se présenta devant la porte ; titubant, appuyé sur une canne, il loucha sur Samad.

« Je ne veux pas de vous par ici.

– Je sais », répondit Samad en s'approchant de lui. Il hocha de nouveau la tête, puis il lui plongea une longue lame incurvée en plein cœur. Samad rattrapa le paysan alors qu'il basculait à la renverse, dans le même temps que Talwar et Niazi l'aidaient à le saisir pour le ramener à l'intérieur. Ils le déposèrent sur le sol de terre battue, et il continua de les fixer tout en se vidant de son sang.

« Dès qu'il sera mort, il faudra cacher son corps, dit Niazi.

---

1. Le Coran, sourate VIII, « le Butin », verset 60, trad. Jean Grosjean, Philippe Lebaud, éd. 1979.

– Bien sûr, répondit Samad.

– On remarquera sa disparition, observa Talwar.

– On dira qu'il est allé rendre visite à ses fils en ville. Mais seulement si ses voisins nous interrogent. S'il s'agit de l'armée ou des Américains, on leur dit que c'est notre ferme. Compris ? Détaler maintenant ne ferait qu'accroître les soupçons. »

Les deux autres acquiescèrent.

Dehors, près de l'enclos des chèvres, ils trouvèrent un trou que le fermier avait creusé pour y entasser le fumier. Ils y jetèrent son corps et le recouvrirent. Samad sourit. Aucun soldat n'aurait envie de creuser dans un tas de fumier pour retrouver le cadavre d'un paysan insignifiant. Samad revêtit quelques-uns des vêtements du vieux ; puis ils s'installèrent tous les trois sur des chaises grinçantes et préparèrent du thé en attendant la tombée de la nuit.

Moore et sa jeune recrue Rana avaient observé les trois hommes depuis un bosquet en haut de la colline mais ces derniers étaient trop loin en contrebas pour leur permettre de distinguer les visages, même aux jumelles. Rana supposa qu'il devait s'agir de combattants talibans postés en sentinelle ; Moore était d'accord. Les deux hommes redescendirent dans une ravine pour escalader le flanc opposé, à la recherche d'un point élevé d'où Moore pût passer un appel avec son téléphone satellite Iridium. Le relief montagneux brouillait la réception s'il était trop bas dans les vallées mais il arrivait en général à capter un signal depuis les sommets, où bien sûr il était plus susceptible d'être repéré. Il obtint le commandant d'un OPA (Operational Detachment Alpha), l'une des unités d'élite des forces spéciales. Lorsqu'il était dans les commandos de marine, Moore avait eu l'occasion de travailler avec ces gars en Afghanistan et il leur témoignait un profond respect, même s'ils s'échangeaient des piques pour savoir lequel des deux groupes avait les combattants les plus efficaces et les plus meurtriers. La rivalité était à la fois saine et amusante.

« OK, Barbe-noire en fréquence », lança Moore, utilisant son nom de code à la CIA. « Quoi de neuf, camarade ? »

La voix à l'autre bout de la ligne était celle du capitaine Dale Osbourne, un agent douloureusement jeune mais excessivement doué qui avait déjà collaboré avec Moore lors de plusieurs attaques de nuit qui leur avaient permis de neutraliser deux cibles d'importance stratégique en Afghanistan.

« Paré pour la passe de trois. »

Ozzy grogna. « T'as des renseignements exploitables ou c'est le délire habituel ?

– Le délire habituel.

– Donc, tu ne les as pas vus.

– Ils sont ici. On en a déjà repéré trois.

– Pourquoi faut-il toujours que ça tombe sur moi ? »

Moore gloussa. « Parce que t'adores te rouler dans la boue, espèce de naze. J'ai balancé les noms et les bobines. Je veux ces mecs.

– T'as du neuf, à part ça ?

– Écoute, si ça peut vous aider, on a récupéré une tripotée de douilles. Pas de doute qu'ils sont venus s'entraîner ici. Ces sagouins ont oublié de nettoyer derrière eux. J'ai besoin de vous pour la fête ce soir.

– T'es sûr qu'Obi-Wan ne nous a pas enfumés ?

– J'en mettrais ma main à couper.

– Bon, allez tant pis, à Dieu vat, ça roule pour moi. Attends-nous pour 0 h 30, vieux. À tout'.

– Bien reçu. Et n'oublie pas tes gants. Tu voudrais pas t'abîmer les ongles.

– Ouais, d'accord. »

Moore sourit et coupa la communication.

« Et maintenant, quel programme ? demanda Rana.

– On se cherche une gentille planque à l'abri, on s'installe et on guette le bruit d'un hélicoptère.

– Ça ne risque pas de les faire fuir ? »

Moore secoua la tête. « Ils savent qu'on a des satellites et des Predator, là-haut. Ils vont juste se planquer. Attends voir.

– J'ai un peu la trouille, confessa Rana.

– Tu blagues ? Relaxe, tout se passera bien. »

Moore tapota l'AK-47 qu'il tenait en bandoulière, puis le vieux Makarov de fabrication soviétique dans l'étui sur sa cuisse. Rana était également armé d'un Makarov et Moore lui en avait enseigné le maniement.

Ils trouvèrent à flanc de colline un renfoncement dont ils comblèrent en partie l'entrée à l'aide de rochers et de branchages. Ils y restèrent jusqu'à la tombée de la nuit et Moore se mit à piquer du nez. Par deux fois, il se surprit à s'endormir et demanda à Rana de rester éveillé et de poursuivre la surveillance. Le gamin était de toute façon tendu et il ne se fit pas prier pour garder l'œil ouvert.

La barre énergétique absorbée un peu plus tôt avait du mal à passer, sans compter qu'en plus elle suscita des rêves pénibles. Il flottait sur une mer d'un noir d'encre, les bras en croix sous des ténèbres infinies et soudain, voilà qu'il levait la main et hurlait : « NE M'ABANDONNEZ PAS ! NE M'ABANDONNEZ PAS ! »

Il se réveilla en sursaut au moment où on lui fourrait quelque chose dans la bouche. Où diable se trouvait-il ? Il n'était pas mouillé. Il haletait, incapable de reprendre son souffle, et découvrit bientôt que c'était en fait parce qu'une main lui couvrait la bouche.

Perçant l'obscurité grumeleuse, il découvrit le regard ahuri d'un Rana en train de lui murmurer, d'une voix de conspirateur : « Pourquoi ces cris ? Je ne vais nulle part. Je ne vous abandonne pas. Mais il ne faut pas crier ! »

Moore hocha la tête avec vigueur et, lentement, Rana retira sa main. Moore se mordit la lèvre tout en cherchant à reprendre sa respiration. « Waouh ! Désolé. Un cauchemar.

– Vous avez cru que j'allais vous abandonner ?

– Je n'en sais rien. Attends. Quelle heure est-il ?

– Minuit passé. Presque 0 h 30. »

Moore se rassit vivement et alluma son téléphone satellite. Un message vocal l'attendait : « Eh, Barbe-noire, gros tas de viande avariée. On est en pleine escalade. On débarque dans tes pénates d'ici une vingtaine de minutes. »

Il coupa le téléphone. « Écoute ! Tu entends ? »

Samad fut réveillé par une main posée sur son épaule et, durant quelques secondes, il resta désorienté ; puis il lui revint qu'il se trouvait dans la maison du fermier. Il se mit en position assise sur l'étroite couchette en bois. « Il y a un hélico qui arrive, lui dit Talwar.

– Rendors-toi.

– T'es sûr ?

– Rendors-toi, je te dis. Quand ils arriveront pour de bon, on regrettera qu'ils nous aient réveillés. »

Samad se leva et s'approcha d'une petite table pour saisir un torchon qu'il utilisa en guise de bandeau sur un œil, suggérant qu'il était borgne – ce qui n'était pas si rare dans cette partie du pays déchirée par la guerre. C'était un déguisement tout simple, or il avait appris au temps où il confectionnait des bombes, que plus la bombe, l'idée, le plan étaient simples, plus grandes étaient leur chance de succès. Il avait pu s'en convaincre en pratique maintes et maintes fois. Un bandeau. Une blessure de guerre. Un paysan tiré de son sommeil par des idiots d'Américains. Et voilà.

Allahu Akbar !

Dieu était grand !

Le commando de douze hommes de l'ODA descendit rapidement en rappel de l'hélico tandis qu'un interprète s'adressait aux quelques indigènes tirés de leur sommeil qui levaient la tête, la main en visière devant les yeux pour se protéger du souffle du rotor. La voix de l'interprète était transmise par le tonitruant système d'amplification du Black Hawk : « Nous sommes ici pour retrouver deux hommes, rien de plus. On ne fera de mal à personne. On ne tirera aucun coup de feu. Aidez-nous, s'il vous plaît, à retrouver ces deux individus. » L'interprète répéta le message à trois reprises, tandis que les membres du commando d'Ozzy touchaient le sol l'un après l'autre et se dispersaient par paires, l'arme prête à tirer.

La zone choisie était une clairière située près d'une rangée de maisons située à deux cents mètres des murs de la forteresse du chef et Moore retrouva le jeune capitaine des forces spéciales et son adjudant-chef dans une ruelle entre les bâtiments. Ils attendirent quelques secondes, le temps que le Black Hawk vire et s'éloigne dans l'obscurité ; on vit clignoter ses feux de position tandis qu'il rejoignait la sécurité de son site d'atterrissage à quelques kilomètres de distance, site où il attendrait l'appel d'Ozzy en vue de leur extraction. Poser l'hélico au beau milieu du village et rester à attendre que le commando ait fini son boulot eût été trop dangereux.

« Tu te souviens de mon comparse, Robin ? » demanda Moore, en braquant son stylo-torche sur Rana.

Large sourire d'Ozzy. « Comment va, mec ? »

Rana fronça les sourcils. « Je m'appelle Rana, pas Robin.

– C'est une plaisanterie », expliqua Moore. Il se tourna vers l'adjudant-chef, un certain Bobby Olsen, alias Bob-O, qui le toisa en faisant mine de prendre un air méprisant. « Alors, comme ça, c'est toi, le connard de la CIA ? »

Bob-O faisait toujours la même tête et posait toujours la même question quand ils se retrouvaient. Pour quelque raison, il prenait un malin plaisir à chambrer Moore à l'occasion. Moore leva l'index et le brandit sous le nez de Bob-O, prêt à répliquer.

« OK, bande de nazes, on se calme », dit Ozzy, avant de se tourner vers Moore en haussant les sourcils : « C'est ton turf, Barbe-noire. J'espère que tu as raison. »

Les hommes d'Ozzy avaient été parfaitement formés à l'art et la manière de négocier avec les indigènes et leur expérience sur le terrain leur avait permis de mettre en pratique les cours théoriques et les simulations. Ils avaient appris la langue, étudié les coutumes, et avaient même un carnet d'antisèches plaqué dans leur poche de chemise au cas où ils se trouveraient pris au dépourvu. Ils se considéraient, à leur humble avis, comme des ambassadeurs de la démocratie, et même si d'aucuns pouvaient y voir une conception niaise, voire louche, ils n'en demeuraient pas moins les seuls contacts qu'auraient jamais les indigènes avec le monde occidental.

Moore, Rana, Ozzy et Bob-O s'apprêtaient à croiser un chemin creusé d'ornières longeant les maisons en torchis quand deux salves d'armes automatiques retentirent, répercutées par les montagnes. La fusillade laissa Moore bouche bée. Bob-O lâcha un juron.

« Raceman, qui a tiré ces coups de feu ? » aboya Ozzy dans son micro-casque tandis que Moore et Rana s'accroupissaient à l'abri de la maison.

Dans le même temps, Bob-O avait pris sa radio et rameutait les autres équipes, quêtant des informations.

De nouveaux coups de feu, cette fois à une cadence et dans une tonalité différentes. Oui, ceux-là provenaient des hommes d'Ozzy, on reconnaissait le bruit des SCAR – Special Forces Combat Assault Rifles –, le fusil d'assaut des forces spéciales tirant des balles de 5,56 ou de 7,63 millimètres en réponse à l'embuscade ennemie. Suivirent encore deux rafales. Puis une troisième. Y répondirent cinq, six, peut-être sept AK-47 ; leur bruit était localisé à une demi-douzaine de maisons de l'endroit où ils se trouvaient.

Moore tendit l'oreille. Pour tirer avec un AK-47, il fallait introduire son chargeur, déplacer le sélecteur pour ôter la sécurité, actionner d'avant en arrière la poignée d'armement, viser et enfin tirer – un nombre conséquent de manœuvres pour tirer un seul coup de feu. Mais si l'on prenait soin de placer le sélecteur en position intermédiaire, on se retrouvait en tir automatique et il était alors possible de garder le doigt sur la détente et ainsi de tirer en rafale jusqu'à épuisement du chargeur. C'était le b.a-ba du maniement d'armes mais un détail n'en restait pas moins intéressant : lors d'un échange de tirs, quel qu'il soit, Moore localisait d'abord à l'oreille la position de l'ennemi, puis il tentait de décider si ce dernier cherchait ou non à économiser les munitions. À tous les coups, soit les combattants optaient pour le tir automatique, signe qu'ils avaient des chargeurs à revendre, soit ils tiraient au coup par coup, ce qui suggérait que l'adversaire s'efforçait de rentabiliser au maximum ses munitions. Certes, ce n'était pas sûr à cent pour cent mais, dans la plupart des cas, il avait pu constater l'exactitude de ses prévisions.

Quand un groupe de talibans vous arrosait d'un tir nourri d'armes automatiques, mieux valait envisager le pire : à savoir qu'ils avaient des munitions en abondance.

Moore se tourna vers Rana : « Tu ne fais rien. Tu restes juste là. »

Le regard de Rana s'attarda sur le passage. « Oh, ne vous en faites pas. Je n'irai nulle part.

– Neo et Big Dan, vous montez dans les collines, côté sud. Raceman a localisé des tirs par là-bas », était en train d'ordonner Ozzy tout en hasardant un coup d'œil au coin du mur, avant d'indiquer à Moore et Rana de le suivre. Moore se faufila auprès du capitaine. « Comment ça se présente ?

– On a huit ou dix opposants, jusqu'ici. Je demande un Apache pour qu'il vienne calmer un peu ces emmerdeurs. »

Ozzy faisait référence à l'hélicoptère AH-64D Apache Longbow, la référence en hélicoptère d'attaque de l'armée, équipé d'une mitrailleuse M230, de roquettes air-sol Hydra 70 et de missiles AGM-114 Hellfire ou FIM-92 Stinger. La seule silhouette de cette machine évoquait une mort horrible pour tous les talibans qui avaient eu le malheur de voir leur compagnons d'armes hachés menus sous son feu continu.

Ozzy reprit sa radio et s'adressa au pilote de l'hélico, lui demandant de se radiner au plus vite pour nettoyer les insurgés à la mitrailleuse lourde.

« On va vous ramener vers la zone d'atterrissage, annonça Ozzy.

– T'as entendu ? » Moore s'adressait à Rana. « On se replie, pas de problème. »

Rana étreignit nerveusement son Makarov. « J'aime pas ça.

– Je suis avec toi, Rana, insista Moore. Tout va bien se passer. »

Alors même qu'il prononçait ces paroles, son regard se porta vers l'angle opposé de la maison, d'où une silhouette venait à l'instant de surgir, armée d'un fusil dont le canon se refléta au clair de lune.

Moore releva son AK-47, le cala en tir auto et lâcha une rafale de quatre projectiles qui atteignirent l'homme en plein torse. Il battit des bras et tomba à la renverse dans le sable.

Alors que le gars s'effondrait, Ozzy et Bob-O se retrouvèrent pris sous une grêle de balles tirées depuis l'autre côté de la maison – au moins trois combattants talibans qui venaient d'ouvrir le feu sur eux pour les déloger de leur planque. Bob-O s'interposa devant Rana pour protéger le gamin tandis que Moore, après un bref regard derrière lui, tournait les talons pour se lancer à la charge aux côtés d'Ozzy.

Il y avait deux maisons de l'autre côté de la rue et Moore repéra les éclairs à la gueule des canons juste avant de s'aplatir au sol. Un gars était posté sur le toit en terrasse, profitant de l'abri du parapet bas qui courait sur trois côtés. Il tira avant de se planquer à nouveau. Un autre tireur se trouvait à l'arrière de la maison, abrité derrière un muret.

Le dernier, enfin, était à l'intérieur, sur la gauche ; il n'apparaissait derrière une fenêtre ouverte que le temps de tirer avant de se rabattre dans l'ombre. Les trois hommes savaient que les briques de pisé suffisaient à les protéger des balles ennemies.

Moore s'adressa au garçon : « Rana, tu restes avec eux. » Puis il continua de ramper deux mètres encore pour venir à la hauteur d'Ozzy. « Tiens-les occupés. Je vais les prendre à revers. Je commence par le mec sur le toit.

– Eh mec, t'es cinglé ? lança Ozzy. Laisse-moi les dégommer. »

Moore secoua la tête avec vigueur. « J'en veux au moins un en vie. File-moi une paire de menottes en plastique. »

Ozzy ricana, incrédule, mais il lui tendit les bracelets.

Moore lui adressa un clin d'œil. « Je reviens tout de suite.

– Eh, Monnaie », lança Rana, nerveusement.

Mais Moore était déjà parti au pas de course. Vêtu comme un indigène et doté des mêmes armes qu'eux, si jamais il se faisait repérer, il pourrait peut-être profiter d'un instant d'indécision de leur part. Il contourna deux autres maisons, traversa le chemin de terre, puis se retrouva à l'arrière de celle au sommet de laquelle un des talibans s'était soigneusement posté. Le gars s'était servi d'une échelle branlante pour gagner la terrasse et Moore mit à profit la rafale suivante pour se précipiter vers l'échelle et grimper sans se faire repérer.

Il passa la tête par-dessus le parapet et repéra le gars ; le type était à genoux et se démenait comme une cible mécanique coiffée d'un turban noir, se démasquant pour tirer juste avant de se planquer à nouveau derrière le parapet. De leur côté, Bob-O et Ozzy concentraient leurs tirs sur ce dernier pour le défoncer en soulevant de petits nuages de poussière.

Son attention étant ainsi accaparée par les tirs venant de devant, le taliban n'entendit ni ne vit Moore approcher. Moore prit le Makarov et le saisit par le canon de sorte que la crosse apparaisse sous son poing fermé, en formant une sorte de L.

Puis, après une profonde inspiration, Moore bondit pour se jeter sur son adversaire, dans une version énervée de krav maga et d'improvisation personnelle. À l'instant où le gars, ayant surpris un mouvement du coin de l'œil, tournait la tête, Moore plongea, tel un rapace prédateur, en lui enfonçant un genou dans le dos tout en abattant la crosse de son pistolet sur le haut du cou, juste au-dessous de l'oreille. Un coup violent à cet endroit provoquait l'inconscience en frappant simultanément la carotide, la veine jugulaire et le nerf vague.

Le bonhomme s'effondra de tout son long et Moore s'empressa de sortir de sa poche revolver les entraves en plastique pour d'abord lui attacher les mains dans le dos, puis lui lier les pieds. Quand le type reviendrait à lui, ils auraient une aimable conversation autour d'un verre de thé. En attendant, toutefois, Moore redescendit l'échelle, alors qu'Ozzy et Bob-O continuaient de tenir en respect les deux autres talibans.

Moore rasa le mur pour rebrousser chemin vers la maison voisine au coin de laquelle il s'arrêta pour découvrir, une dizaine de mètres sur sa gauche, le deuxième combattant taliban, tapi derrière le muret. L'homme était armé d'un fusil mais il avait également un pistolet sur chaque hanche, plus un lourd paquetage sans doute bourré de chargeurs. Moore hésita sur la décision à prendre : le gars semblait trop loin pour être attaqué discrètement par l'arrière. Et si Moore choisissait le mauvais côté, il risquait d'être pris sous le feu d'Ozzy ou de Bob-O. Se faire descendre à cause de son audace, c'était une chose, agir de manière assez irréfléchie pour se faire choper par un tir fratricide, voilà qui dénotait un niveau de bêtise généralement réservé aux politiciens coureurs de jupons.

Puisque Moore était armé d'un AK-47, il lâcha une rafale, ainsi le troisième taliban pourrait-il imaginer que les tirs venaient de son camarade. Mais voici que se présenta une diversion encore meilleure : l'hélico Apache qui déboula dans le fracas de ses rotors et vira sec à droite en se rapprochant d'eux. Le souffle et le claquement des pales détournèrent l'attention du taliban, tout comme le puissant projecteur qui vint balayer la ruelle.

Moore leva son fusil, tira trois coups dans le dos du type. Le sang jaillit. Puis Moore tourna les talons pour s'éloigner en rasant le mur de la bâtisse suivante, celle dans laquelle se tenait le dernier adversaire. Il se mit à quatre pattes et passa en rampant sous la fenêtre latérale pour réapparaître en façade. Ozzy et Bob-O cessèrent aussitôt le feu, ce qui lui permit de se positionner juste sous la fenêtre à travers laquelle tirait l'autre gars.

Parvenu à ce point, il aurait certes pu balancer une grenade et l'achever mais Moore se trouvait désormais tout près de l'insurgé. Il roula sur le côté et se dévissa le cou vers le haut pour repérer le canon du flingue par-dessus le rebord de la fenêtre, juste à portée de bras. Moore agrippa l'arme par sa poignée supérieure et s'en servit pour se hisser à genoux, dans le moment où le gars, poussant un cri de surprise, lâchait le fusil pour dégainer son pistolet.

Il n'en eut pas le temps : Moore avait déjà lâché l'AK pour le mettre en joue avec son Makarov. Trois balles le jetèrent au sol. Moore avait recouru à son pistolet parce qu'une des plus vieilles leçons en matière de combat traditionnel stipulait qu'on ne devait qu'en tout dernier ressort se retrouver à la merci d'une arme ennemie.

L'Apache s'éloignait déjà, à la demande d'Ozzy.

Seul le claquement des rotors, de plus en plus faible, troublait désormais le silence de la vallée. Finalement, un chien aboya, puis quelqu'un brailla au loin. En anglais.

Moore redescendit au petit trot jusqu'au bout de la ruelle où il retrouva Ozzy et Bob-O. Le coin empestait la poudre et Moore sentit monter l'adrénaline quand il vint se tapir auprès d'eux.

« Beau boulot, Ducon, lâcha Bob-O.

– Ouais, lâcha Moore, dans un souffle. J'en ai récupéré un entier sur le toit. Faut que je l'interroge.

– On en a descendu quatre autres mais le reste de la bande s'est replié dans les montagnes », précisa Ozzy, une main plaquée contre son oreillette pour écouter le compte rendu de ses hommes. « Ils nous ont semés.

– Je veux parler au vieux shah, l'entendre me débiter ses mensonges », lâcha Moore, faisant allusion au chef du village.

« Moi, pareil », renchérit Ozzy en montrant les dents.

Moore se coula vers Rana qui était resté dans la ruelle, recroquevillé, les genoux ramenés contre le torse. « Eh, ça va ?

– Non.

– C'est fini, maintenant. » Moore tendit la main et le jeune homme la saisit.

Pendant que l'équipe d'Ozzy regroupait les corps des talibans qui avaient été tués (et qu'elle récupérait le prisonnier abandonné par Moore sur le toit), Moore, Ozzy, Bob-O et Rana se dirigèrent vers le fort en brique de pisé. Les bâtiments rectangulaires étaient entourés d'un mur haut de deux mètres percé d'un imposant porche en bois devant lequel était postée une demi-douzaine de gardes. Ozzy expliqua à l'un d'eux que le chef des tribus Shàawal voulait leur parler immédiatement. L'homme retourna vers la maison tandis que Moore et les autres patientaient.

Le chef Habib Shah et l'un de ses plus fidèles lettrés, Aiman Salahuddin, surgirent aussitôt et franchirent la porte. Shah était un homme imposant de plus d'un mètre quatre-vingts, coiffé d'un grand turban noir ; il arborait une barbe qui évoquait plutôt une pelote de ficelle noire emmêlée. Ses yeux verts étincelaient sous l'éclat de la torche d'Ozzy. Le lettré était bien plus âgé, sans doute septuagénaire, barbe couleur ivoire, bossu, et guère plus d'un mètre cinquante. Il ne cessait de regarder Moore et ses hommes en hochant la tête comme s'il pouvait comme par magie les faire disparaître.

Moore s'adressa à Ozzy : « Laisse-moi lui parler.

– Ouais, parce que moi, je lui aurais dit qu'il pouvait aller se brosser.

– Salut, chef, commença Moore.

– Que faites-vous ici ? » demanda le chef. Le ton était sans réplique.

Moore essaya de tempérer sa colère. Essaya. Mais en vain. « Avant de nous faire attaquer par les talibans, nous étions venus en paix, à la recherche de ces deux hommes. » Et de fourrer les deux photos dans la main du chef.

Ce dernier les regarda distraitement, puis haussa les épaules. « Jamais vus. Et si quelqu'un dans ce village aide les talibans, il subira mon ire. »

Ozzy ricana. « Chef, saviez-vous que les talibans étaient ici ?

– Bien sûr que non. Combien de fois ai-je dû vous le répéter, capitaine ?

– Ça doit faire quatre. Vous n'arrêtez pas de me seriner que vous n'aidez pas les terroristes, et nous ne cessons d'en trouver dans les parages. Et là, j'ai du mal à comprendre. Ils tombent du ciel, ou quoi ? » Ozzy avait manifestement laissé tomber « l'art et la manière » de négocier.

« Chef, intervint Moore, nous aimerions poursuivre nos recherches avec votre aide. Juste quelques hommes.

– Je suis désolé mais tous mes hommes sont fort occupés à protéger ce village.

– Laisse tomber », lâcha Ozzy en tournant les talons, suivi de Bob-O.

Le vieux lettré s'interposa pour s'adresser à Moore en anglais : « Rentre chez toi avec tes amis.

– Vous n'aidez pas les gens qu'il faut », explosa soudain Rana.

Un doigt sur les lèvres, Moore fusilla du regard le jeune homme.

Le lettré plissa les yeux en fixant Rana. « Jeune homme, c'est vous qui vous trompez lourdement. »

Il fallut encore deux heures au commando des forces spéciales d'Ozzy pour passer au peigne fin le village et les fermes alentour, toujours sous la menace d'une nouvelle attaque.

Pendant ce temps, Moore interrogeait l'homme qu'ils avaient capturé. « Je te le redemande : quel est ton nom ?

– Tuez-moi.

– Quel est ton nom ? D'où viens-tu ? As-tu déjà vu ces types ? » Il lui brandit sous le nez les photos des deux hommes.

« Tuez-moi. »

Et cela continua ainsi, encore et encore, jusqu'à ce que Moore, à bout de patience, renonce avant de s'emporter. De toute façon, ses collègues de la CIA reprendraient l'interrogatoire. Il allait peut-être falloir une semaine pour le faire craquer.

Quand le commando d'Ozzy rejoignit l'hélicoptère, Moore les mit au fait avant le décollage.

« La ferme est pile ici », leur indiqua Moore en désignant le bâtiment sur une photo satellite. « C'est un coin plutôt retiré. L'un de vous s'y est-il rendu ?

– On y est allés, confirma Bob-O. Un vieux paysan borgne avec deux fils. Pas vraiment ravis de nous voir. Et ils ne correspondaient pas à la description de tes gars.

– Donc, chou blanc », observa Ozzy.

Moore hocha la tête. « Mes gars sont ici. Ils sont sans doute en train de nous observer en ce moment même.

– Et qu'est-ce qu'on est censés pouvoir faire ? se plaignit Ozzy, défaitiste. On est coincés entre deux parois rocailleuses. Avec de la montagne tout autour. Sans compter un certain nombre d'indigènes énervés. Plus quelques cadavres de talibans. Mieux vaut que tu dises à tes gars de rentrer, ils n'auront qu'à leur envoyer un petit mot de remerciement pour la peine. »

La visite surprise n'avait toutefois pas été un échec complet. Les patrons de Moore ne savaient plus trop de quel côté penchait le chef ces derniers temps, or à présent ils étaient fixés. Il était ridicule de croire que dans cette partie du Shàawal, pas une seule personne n'avait vu les cibles recherchées par Moore. Des gens les avaient vues, leur avaient parlé, peut-être même les avaient entraînées ou avaient mangé avec elles. Moore en avait fait maintes fois l'expérience et, pour l'heure, il ne pouvait guère faire plus que laisser ses photos et quémander l'assistance du chef.

« La mission a-t-elle été un échec ? s'enquit Rana.

– Non, répondit Moore. Nous avons simplement été retardés par une météo imprévue.

– Météo ? Comment ça ?

– Ouais, hennit Moore. Une épaisse couche de silence. »

Rana hocha la tête. « Je ne comprends toujours pas pourquoi ils ont choisi d'aider les talibans.

– Tu devrais le savoir. Les talibans leur offrent plus que quiconque. Ce sont des opportunistes. Bien obligés. Regarde où ils vivent.

– Vous pensez qu'on arrivera à les prendre un jour ?

– Certainement. Cela prendra juste du temps. Et c'est bien là mon problème, vois-tu.

– Peut-être que Wazir aura du nouveau à propos de votre ami disparu. »

Moore poussa un gros soupir de frustration. « Il faut que ça marche. De toute manière, je serai loin d'ici demain soir, et j'aimerais simplement pouvoir venger ce qu'ils ont fait subir au colonel et à sa famille. Si ces types s'en tirent, ça restera pour moi une plaie ouverte. » Ils grimpèrent dans l'hélico et, moins de dix minutes après, ils étaient dans les airs.

Avant même l'atterrissage à Kaboul, Moore vit qu'il avait reçu un coup de fil de Slater.

Le Mexicain sur la photo – Tito Llamas, un lieutenant du cartel de Juárez – avait été retrouvé. Dans le coffre d'une voiture, une balle dans la tête. De même, les associés de Khodaï photographiés avec Llamas, avaient tous été assassinés. Les seuls types encore en vie sur le cliché se trouvaient être les talibans. Moore devait retourner à Islamabad, toutes affaires cessantes. Il voulait parler de Llamas à la police locale, voir s'ils n'avaient pas de nouvelles pistes à lui suggérer. Il se dit qu'il pourrait peut-être se réserver un peu de temps s'il ratait « accidentellement » son vol de retour.

Il n'arriva pas dans la capitale avant le matin et il dit aussitôt à Rana de rentrer chez lui dormir un peu. De son côté, il se rendit au commissariat, rencontra les inspecteurs et identifia le corps de Tito Llamas. Le membre du cartel avait été muni de papiers falsifiés, dont un faux passeport, et Moore fut en mesure de faire part aux autorités de police locales des données recueillies par l'Agence sur le trafiquant. Inutile de préciser que les inspecteurs furent ravis.

Un message électronique inattendu lui parvint du vieux Wazir. Message bienvenu jusqu'à ce que Moore en apprenne la teneur.

Les deux autres talibans présents sur le cliché et mentionnés par Wazir étaient en réalité membres de la branche opérant dans le sud du Pendjab. On les distinguait parce qu'ils ne parlaient pas le pachtoune et qu'ils étaient liés à des groupes comme le Jaish-e-Mohammed. Les talibans du Pendjab opéraient désormais au Waziristan du Nord et se battaient aux côtés des talibans pakistanais et d'Al-Qaïda.

Mais cette leçon d'histoire n'était pas l'essentiel du message. L'important était que Wazir avait retrouvé les hommes mais que tous deux avaient été tués. Il précisait que les talibans avaient localisé la faille dans leur dispositif de sécurité et qu'ils s'étaient débarrassés de tous les hommes liés à celle-ci… À l'exception de Moore, bien entendu, et ce dernier se retrouvait désormais sans aucun doute en tête de liste.

Peut-être qu'il était temps de rentrer, après tout…

7
PLANS DE VOYAGE

Région de Shàawal
Afghanistan

SAMAD ET SES DEUX LIEUTENANTS avaient quitté la ferme avant l'aube et laborieusement parcouru les dix kilomètres de sentier pour traverser la frontière et rejoindre l'Afghanistan. Ils avaient choisi une voie fréquentée et s'étaient joints à un petit groupe de cinq marchands, de manière à ne pas attirer l'attention. Comme Samad l'avait rappelé à ses hommes, les Américains les surveillaient du ciel et s'ils empruntaient ce qui semblait un itinéraire mieux protégé par le couvert des arbres, les vibrations de leurs pas risquaient d'être détectées par une des nombreuses balises REMBASS-II que les Américains avaient soigneusement enfouies dans le sol tout au long de la frontière. Un signal qui déclencherait illico l'un des nombreux satellites de reconnaissance de classe « Keyhole », lequel s'empresserait de les prendre en photo. Leur image s'afficherait presque aussitôt sur les écrans à Langley, où des analystes étaient à l'affût vingt-quatre heures sur vingt-quatre et sept jours sur sept, guettant ce genre d'erreur de combattants talibans tels que lui. La réaction serait aussi rapide que meurtrière : un drone Predator piloté par un lieutenant-colonel de l'armée de l'air américaine, confortablement installé dans une roulotte à Las Vegas, viendrait larguer sur sa cible des missiles Hellfire.

Une fois dans la vallée, ils retrouvèrent le mollah Omar Rahmani installé sur une pile de couvertures à l'intérieur de l'une des quelques douzaines de tentes érigées en demi-cercle sous un bosquet de noyers et de chênes, cachées à la vue depuis l'est par des vergers de citronniers. Les prières du matin étaient achevées ; Rahmani dégustait du thé et s'apprêtait à manger ces galettes rondes et sucrées que les Afghans appellent *roht*, accompagnées d'abricots, de pistaches et d'un bon yaourt au lait cru – un vrai luxe dans ces montagnes.

Rahmani les salua d'un bref signe de tête, puis il caressa sa longue barbe pointue. Son regard, légèrement grossi par une paire d'épaisses lunettes à monture métallique, semblait constamment aux aguets, ce qui n'aidait guère à deviner son humeur. Il avait remonté son turban blanc, révélant les rides profondes sur son front et la tache de vin marquant sa tempe gauche. Sa longue chemise de lin et son vaste pantalon dissimulaient sa carrure imposante, et il lui aurait suffi d'ôter le blouson à motif camouflage qui lui enserrait les épaules pour être juste un poil moins intimidant. Mais ce blouson – bien usé et élimé aux coudes – avait connu les combats contre les Russes.

Samad devait supposer que Rahmani n'était pas trop ravi de l'attention portée récemment sur le secteur, même s'il était en droit de féliciter Samad pour la promptitude de sa réaction et sa capacité à tromper encore une fois les Américains.

Rahmani releva la tête. « La paix soit sur vous, mes frères, et remercions Dieu d'être ici réunis ce matin pour apprécier cette nourriture et vivre une nouvelle journée, car celles-ci deviennent pour nous de plus en plus dures. »

Samad et ses hommes s'assirent autour de Rahmani et furent servis par de jeunes gens. Samad réprima un frisson tandis qu'il goûtait son thé et cherchait à respirer de manière plus détendue.

C'était, il faut bien l'admettre, toujours difficile pour Samad de se détendre en présence de cet homme. Quiconque le doublait, ou osait le décevoir, se voyait exécuté sur-le-champ. Ce n'était pas une rumeur. Samad en avait été lui-même témoin. Parfois, les têtes étaient tranchées, d'autres fois elles, étaient détachées lentement, très lentement, tandis que la victime hurlait avant de s'étouffer dans son propre sang.

Rahmani inspira de nouveau, puis il reposa sa tasse, croisa les bras, étirant l'étoffe de sa chemise noire et du foulard lui ceignant le cou. Il prit quelques secondes encore pour scruter ses hôtes – Samad sentit son estomac se glacer – avant de reprendre enfin, après s'être éclairci la voix : « L'armée est devenue trop instable pour nous. C'est un fait établi. Khodaï aurait pu occasionner encore plus de dégâts et si je vous suis reconnaissant pour le travail accompli par tes hommes à Islamabad, il reste encore pas mal de points en suspens, en particulier l'agent évoqué par notre tireur à l'hôtel. Nous sommes toujours à sa recherche. Et maintenant, nos relations avec le cartel mexicain de Juárez sont compromises parce que nous avons été contraints de tuer leur émissaire. Tout cela signifie que nous devons accélérer le mouvement.

– Je comprends, dit Samad. La CIA a recruté beaucoup d'agents dans la région. Ils paient bien. Pas facile pour des jeunes de résister. Deux de mes hommes sont déjà aux trousses de l'un d'eux, un garçon du nom d'Israr Rana. Nous pensons qu'il a contribué à dévoiler notre lien. »

Rahmani hocha la tête. « Certains parmi nous prônent la patience. Les Américains ne vont pas rester ici éternellement et quand ils seront repartis, nous continuerons à nous entraîner ici, et nous soumettrons les peuples d'Afghanistan et du

Pakistan à la volonté d'Allah. Mais je ne suis pas d'accord pour rester bras croisés le temps que passe la tempête. Le problème doit être traité à sa source. Cela fait maintenant cinq ans que je travaille sur un projet qui devrait bientôt aboutir. L'infrastructure est en place. Tout ce qu'il me faut désormais, c'est les combattants pour exécuter ce plan.

– Ce serait un honneur pour nous.

– Samad, tu prendras leur tête. Tu feras revenir le djihâd sur le sol américain. Et pour ce faire, tu devras recourir aux contacts que tu as noués avec les Mexicains. As-tu compris ? »

Samad eut beau acquiescer, il n'en était pas moins inquiet. Réclamer aux Mexicains la moindre faveur risquait à la fois de les vexer et de les irriter. S'il parvenait toutefois à recueillir leur soutien, sa mission aurait bien plus de chances de succès.

Mais comment ?

Il allait devoir recourir au *hudaibiya* – le mensonge – comme le recommandait le Coran pour traiter avec les infidèles.

« Je dois vous mettre en garde, Samad, toi et tes hommes, poursuivit Rahmani. Près d'une centaine de nos combattants ont déjà voué leur existence à ce plan. Certains l'ont déjà payé de leur vie. L'enjeu est considérable et les conséquences d'un échec le seraient à vrai dire tout autant. »

Samad sentait déjà le froid de la lame sur son cou. « Nous avons tous compris. »

La voix de Rahmani se fit plus forte lorsqu'il cita le Coran : « *Et ceux qui combattent au sentier de Dieu, s'ils sont tués ou s'ils sont vainqueurs, nous leur donnerons un salaire sans borne*[1]. »

« Le paradis nous attend, ajouta Samad en hochant la tête avec vigueur. Et pourtant, si nous mourons et sommes martyrisés, quand bien même ce serait pour être ressuscités

1. Le Coran, sourate IV, « les Femmes », verset 74, *op. cit.*

et martyrisés de nouveau, nous le ferons. C'est pour cela que nous aimons la mort. »

Les paupières de Rahmani se plissèrent un peu plus. « C'est pour cela… mais à présent restaurons-nous, et j'en profiterai pour aborder les détails de la mission. Son audace et sa complexité ne manqueront pas de t'impressionner, j'en suis sûr. D'ici quelques jours, vous serez en route. Et le moment venu, vous serez porteurs d'un message de Dieu, comme jamais les Américains n'en auront connu.

– Nous ne te décevrons pas », dit Samad.

Rahmani hocha lentement la tête. « Ne déçois pas Dieu. »

Samad baissa la tête. « Nous sommes Ses serviteurs. »

Aéroport international de Gandhara
Islamabad, Pakistan

Moore était en route pour San Diego où il devait rejoindre sa nouvelle équipe, et il appréhendait ces dix-sept heures de vol et plus. En attendant d'embarquer pour la première étape de son trajet, il ne cessait d'inspecter d'un œil soupçonneux les voyageurs alentour, pour la plupart des hommes d'affaires, des journalistes internationaux (du moins le supposait-il), et quelques familles avec de petits enfants – parmi celles-ci, une à coup sûr britannique. De temps en temps, il consultait sa tablette informatique, où toutes ses données sensibles étaient protégées derrière un mot de passe doublement crypté. En outre, toute tentative d'accès à sa machine sans enregistrement préalable de son empreinte digitale entraînerait illico l'effacement complet du disque dur. Il venait de ressortir plusieurs rapports de l'Agence récemment déclassifiés, concernant l'activité du cartel le long de la frontière (ceux restés confidentiels, il en avait déjà pris connaissance dans un endroit plus discret). Il recherchait tout particulièrement des informations sur les liens avec cette activité au Moyen-Orient ou dans les pays arabes, mais la plupart des cas examinés se limitaient à évoquer la guerre entre cartels rivaux, en particulier ceux de Sinaloa et de Juárez.

Ces derniers temps, on découvrait de plus en plus de charniers – certains contenant des dizaines de corps. Les décapitations ou les cadavres pendus sous des ponts évoquaient un accroissement des attaques violentes par des bandes de *sicarios* sous les ordres d'anciens membres des commandos parachutistes de l'aviation mexicaine. Pour les porte-parole du gouvernement, cette recrudescence de la guerre des cartels illustrait la réussite de la politique du pouvoir en place, qui aboutissait à monter les trafiquants les uns contre les autres, quand, pour sa part, Moore y voyait plutôt la preuve que les cartels étaient désormais devenus si puissants qu'ils contrôlaient de fait certaines régions du pays, ces violences n'étant que la conséquence de cette guerre des gangs. Moore avait lu le reportage d'un journaliste qui avait passé plus d'un an à enquêter sur l'activité du cartel. Dans certaines bourgades les plus rurales du sud-est du Mexique, le cartel était devenu la seule entité sur laquelle les citoyens pouvaient compter pour leur fournir emploi et protection. Ce journaliste avait publié une demi-douzaine d'articles avant de recevoir dix-sept balles dans le corps, alors qu'il attendait sa mère devant un centre commercial. De toute évidence, les cartels n'avaient pas apprécié ses révélations.

Un autre reportage soulignait l'analogie entre les petites villes du Mexique et celles d'Afghanistan. De fait, Moore avait vu les talibans adopter la même tactique et le même comportement. Tout comme avec les cartels de la drogue, on faisait plus confiance aux talibans qu'au pouvoir en place et sans nul doute qu'aux envahisseurs étrangers. Tout comme les cartels, les talibans étaient conscients du pouvoir que leur procurait ce trafic de drogue, et ils en tiraient profit pour s'assurer le concours de civils innocents privés du soutien du gouvernement, voire carrément ignorés par ce dernier. Pour Moore, il était difficile de rester apolitique quand il suffisait d'ouvrir les yeux pour constater qu'un gouvernement était encore plus corrompu que les ennemis qu'il vous enjoignait de tuer.

Les atrocités commises par l'un et l'autre groupe contribuaient toutefois à lui faire relativiser les choses.

Il passa rapidement sur plusieurs photos montrant des agents de la police fédérale mexicaine baignant dans une mare de sang – certains tués par balles, d'autres la gorge tranchée. Il s'attarda pour contempler celle de deux douzaines d'immigrants dont on avait empilé les cadavres décapités dans une grange abandonnée – on cherchait encore les têtes. Un *sicario* avait été crucifié devant sa maison, puis on avait mis le feu à la croix pour que son père et les autres membres de la famille puissent le voir brûler vif.

La brutalité des cartels était sans limite, et Moore commençait à soupçonner ses chefs d'envisager de lui confier une tâche autrement plus vaste que celle prévue à l'origine. Pour tous, le pire cauchemar était que cette violence traversât la frontière. Ce n'était qu'une question de temps.

Il consulta son téléphone et découvrit les trois mails envoyés par Leslie Hollander. Le premier était pour lui demander de la prévenir dès qu'il serait de retour à Kaboul. Le second pour savoir s'il avait ou non reçu le mail précédent.

Le troisième lui demandait pourquoi il l'ignorait de la sorte, en ajoutant que si jamais il répondait, elle s'arrangerait, expliquait-elle avec élégance, pour le niquer jusqu'à ce qu'il marche les jambes arquées comme un cow-boy.

Leslie travaillait au service de presse du bureau des affaires publiques à l'ambassade américaine, d'abord dans ses locaux d'Islamabad, puis dans ceux de Kaboul. Elle avait vingt-sept ans, était très mince, cheveux bruns, lunettes noires. De prime abord, Moore l'avait reléguée dans la catégorie des nullardes coincées dont la virginité resterait intacte jusqu'à ce qu'un comptable bedonnant et pâlot (son double masculin) survienne et l'amène à céder de haute lutte après une discussion de deux heures où ils auraient eu loisir d'analyser leur éventuel rapport, d'en débattre et de s'entendre sur la position, tout cela dans une optique à la fois clinique et navrante.

Mais, grâce au ciel, une fois ôtés les lunettes et le corsage, Mlle Hollander dévoilait la remarquable contradiction entre son apparence et ses atouts bien cachés. Moore était comblé par leurs escapades sexuelles chaque fois qu'il avait l'occasion d'échapper à la ville pour passer un week-end en sa compagnie ; il connaissait toutefois déjà la fin du film et le scénariste était à court d'idées : « Le gars dit à la fille que son boulot est trop important et qu'il lui faut rompre. Son travail l'appelle ailleurs et il ne sait pas quand il reviendra. Bref, ça ne pourra jamais marcher. »

Fait intéressant, il lui avait expliqué tout cela lors de leur premier dîner ensemble, lui avouant qu'il avait besoin d'elle pour lui fournir des informations et que s'il en sortait quelque chose, ils pourraient alors envisager l'avenir mais que pour l'heure sa carrière l'empêchait d'entretenir une relation durable.

« OK », avait-elle répondu.

Moore avait failli en avaler son demi de travers.

« Tu me prends pour une garce ?

– Non.

– C’est pourtant la vérité. »

Il avait eu un sourire en coin. « Non, tu sais juste manipuler les hommes.

– Et je me débrouille comment ?

– Plutôt bien, mais tu n’as pas besoin de faire tous ces efforts.

– Eh, mec, regarde un peu où nous sommes. Ce n’est pas franchement l’un des coins les plus rigolos de la planète. Il y a des endroits moins sordides pour s’éclater. Alors, tout dépend de toi. C’est à nous de fournir les distractions. »

C’était cette attitude positive associée à son sens de l’humour, qui la faisait paraître plus mûre qu’elle n’était, qui avait totalement séduit Moore. Mais le compteur tournait. Le sachet de pop-corn était vide, on avait rallumé la salle, le bon temps était derrière eux. Devait-il l’en informer par un simple message électronique – comme il l’avait fait avec ses deux précédentes conquêtes ? Il ne savait pas trop. Il avait l’impression d’avoir une plus grande dette envers elle. Certaines de ses histoires n’avaient rien été de plus : de brèves rencontres. Et un court billet avait suffi. Il endossait toujours la responsabilité de la rupture. Leur disait toujours qu’il se montrait injuste envers elles. Il laissait alors s’écouler une année d’abstinence sentimentale, recourant même parfois aux relations tarifées car l’efficacité et la commodité de la procédure lui convenaient tout à fait. Et puis, une fois de temps en temps, une Leslie se pointait et l’amenait à réviser sa position.

Il composa son numéro au travail et retint son souffle pendant que le téléphone sonnait.

« Eh, beau mec, dit-elle. Le satellite est en panne ? Tu vois, je m’apprêtais à te plaquer, là. Te fourguer une vague excuse…

– J’ai reçu tes mails. Désolé de ne pas avoir répondu.

– T’es où ?

– Dans un aéroport, prêt à embarquer.

– Pour où ? Là où tu ne peux pas me dire ?

– Leslie, ils me retirent d'ici. Je ne sais vraiment pas quand je serai de retour.

– T'es pas drôle.

– Je ne plaisante pas. »

Silence.

« T'es toujours là ?

– Ouais, fit-elle. Alors, euh, c'était donc si soudain ? Tu n'étais pas au courant ? On aurait pu se retrouver. Tu ne m'as même pas laissé l'occasion de nous dire adieu.

– Tu sais bien que je n'étais pas en ville. On n'aurait pas eu le temps. Désolé.

– Ouais, ben ça craint.

– Je sais.

– Peut-être que je vais démissionner pour te suivre dans tes escapades. »

Il faillit sourire. « T'es pas du genre à coller aux basques.

– Vraiment ? Je suppose que tu as raison. Alors, qu'est-ce que je suis censée faire à présent ?

– On garde le contact. »

Encore un moment de silence gêné, rien que le bruit de fond de la connexion. Moore se ratatina sur lui-même. Il avait soudain du mal à respirer.

Il ferma les yeux et l'entendit pleurer dans sa tête : *Ne me quitte pas ! Ne me quitte pas !*

« Je crois que je commençais à tomber amoureuse de toi, lâcha-t-elle d'une voix qui se brisait.

– Non, sûrement pas. Écoute, on a fait ça juste pour s'éclater. C'est ce que tu voulais. Et je t'avais dit que ce jour viendrait. Mais t'as raison. Ça craint. Un max. (Son ton se radoucit.) Je veux rester en contact. Mais c'est à toi de décider. Si ça t'est trop pénible, OK, je respecte ton choix. De toute manière, tu pourras t'en tirer mieux que moi. Te trouver quelqu'un de plus jeune, avec moins d'obligations.

– Ouais. Comme tu voudras. On a joué avec le feu et on s'est brûlés. Mais en attendant, c'était si bon.

– Tu sais, je suis sûr que je pourrais recommencer.

– Comment ça ?

– Te faire de vrais adieux, j'imagine.

– Plus de relation entre nous ?

– Je ne sais pas.

– Eh, souviens-toi, tu me disais que je t'aidais à surmonter tes cauchemars. Et toutes ces fois où je te racontais mes histoires de fac alors que t'essayais de trouver le sommeil ?

– Ouais.

– Ne l'oublie pas, d'accord ?

– Bien sûr que non, je ne l'oublierai pas.

– J'espère que tu pourras dormir.

– Je l'espère, moi aussi.

– Je regrette que tu ne m'aies pas dit ce qui te tracassait. Peut-être que j'aurais pu mieux t'aider.

– Tout va bien. Je me sens bien mieux maintenant. Merci quand même.

– Merci pour le cul. »

Il rit sous cape. « Tu présentes ça de manière si crue. »

Elle prit une voix rauque au bout du fil : « Ça l'était.

– T'es vraiment une salope bien tordue.

– Et toi, donc. »

Il hésita. « Je te recontacte. À bientôt ! » Il ferma les yeux, raccrocha. *Je te recontacte.* Il n'en ferait rien. Elle le savait.

Moore serra les dents. Il aurait dû quitter cette salle d'embarquement, retourner auprès d'elle, la tirer de son boulot et renoncer au sien pour recommencer leur vie ensemble.

Et dans six mois, il se serait ennuyé comme les pierres.

Et dans huit, ils auraient divorcé et il le lui aurait reproché tout en se haïssant encore une fois.

On annonça l'embarquement immédiat. Moore se leva avec les autres voyageurs et se dirigea, le cœur lourd, vers l'agent qui contrôlait les billets.

8

L'OMBRE DE JORGE

Casa de Rojas
Punta de Mita, Mexique

LE MATIN SUIVANT la soirée de charité, avant le petit déjeuner, Miguel conduisit Sonia à la bibliothèque. Il n'avait pas eu l'intention de la lui montrer avant le repas, mais en se rendant à la cuisine principale de la demeure, ils étaient passés devant, elle avait aperçu aux murs plusieurs photos encadrées et lui avait demandé s'ils ne pouvaient pas y passer quelques instants.

Elle eut le souffle coupé par la cheminée en pierre avec la grande arche de l'âtre et son manteau noirci, et s'extasia devant les rayonnages en bois exotiques qui garnissaient les murs du sol au plafond. Des échelles à roulettes posées sur rails longeaient les deux côtés de la salle et Sonia en escalada une pour embrasser du regard la centaine de mètres carrés.

« On peut dire que ton père aime la lecture ! » s'exclama-t-elle, en contemplant les milliers d'ouvrages reliés. Pas un seul livre de poche. Son père avait tenu à n'avoir que des éditions originales, certaines reliées cuir.

« Le savoir c'est le pouvoir, non ? » répondit-il avec un sourire.

Un petit bar à alcools était installé près de l'entrée. C'est là que Jorge servait souvent des cognacs produits par des maisons comme Courvoisier, Delamain, Hardy ou Hennessy.

Des canapés en cuir et des tapis en peau de tigre importés d'Inde formaient au milieu de la salle un petit salon en L, avec quelques grands fauteuils club, comme des îlots. Sur plusieurs tables basses étaient disposées des loupes de lecture et des piles d'anciens numéros de *Forbes*, dont son père avait corné les pages. À côté, bien rangés, des dessous-de-verre aux incrustations d'or dix-huit carats.

Sonia redescendit de l'échelle pour retourner vers une des photos qui avaient attiré son attention.

« Comment s'appelle-t-elle ?

– Sofia.

– Elle est magnifique.

– Était », précisa-t-il avec un léger tremblement dans la voix, en essayant de s'imaginer les obsèques, auxquelles il n'avait pu assister car elles auraient été « par trop traumatisantes ». Il aurait voulu que son père soit conscient du sentiment de culpabilité dont il souffrait parce qu'il était dans un avion, alors que le reste de la famille rendait un dernier hommage à sa mère. Il avait pleuré tout le long du vol jusqu'en Suisse.

La photo avait été prise sur la plage de Punta de Mita et, debout devant l'océan aux eaux bleu turquoise, la mère de Miguel, en bikini noir, souriait, épanouie devant l'objectif, telle une star de cinéma du temps passé.

« Mon père adorait cette photo.

– Et celle-là, donc ? » Sonia s'était rapprochée d'un autre cliché, plus petit, montrant le père, la mère et un bébé emmitouflé dans la soie et le lin. La famille se tenait devant un décor de cierges, de vitraux et d'icônes décorant les murs.

« C'est mon baptême. Et cette autre, par là, c'est ma communion solennelle. Puis ensuite, ma confirmation. »

Sonia scruta les photos de sa mère. « Elle paraît… je ne sais pas… elle paraît si forte.

– Personne ne pouvait donner de directives à mon père. Personne, sauf ma mère. C'est elle qui portait la culotte. Je ne crois pas te l'avoir raconté, mais un jour nous étions en vacances à Cozumel pour faire de la plongée. On explorait une épave d'avion et elle a cru que quelque chose l'avait mordue. Juste après, on l'a perdue et elle a failli se noyer. On pense qu'elle avait dû se cogner la tête sur du corail. Mon père est allé la repêcher, il l'a remontée, lui a fait du bouche à bouche et elle est revenue à elle en crachant de l'eau, tout pareil qu'à la télé.

– Wouah, c'est incroyable. Il lui a sauvé la vie.

– C'est exactement ce qu'elle lui a dit et lui s'est contenté de répondre : "Non, c'est toi qui as sauvé la mienne."

– Ton père est un romantique.

– Il m'a confié ce soir-là que si elle était morte, il n'aurait su quoi faire. Sans elle, il aurait été perdu. Quelques mois plus tard, on diagnostiqua son cancer. C'était comme si ce voyage avait été prémonitoire, comme si Dieu avait voulu nous préparer à ce qui allait arriver. Mais ça n'a pas marché.

– C'est... je ne sais pas quoi dire... »

Elle eut un pauvre sourire. « Allons manger. »

Ce qu'ils firent. Et leurs omelettes au fromage, parfumées à la poudre d'ail et au cumin furent préparées par le chef particulier de son père, Juan Carlos (alias J.-C.), qui leur précisa par ailleurs que Jorge était parti sur la plage pour courir et nager. Alexsi quant à elle était à la piscine, dégustant déjà son troisième Mimosa – toujours selon J.-C.

Quand ils eurent terminé, Miguel présenta à Sonia leur salle d'entraînement, et la jeune femme put constater qu'elle était mieux équipée que celles de bien des hôtels cinq étoiles. Il précisa que son père tenait tout particulièrement à garder la forme et qu'il travaillait du reste deux fois par jour et cinq jours par semaine avec un entraîneur particulier.

« Et toi, c'est juste le foot ? demanda-t-elle.

– Ouais. Ces haltères sont trop lourds. »

Elle sourit et ils passèrent dans la salle multimédia, avec son vidéoprojecteur, son écran géant et ses vingt-cinq fauteuils.

« Quasiment une salle de cinéma », remarqua-t-elle.

Il acquiesça. « À présent, je vais te conduire à mon endroit préféré dans cette maison. » Il la mena vers une porte qui desservait un escalier d'accès au sous-sol. Ils traversèrent une antichambre aux parois garnies d'isolation acoustique, et Miguel dut pianoter une suite de chiffres sur le verrou électronique qui fermait la porte suivante. Le battant s'ouvrit avec un déclic et l'éclairage s'alluma automatiquement, jetant des reflets sur un sol de marbre blanc qui s'étendait sur vingt mètres de profondeur. Un épais tapis noir traversait la salle par le milieu et de part et d'autre étaient disposées de longues tables et d'imposantes vitrines elles aussi éclairées.

« Qu'est-ce que c'est ? Une espèce de musée ? » s'étonna-t-elle en entrant. Ses talons cliquetèrent sur le marbre.

« La collection d'armes de mon père. Armes à feu, armes blanches, il les aime toutes. Tu vois cette porte, là-bas. De l'autre côté, il y a un stand de tir. Sympa.

– Waouh. Regarde ça. Il a même des arcs et des flèches. Et ça, ce ne serait pas une arbalète ?

– Ouais, et elle doit dater de plusieurs siècles. Viens voir par ici. »

Il la conduisit à une table où étaient disposées des armes de poing modernes et d'autres armes à feu. Il y avait des fusils AR-15, des mitraillettes MP-5, des AK-47, que son père surnommait des « cornes de bouc », mais aussi des dizaines d'autres armes de poing, certaines incrustées de diamants, plaqué or ou argent, portant gravés des noms de famille, autant de pièces de collection dont son père disait qu'il ne fallait pas y toucher.

« Celles-ci, en revanche, sont celles avec lesquelles on aime bien tirer, indiqua-t-il en montrant une rangée de pistolets Beretta, Glock et Sig-Sauer. Fais ton choix.

– Quoi ? »

Il haussa les sourcils : « J'ai dit, fais ton choix.

– T'es sérieux ?

– As-tu déjà tiré ?

– Bien sûr que non. Tu es cinglé ? Si jamais mon père découvrait…

– On ne lui dira rien. »

Elle grimaça, se mordit la lèvre. *Tellement sexy.* « Miguel, je ne sais qu'en penser. Ton père ne va-t-il pas être contrarié ?

– Ça ne risque pas. On descend ici tout le temps », mentit-il. Cela faisait déjà quelques années qu'il ne s'était plus entraîné, mais elle n'était pas forcée de le savoir.

« Peut-on tirer des balles à blanc, comme au cinéma ?

– T'as la trouille ?

– Un peu. »

Il l'attira contre lui. « Ne t'en fais pas. Une fois que tu auras eu cette sensation de pouvoir entre les mains, tu ne pourras plus résister. C'est comme une drogue.

– Côté sensations, je pensais à tenir autre chose dans la main… » Elle remua les sourcils de manière éloquente.

Il hocha la tête. « Allons. On va jouer aux enfants terribles et tirer quelques balles. »

Elle soupira et choisit un Beretta. Il prit un modèle similaire, puis il se dirigea vers un placard fermé par un cadenas et en sortit plusieurs chargeurs. Il conduisit alors la jeune femme à la porte du fond, pianota un nouveau code, et tous deux accédèrent au stand de tir. Une fois encore, l'éclairage s'était allumé automatiquement. Il la mena vers un des boxes, chargea les deux armes, puis lui tendit le casque et les lunettes de protection.

« Faut vraiment que je mette ça ? protesta-t-elle en montrant le casque. Ça va ruiner ma coiffure. »

Il se mit à rigoler. « Qu'est-ce qui est le plus important ? Ta coiffure ou ton audition ?

– Très bien... » Elle céda et lentement coiffa le casque.

Dès qu'ils furent prêts, il lui fit signe qu'il allait commencer et l'enjoignit de bien l'observer. Il lui montra le maniement de l'arme, lui présenta le cran de sûreté, et enfin tira deux fois sur la cible. Les balles passèrent légèrement à côté. Il était plus rouillé qu'il ne l'aurait cru.

Ils se déportèrent alors vers l'autre box. Il se plaça derrière elle – elle sentait son souffle dans son dos – et lui enseigna comment tenir le pistolet. Puis, avec une infinie douceur, il la lâcha et lui tapa sur l'épaule en lui signalant que c'était désormais son tour.

Elle tira deux coups. Les cibles étaient des silhouettes humaines, du type utilisé par l'armée et les forces de police. Les deux balles arrivèrent en pleine tête.

« Ouah ! Regardez-moi ça ! » s'écria-t-il.

Elle lui jeta un coup d'œil, confondue. « La veine du débutant, j'imagine ! Laisse-moi recommencer. »

Ce qu'elle fit, mais elle tressaillit et cette fois manqua complètement la cible.

« Essaie encore. »

Elle obéit mais elle ferma les yeux et toucha en fait la cible d'à côté.

En bougonnant, elle déposa l'arme sur la tablette devant elle, puis se massa les mains. « Ça chauffe ! Et en plus, ça fait mal ! »

Il ôta son casque et ses lunettes. Il régnait une intense odeur de poudre. « Laisse-moi voir. » Il prit sa paume au creux de ses mains et, avec les pouces, massa délicatement la peau fragile. Alors elle se rapprocha, lui passa le bras autour des épaules et vint se plaquer contre lui, collant la cuisse contre son entrejambe.

Dès lors, elle le tenait pour de bon. Et moins de trois minutes plus tard, ils étaient couchés par terre. Ses gémissements retentissaient d'un bout à l'autre du stand et il dut lui plaquer un doigt sur les lèvres, de crainte que son père ne fût déjà revenu et soit à leur recherche. Castillo devait savoir qu'ils étaient descendus. Il était au courant de tout et ne manquerait pas de le signaler à Jorge ; toutefois, il saurait se montrer discret quant à l'exacte nature de leur visite au stand de tir.

Il se sépara brusquement d'elle.

Elle se rassit, l'air boudeur. « J'ai fait quelque chose de mal ?

– Non, c'est moi.

– Alors, on devrait parler ?

– Je ne sais pas… c'est juste… le gala de bienfaisance, tous ces gens… Vois-tu, tous les gens qu'engage mon père ont la trouille de se faire virer, alors ils jouent les lèche-culs. Mais est-ce qu'ils nous aiment pour autant ? Peut-être qu'ils nous prennent pour deux cinglés. Ils font mine de nous respecter, de faire nos quatre volontés, mais dans notre dos, ils nous maudissent.

– Ce n'est pas vrai. Pense à ce qu'a dit ton père, hier soir. C'est un homme bien.

– N'empêche que la plupart des gens le redoutent.

– Tu confonds crainte et respect.

– Peut-être, mais le genre de pouvoir qu'exerce mon père est assez effrayant, même pour moi. Je veux dire, on ne peut jamais être vraiment seuls.

– Ton père se sert de sa position pour faire le bien autour de lui. Et puis d'abord, quelle idée de penser à ça maintenant ? »

Il poussa un gros soupir et finit par acquiescer. En se rhabillant, il se sentait coupable. Il ne lui avait pas parlé des caméras de surveillance dissimulées. Toute leur escapade avait été enregistrée, parce que couper les caméras aurait aussitôt mis la puce à l'oreille de Castillo. Il n'y avait aucune intimité à la Casa de Rojas, le prix en aurait été trop élevé.

Ils passèrent la journée à la plage, à nager, boire, prendre des photos. Même si Sonia portait un bikini bleu, certains des clichés lui évoquaient fatalement sa mère, d'autant que celui affiché dans la bibliothèque avait été pris exactement au même endroit. Sans compter que leurs noms étaient similaires – Sofia/Sonia –, au point qu'il avait l'impression de revivre une tragédie grecque.

Même s'ils essayaient de se montrer discrets, deux des vigiles de son père les accompagnaient en permanence. Ils s'étaient installés sur des fauteuils de plage, une dizaine de mètres plus loin, tandis que Castillo rôdait aux alentours de la piscine, armé d'une paire de jumelles pour les surveiller.

« Ces types travaillent eux aussi pour ton père, nota Sonia en les regardant par-dessus ses lunettes noires.

– Comment t'as deviné ? fit-il, sarcastique.

– J'imagine que tu y es habitué.

– C'était sympa quand on était en Espagne. Je crois que mon père a des hommes là-bas aussi, mais comme je ne les connais pas, je n'ai jamais eu vraiment l'occasion de les remarquer. »

Elle haussa les épaules. « Quand tu as de l'argent, tu attires la haine de certains.

– Bien sûr. Mon père redoute en permanence un enlèvement. Plusieurs de ses amis ont subi le martyre quand c'est arrivé à leurs proches. La police est impuissante. Les rançons toujours ridiculement élevées. Et ou tu paies, ou tu ne revoies plus les tiens.

– Les gangs des cartels pratiquent ce sport en permanence.

– Je suis sûr qu'ils n'aimeraient rien tant que d'enlever mon père pour lui réclamer une énorme rançon.

– Je ne sais pas, il a l'air tellement bien protégé. Je doute que ça arrive un jour. Sans compter qu'il se déplace beaucoup. Difficile de prédire où il sera le lendemain. Je l'ai du reste entendu parler de faire ses valises.

– En effet, il repart.

– Pour où ? La Station spatiale internationale ? »

Il rit. « La Colombie, sans doute. Je l'ai entendu évoquer une rencontre avec le Président et peut-être aussi quelques amis. Nous avons également des affaires à Bogotà. Et il a en outre un ami qui lui confectionne des costumes spéciaux.

– Mon père a eu l'occasion de rencontrer le Président français, sur une étape du Tour de France, mais on ne peut pas dire qu'il soit en relation avec tout un tas de chefs d'État du monde entier comme peut l'être le tien.

– Tu sais quoi ? » Et l'idée lui amena un sourire. « Peut-être bien qu'on pourrait faire quelques voyages, nous aussi… »

Le dîner fut servi précocement à 18 heures et Miguel et Sonia eurent tout juste le temps de se doucher et s'habiller pour l'occasion. Miguel avait précisé à la jeune fille que son père attachait une importance toute particulière aux repas de famille, tant ceux-ci étaient rares et espacés. Les dîners à la maison étaient de précieuses expériences et devaient à ce titre être traités avec le plus grand respect.

Comme ils ne seraient que quatre, on avait dressé la table à proximité de la cuisine principale et J.-C. leur prépara un mets à base de quatre plats de bœuf et de poulet qui était devenu la marque de fabrique de tous les *Chez Sofia* de par le monde. La famille possédait ces seize restaurants de luxe, tous nommés ainsi en mémoire de sa mère, et ils servaient un choix de cuisine traditionnelle et mexicaine, en fusionnant les spécialités des six régions du pays. Les plats de réputation mondiale étaient servis dans une atmosphère qui, à la demande expresse de Jorge, devait évoquer les grandes civilisations passées du pays, des Olmèques aux Aztèques. C'est ainsi qu'entre autres œuvres d'art, les salles à manger présentaient sculptures de têtes colossales, bateaux de pêche et masques antiques. Pour un dîner à deux au Sofia de Dallas, il fallait compter près de deux cents dollars – vin non compris.

« Sonia, est-ce que vous êtes contente de votre séjour ici ? » s'enquit Jorge après avoir bu une grande lampée d'eau minérale.

« Ma foi, c'est tout bonnement épouvantable. Je me sens maltraitée et je suis à deux doigts de rentrer à la maison. Votre personnel est exécrable et la nourriture franchement dégoûtante. »

Miguel faillit en lâcher sa fourchette. Il se tourna vers elle.

Elle éclata de rire avant d'ajouter : « Non, sérieusement, je plaisantais. Bien sûr que ce séjour est incroyable. »

Jorge sourit et se tourna vers Alexsi. « Tu vois. C'est ça, le sens de l'humour. C'est ce dont je te parlais. Toi, tu es bien trop adorable et bien trop sérieuse. »

Alexsi sourit et tendit la main vers son verre. « Être adorable exige de sérieux efforts.

– Ah, et j'ajouterais, si maligne », nota Jorge avant de se pencher pour lui donner un baiser.

Miguel soupira et détourna les yeux.

Au cours du repas, la conversation tourna autour de Sonia, son expérience d'étudiante, ses opinions sur le gouvernement espagnol et son opinion sur l'économie européenne en général. Elle tint bon malgré le feu roulant des questions. Quand le dîner fut achevé et que tous étaient en train de reprendre souffle après s'être rempli la panse, Jorge se pencha vers Miguel pour le fixer d'un regard intense.

« Fils, j'ai de grandes nouvelles pour toi. J'attendais pour faire cette annonce mais je me suis dit que ce moment en valait bien un autre. Tu as été accepté pour un stage d'été à Banorte. »

Miguel allait froncer les sourcils mais il se retint au dernier moment. Son père était positivement radieux, ses yeux pétillaient d'un émerveillement rare.

Un stage de formation à Banorte ? Qu'allaient-ils lui donner à faire ? Classer des dossiers financiers ? Allait-il travailler dans un des services du siège ? Que cherchait son père ? À lui gâcher tout son été ?

« Miguel… qu'est-ce qui ne va pas ? »

Il déglutit.

« Tu n'as pas l'air excité. Ce sera pourtant une expérience inestimable. Tu pourras enfin mettre en pratique ce que tu as appris depuis ton entrée à l'université. La théorie, c'est bien beau, mais tu dois travailler sur le terrain pour voir comment se passent les choses en réalité. Et puis tu retourneras terminer ta maîtrise, désormais parfaitement au fait de ce qui se passe à la banque. Il n'y a pas d'autre moyen d'acquérir ce genre d'expérience.

– Oui, père.

– Tu n'es pas d'accord ?

– Euh, je pensais juste…

– Si vous voulez bien m'excuser ? » intervint Sonia en quittant la table. Miguel se leva aussitôt pour l'aider à se lever. « Il faut que j'aille aux toilettes », précisa-t-elle.

« Moi aussi », dit Alexsi avec un regard éloquent vers Miguel.

Jorge attendit que les deux femmes se fussent éloignées et que les domestiques aient fini de débarrasser. Puis il fit signe à son fils de l'accompagner au bord de la piscine pour aller contempler l'océan au clair de lune.

Ils s'accoudèrent à la balustrade, son père gardant encore un verre en main, le fils essayant de trouver le courage de décliner la proposition paternelle.

« Miguel, te figurais-tu que tu allais baguenauder tout l'été sans rien faire ?

– Non, bien sûr que non.

– C'est une occasion formidable.

– Je comprends.

– Mais tu ne veux pas en profiter. »

Miguel soupira et finit par se tourner vers son père. « Je voulais emmener Sonia en vacances.

– Mais vous rentrez tout juste d'Espagne.

– Je sais, mais je voulais lui montrer à présent *notre* pays. Je songeais à San Cristóbal de las Casas. »

L'expression de Jorge se radoucit quelque peu ; puis son regard quitta Miguel pour se perdre dans la contemplation de l'océan. San Cristóbal était un lieu souvent visité par ses parents, l'une des villes mexicaines préférées de Sofia. Elle aimait les collines du Chiapas, elle évoquait souvent les rues tortueuses, les maisons de couleurs vives sous leurs toits de tuiles rouges, la verdure des montagnes alentour. Les lieux étaient riches d'histoire et de culture du temps des Mayas.

« Je me souviens de la première fois où j'ai emmené là-bas ta mère… » Il poussa encore un gros soupir et fut incapable de poursuivre.

« Je crois que ça plaira aussi à Sonia. »

Il opina. « Je vais les prévenir à la banque. Tu prends l'hélico et vous passez une semaine là-bas. Ensuite, tu iras au boulot.

Si tu veux que Sonia reste ici, pas de problème, mais il faudra que tu travailles. »

Miguel accusa le coup. « Merci.

– Vous aurez une escorte durant votre séjour, lui rappela son père.

– Je comprends. Mais pourront-ils se montrer discrets, comme ils l'ont été en Espagne ?

– J'y veillerai. Alors, que penses-tu de cette fille ?

– Elle est… formidable.

– C'est bien mon avis également.

– Évidemment. Tu l'as choisie pour moi.

– Non, non ce n'est pas que ça. Elle est très élégante. Elle ferait une magnifique addition à notre famille.

– Oui. Mais tu ne veux pas hâter les choses.

– Bien sûr que non.

– Eh bien, nous passions pour le dessert », lança soudain la tante de Miguel ; elle était à la porte, Arturo à ses côtés. « Il n'est pas trop tard ?

– Il n'est jamais trop tard », dit Jorge en l'embrassant, avant de serrer la main d'Arturo.

Tandis qu'ils devisaient, Castillo était venu se placer derrière eux. Il adressa un signe de tête à Miguel qui se rapprocha de lui. « Un problème, Fernando ?

– Oui. J'ai essayé de regarder les écrans de vidéosurveillance avec mon mauvais œil, si tu vois ce que je veux dire.

– Merci beaucoup.

– Je serais toi, cependant, je ne recommencerais pas, avertit le vigile. Ton père risquerait de ne pas apprécier. Il dirait que tu ne la traites pas en gentleman.

– Compris. Merci, Fernando. C'était idiot de ma part.

– J'ai été jeune, moi aussi. J'ai fait pareil. »

Miguel posa une main sur l'épaule de l'homme. « Tu es un véritable ami. » Puis il rejoignit le bord de la piscine où il surprit son père en grande conversation avec Arturo. Il était en train de lui dire qu'il pourrait faire une réelle différence et qu'ils devraient collaborer pour éradiquer la violence de Juárez.

« Je ne suis que le gouverneur, Jorge. Mes pouvoirs sont limités. La politique du Président est inefficace. Elle ne fait qu'envenimer le climat de violence. Rien qu'aujourd'hui, j'ai encore reçu un rapport faisant état de nouveaux meurtres dans la cité, et pas plus tard qu'hier, j'ai encore eu droit à des menaces de mort.

– Tu es le meilleur et le plus compétent d'entre nous. Tu sais quoi faire. Mais d'abord et avant tout, ne baisse pas les bras. La violence cessera. Je ferai tout ce qui est en mon pouvoir pour ça.

– Jorge, on te l'a sans doute déjà dit, mais pas encore par ma bouche. Je tiens à ajouter ma voix à celle des autres.

– De quoi parles-tu ?

– Tu devrais devenir notre prochain Président. »

Jorge eut un sursaut. « Moi ?

– Tu as les relations, tu as les finances. Tu pourrais mener une campagne remarquable. »

Jorge partit d'un grand éclat de rire. « Non, non, non. Je suis un homme d'affaires, rien de plus. »

Miguel scruta son père, son visage incrédule avec juste un soupçon de culpabilité au fond des yeux, comme s'il laissait tomber tout le monde en ne se présentant pas.

« Est-ce que je t'ai manqué ? » demanda Sonia en étreignant Miguel.

Il se tourna vers elle et murmura : « Oui. Et j'ai une surprise pour toi. »

9

CONFIANZA

Hôtel Bonita Real
Juárez, Mexique

IL AVAIT ENVIE DE L'ÉTOUFFER pendant qu'ils faisaient l'amour car il avait lu quelque part un truc sur cette pratique érotique et elle lui avait confié être excitée quand il la dominait.

Mais quand Dante Corrales enserra dans ses mains le cou de Maria, tandis qu'elle avait les talons fermement arrimés sur ses épaules, il se laissa quelque peu emporter et le temps qu'il parvienne à l'orgasme, Maria ne bougeait plus.

« Maria ! Maria ! »

Il fit glisser ses jambes de côté et se coula sur elle, colla l'oreille tout contre sa bouche pour écouter, le souffle court, le cœur battant encore la chamade, et s'affolant encore plus à mesure qu'affluaient à son esprit des images des obsèques de la jeune femme.

La panique s'abattit sur lui. Il frissonna. « Oh, mon Dieu. Oh, mon Dieu. »

Soudain elle rouvrit les yeux. « Connard ! T'aurais pu me tuer !

– Putain ? Tu simulais !

– Et tu croyais quoi ? Que j'étais assez conne pour me laisser zigouiller ? Dante, faut que tu fasses un peu plus attention ! »

Il lui envoya une gifle. « Bougre de connasse ! Tu m'as flanqué une trouille bleue ! »

Elle répliqua d'une autre gifle et il écarquilla les yeux, referma le poing, serra les dents.

C'est alors qu'elle le regarda. Avant d'éclater de rire. Il la saisit, la coucha en travers de ses cuisses, exhibant son charmant petit cul. Et il la fessa jusqu'à ce qu'elle en ait les larmes aux yeux. « Ne me refais plus jamais ça ! Plus jamais !

– Non, papa. Non. »

Un quart d'heure plus tard, il avait quitté l'hôtel, non sans s'être assuré qu'Ignacio, à la réception, avait bien reçu toutes ses instructions. Plusieurs petits dealers devaient passer prendre de la marchandise, et il révisa avec lui les détails de chaque transaction.

Corrales venait d'acheter l'hôtel quelques mois plus tôt et l'établissement était en cours de rénovation complète : peinture, moquette, mobilier, la totale. Il aurait aimé pouvoir le montrer à ses parents. « *Je ne bosse plus ici*, leur aurait-il dit. *Je suis devenu le proprio.* »

Le bâtiment de seulement trois étages n'avait qu'une quarantaine de chambres. Il avait l'intention d'en convertir au moins une dizaine en suites luxueuses, qu'il comptait réserver à ses clients les plus importants. Il avait eu un petit peu de mal à trouver des ouvriers du bâtiment, la plupart étant accaparés par le forage de nombreux tunnels le long de la frontière. Il trouvait ça ironique. Les plombiers et plâtriers étaient déjà sur le chantier. Il avait engagé un architecte d'intérieur de San Diego et Maria l'avait persuadé de faire venir un de ses amis agent immobilier et adepte du feng shui pour leur permettre d'aligner correctement « l'énergie » de chaque pièce. Comme ça semblait lui faire plaisir, il avait accédé à sa requête sans lever les yeux au ciel.

Il parcourut l'avenue Manuel Gómez Morin qui longeait la frontière pour rejoindre un quartier pavillonnaire dont les habitations étaient cachées derrière de hautes grilles de fer forgé. Dans l'allée devant ces bâtiments neufs aux toits de tuiles, on voyait garées de luxueuses berlines aux vitres blindées. La plupart des résidents étaient membres du cartel ou appartenaient à leur famille. Corrales atteignit un cul-de-sac, fit demi-tour, attendit. Enfin, Raúl et Pablo firent leur apparition et grimpèrent dans l'Escalade. Ils étaient en chemise et pantalon de bonne coupe, avec blouson de cuir.

« Résumons la situation, commença Corrales. Les quatre autres connards sont-ils prêts ?

– Oui, répondit Pablo. Pas de problème.

– C'est ce que t'as dit la dernière fois », lui rappela Corrales. Il faisait allusion à l'hôtel de Nogales, où ils étaient allés pour choper le second espion de Zúñiga mais le bonhomme leur avait échappé. Ils avaient abandonné le corps du premier au seuil d'une maison voisine qu'ils savaient appartenir au dit Zúñiga mais ce dernier ne s'était toujours pas manifesté. Ernesto Zúñiga, alias « El Matador », possédait des résidences dans quantité de villes mexicaines – il avait du reste fait bâtir récemment un ranch dans la vallée au sud-ouest de Juárez. Trois cent soixante-dix mètres carrés de surface bâtie, avec une allée principale pavée de briques, des accès protégés et surveillés par des caméras, sans oublier des vigiles postés à l'extérieur et dans les collines avoisinantes.

Il était exclu de se faufiler sur place en catimini mais pour Corrales, c'était bien le cadet de ses soucis : l'essentiel était de faire savoir à leur rival qu'ils étaient dans le coin – et de lui transmettre un message sans équivoque.

Corrales avait passé les dernières années à étudier Zúñiga, ses hommes, son réseau, ses méthodes, son passé. On devait s'intéresser à ses ennemis avant même ses amis, bien entendu, et Corrales faisait souvent la leçon à ses nouveaux *sicarios* en insistant sur le danger mortel que continuaient de présenter des gens aussi retors que les membres du cartel de Sinaloa.

Âgé de cinquante-deux ans et fils d'un éleveur de bétail, Zúñiga était né à La Tuna près de Badiraguato. Gamin, il avait été vendeur d'agrumes et la rumeur voulait qu'avant l'âge de dix-huit ans, il cultivât déjà l'opium sur une parcelle appartenant à son père. Le père et l'oncle l'avaient fait entrer dans le cartel de Sinaloa comme chauffeur de camion et, jusqu'aux abords de la trentaine, il avait passé une bonne partie de son temps à convoyer de la marijuana et de la cocaïne d'un bout à l'autre du Mexique.

À ce moment, il avait fait si bonne impression à ses chefs que ces derniers lui avaient confié toutes les expéditions depuis la Sierra jusqu'aux villes et à la frontière. Il avait été l'un des premiers à utiliser des avions pour transporter la cocaïne directement aux États-Unis, dans le même temps qu'il coordonnait tous les arrivages de coke par bateau. Il avait entrepris d'installer des postes de commandement dans tout le pays et participait souvent à des coups de main pour piquer les cargaisons de cartels rivaux. Le cartel de Juárez s'était ainsi fait dévaliser par ses hommes en pas moins d'une douzaine d'occasions.

Dans les années 1990, une vaste opération menée sous le manteau par la police fédérale avait décapité le cartel de Sinaloa et Zúñiga n'avait eu aucun mal à reprendre la place laissée vacante. Il avait épousé une vedette de soap opera de dix-neuf ans, dont il avait eu deux enfants, mais les mômes et l'épouse furent exécutés après qu'il eut dérobé l'équivalent de deux millions de dollars en cocaïne au cartel de Juárez. Zúñiga fit livrer deux mille roses rouges pour les obsèques mais il s'abstint d'y assister en personne. Sage décision, il aurait sinon été sommairement exécuté par les hommes de Juárez en faction près du lieu de la cérémonie.

Corrales caressait le rêve de lancer une véritable attaque paramilitaire sur la maison de Zúñiga, au lance-roquettes, à la grenade, à la mitrailleuse, voire avec un missile Javelin pour pulvériser une fois pour toutes le bonhomme et son petit palais, ambiance supernova. Il avait vu des images de l'arme en action sur Discovery Channel.

Toutefois, comme le lui firent remarquer ses supérieurs, ses ripostes devaient rester graduées, juste de quoi donner à réfléchir à son adversaire en attendant de recevoir le feu vert pour une attaque tous azimuts. Il était notable de surcroît que s'ils capturaient l'homme vivant, ils pourraient plus aisément confisquer ses biens et faire main basse sur l'ensemble de son activité de contrebande en lui extorquant par la torture les détails de son organisation. Quand Corrales avait demandé pourquoi ils ne pouvaient pas attaquer tout de suite, il n'eut droit qu'à de vagues réponses arguant des questions de timing et de politique, de sorte qu'il décida d'agir de son côté.

Corrales mena ses hommes sur le chantier de démolition d'un vieil immeuble, désormais réduit à des monticules de plâtras et de béton piquetés de quelques solives pointant vers le ciel nocturne comme autant de fanons. Ils se garèrent, contournèrent les deux premiers tas de déblais et trouvèrent leurs quatre nouvelles recrues tenant en respect deux autres hommes avec leurs flingues. Aucune des recrues ne semblait avoir dépassé la vingtaine, tous étaient en pantalon large et en tee-shirt, deux des quatre types étaient couverts de tatouages.

Leurs deux prisonniers portaient la même tenue et tous deux arboraient un petit bouc.

« Beau boulot, commenta Corrales. Je pensais vraiment que vous auriez merdé sur ce coup-là. »

Un des types, un maigrichon au cou de girafe, lui lança un regard torve. « Ces salopards sont faciles à attraper. Faut pas nous prendre pour des truffes.

– Pas possible ?

– Ouais, cracha le voyou. C'est comme ça. »

Corrales s'approcha du gars, l'étudia, puis lui demanda : « Montre voir ton flingue. »

Le jeune gars plissa le front mais il tendit néanmoins son arme à Corrales qui aussitôt recula brusquement et lui logea une balle dans le pied. Le type poussa un glapissement à vous glacer le sang et les trois autres connards parurent visiblement impressionnés. L'un d'eux en pissa même dans son froc.

Les deux gars qu'ils avaient capturés se mirent à chouiner lorsque Corrales se tourna vers eux et grogna « La ferme », avant de leur loger chacun une balle dans la tête.

Ils reculèrent sous l'impact pour s'effondrer, sans vie, sur le sol jonché de détritus.

Soupir de Corrales. « Très bien. À présent, au boulot. »

Il lorgna le gamin qui avait reçu la balle dans le pied. « Vraiment dommage que t'aies une si grande gueule. T'aurais pu nous servir. »

Corrales leva le pistolet et le jeune se mit à piailler, les mains levées. Le coup de feu le fit taire et Corrales, après un nouveau soupir, considéra les trois autres, l'air inquisiteur. « Vous avez cinq minutes. »

Ils se rendirent chez Zúñiga, se présentèrent devant la grille où déjà deux vigiles s'apprêtaient à les accueillir. Les recrues survivantes de Corrales traînèrent alors dehors les cadavres de leurs deux prisonniers et les déposèrent devant la porte. Puis Corrales écrasa l'accélérateur et redescendit le chemin de terre accédant à la propriété, ne ralentissant que le temps de voir dans le rétro les gorilles appeler des renforts et quatre hommes ouvrir la grille pour sortir examiner les corps.

Corrales les surveilla attentivement et, dès qu'ils furent assez près, il saisit la commande à distance et pressa le bouton du détonateur.

Ses hommes se mirent à pousser des vivats quand l'explosion ébranla le sol, souffla les grilles en fer forgé et noya les vigiles dans une boule de feu bientôt surmontée d'un champignon de fumée.

« On lui avait dit de tenir ses gars à bonne distance de la frontière ou il risquait d'y avoir du grabuge, expliqua Corrales à l'attention de son groupe. Vous avez vu ce qui s'est passé ? Il n'a pas tenu compte de l'avertissement. Peut-être que ce coup-ci, ça l'aura réveillé. »

Au pied de la butte, une berline noire apparut en sens inverse et Corrales ralentit pour s'arrêter à la hauteur de la voiture, baissant la vitre teintée de son côté. L'autre chauffeur fit de même et Corrales adressa un sourire au type grisonnant au faciès léonin orné d'une épaisse moustache qui venait apparemment de parler dans un talkie-walkie.

« Dante, je croyais qu'on avait passé un accord.

– Je suis désolé, Alberto, mais tu as rompu ta promesse, toi aussi. » D'un signe de tête, Corrales indiqua le panache de fumée qui montait de la colline. « On a encore chopé deux types sur le point de faire sauter un de nos tunnels et on a dû les neutraliser. Tu m'avais promis de nous aider à les tenir à distance.

– Première nouvelle… Je l'ignorais.

– C'est bien ça le problème. Tes hommes ont-ils maintenant trop la trouille pour nous donner un coup de main ? C'est ça ?

– Non. Je vais mener mon enquête.

– T'as intérêt. »

Soupir frustré d'Alberto. « Écoute, quand tu agis de la sorte, tu me compliques sérieusement la tâche.

– Je sais mais ce n'est qu'un mauvais moment à passer.

– C'est ce que tu dis toujours.

– Parce que c'est toujours vrai.

– Très bien. À présent, file avant que les autres unités débarquent. Combien étaient-ils ce coup-ci ?

– Seulement deux.

– OK… »

Corrales hocha la tête puis il écrasa l'accélérateur, soulevant un nuage de poussière.

Alberto Gómez était inspecteur dans la police fédérale, avec plus de vingt-cinq ans de métier. Sur toutes ces années, il en avait bien passé vingt au service de l'un ou l'autre cartel et, à l'approche de la retraite, Corrales l'avait vu se montrer de plus en plus irritable et péniblement vétilleux. Son utilité commençait à devenir discutable mais en attendant, Corrales l'utilisait encore parce qu'il continuait à recruter de nouvelles unités dans ses rangs. La police fédérale les aiderait au bout du compte à écraser le cartel de Sinaloa. C'était de bonne guerre : pour eux, un bon coup de relations publiques, et pour le cartel, une excellente opération.

« On fait quoi, maintenant ? » s'enquit Pablo.

Corrales le lorgna : « On boit un coup pour fêter ça. »

Une question fusa de l'arrière : « Est-ce que je peux te poser une question ? » C'était Raúl, caressant nerveusement son petit bouc.

« Quoi encore ? maugréa Corrales.

– T'as descendu ce mec. Il aurait pu faire une bonne recrue. OK, il frimait. Mais on a tous été comme lui, surtout au début… Est-ce que t'as un problème ?

– Comment ça ?

– Je veux dire… chépa… il y a un truc qui te gonfle ?

– Tu crois que je passe ma colère sur ces connards ?

– Peut-être bien que oui.

– Laisse-moi te dire un truc, Raúl. Je n'ai peut-être que vingt-quatre ans mais même moi, je peux le voir. Tous ces jeunes glandeurs n'ont pas le respect qu'avaient nos pères, celui que nous devrions toujours avoir.

– Mais tu nous as dit toi-même qu'il n'y avait plus de bornes, que n'importe qui pouvait être pris pour cible : mères, enfants, tout le monde. Tu as dit que nous devions les frapper aussi dur qu'ils nous frappent.

– C'est exact.

– Eh bien, dans ce cas, tout ça me rend un peu perplexe.

– Ta gueule, Raúl ! lui lança Pablo. Tu es un idiot. Il nous explique qu'on doit respecter nos aînés et nous respecter entre nous, mais pas respecter nos ennemis, c'est bien ça, Dante ?

– Ce que nous devons respecter, c'est le danger mortel qu'ils représentent.

– Et ça veut dire qu'on doit leur arracher le cœur et le leur fourrer au fond de la gorge, renchérit Pablo. Tu piges ?

– Ce gars aurait pu nous être utile, s'entêta Raúl. C'est tout ce que je dis. On aurait toujours pu utiliser un voyou qui a une grande gueule.

– Un mec comme toi ? railla Corrales.

– Non, monsieur. »

Corrales lorgna Raúl dans le rétro. Ses yeux étaient devenus vitreux et il ne cessait de mater dehors, comme s'il avait voulu être ailleurs.

À présent, Corrales haussa le ton. « Raúl, je vais te dire une chose… un type comme ça, on ne peut pas lui faire confiance. S'il réplique à son chef, tu peux être sûr qu'il pense d'abord à lui-même. »

Raúl acquiesça.

Et Corrales n'en dit pas plus. Le petit con qu'il avait descendu lui ressemblait en effet beaucoup…

Parce que lui non plus, on ne pouvait pas lui faire confiance. Jamais il n'oublierait que même s'il continuait de travailler pour ce cartel, ce dernier aurait toujours sur les mains le sang de ses parents.

10

STAGE COMMANDO

Centre spécial de formation de la marine
Coronado, Californie

En cette froide nuit d'octobre 1994, Maxwell Steven Moore était allongé sur sa couchette dans l'un des baraquements de l'unité spéciale, à quelques secondes de lâcher prise dans un endroit où il était interdit aux hommes d'abandonner. En fait, si l'idée même s'ancrait dans votre psyché, alors vous n'aviez rien à faire chez les plongeurs commando. Accomplir jusqu'au bout cette formation – qualifiée de BUD/S, acronyme de Basic Underwater Demolition/SEAL – changerait à jamais sa vie d'ado de dix-huit ans. Pour lui, ça représentait tout.

Mais il était incapable de poursuivre.

Le parcours avait commencé près de deux mois auparavant quand il était arrivé au centre de formation de la marine pour faire ses classes – ce qu'on appelait l'INDOC. Leur surveillant, un type au visage buriné, aux yeux trop plissés pour qu'on puisse les déchiffrer, aux épaules si massives qu'elles formaient comme un seul bloc de muscles, Jack Killian – car tel était son nom – s'était adressé aux jeunes recrues avec une question devenue bateau : « Alors, comme ça, on m'a dit que vous vouliez devenir hommes-grenouilles ?

– Affirmatif, chef ! avaient-ils répondu en chœur.

– Eh bien, va déjà falloir en passer par moi. Tout le monde à terre ! »

Moore et le reste de la classe 198, quelque cent vingt-trois hommes en tout, se jetèrent au sol et commencèrent une série de pompes. Comme ils n'étaient encore que des candidats, ils n'avaient pas le droit de s'entraîner sur le carré sacré recouvert de bitume où seuls ceux qui avaient déjà franchi l'étape initiale des classes étaient autorisés à pratiquer les exercices et autres formes de torture physique qui faisaient partie intégrante de la phase un de la formation – sept semaines destinées à tester la condition physique, les aptitudes à la natation, l'esprit d'équipe, et la ténacité mentale des hommes. Aucune recrue n'entamait cette phase numéro un sans avoir auparavant réussi ces deux longues semaines de classes. Ce premier test d'endurance incluait les épreuves suivantes :

Nager cinq cents mètres brasse ou nage indienne en moins de douze minutes trente secondes.
Effectuer au moins quarante-deux pompes en deux minutes.
Effectuer au moins cinquante abdos en deux minutes.
Réaliser au moins six tractions d'une main (sans limitation de temps).
Courir deux mille cinq cents mètres en bottes et pantalon en moins de onze minutes.

Alors que Moore devait encore travailler la musculature des bras et du torse, il excellait aux épreuves de natation et de course à pied, battant régulièrement, et de loin, tous ses camarades de promotion. C'est durant ces exercices qu'il fut initié au concept de « binôme de nage », le principe étant qu'en aucun cas on ne laissait son binôme seul et qu'aucun homme, mort ou vif, ne devait être laissé sur le carreau. « Vous ne serez jamais seuls. Jamais, leur avait martelé Killian. Si jamais vous lâchez votre binôme de nage, le châtiment sera sévère. Très sévère ! »

Le binôme de Moore était Frank Carmichael, un jeune blond aux yeux bleus qu'on aurait aisément pris pour un fana de surf. Il avait le sourire facile et s'exprimait avec une nonchalance affectée qui conduisait Moore à douter qu'il pût jamais devenir un SEAL. Carmichael avait grandi à San Diego et suivi le même cursus que Moore pour faire ses classes en INDOC, d'abord la préparation militaire, puis l'orientation vers la formation de plongeur commando. Il disait qu'il aurait bien aimé intégrer Annapolis et devenir membre du Canoë Club, comme on avait coutume de surnommer la fameuse académie navale, mais il avait trop déconné au lycée et de toute manière ses notes n'étaient pas assez bonnes pour lui permettre l'admission. Il n'avait même pas tenté de faire l'école des sous-officiers. Il y avait un certain nombre d'autres candidats qui avaient déjà leurs galons – des diplômés d'Annapolis, ou des gars qui étaient sortis de l'école d'aspirants avec le grade O-1 d'enseignes, sans parler de ceux qui avaient déjà servi dans la flotte. Mais la formation BUD/S lissait toutefois ces parcours : tous les candidats se trouvaient confrontés aux mêmes épreuves, sans traitement de faveur pour les officiers.

Moore et Carmichael s'entendirent d'emblée – deux petits gars de la classe moyenne qui cherchaient à s'extirper de la routine pour connaître une vie extraordinaire. Ils souffrirent ensemble les six kilomètres de course sur la plage qu'il fallait accomplir en moins de trente-deux minutes. Killian semblait ponctuer chaque ordre par la phrase : « On se mouille et on se roule dans le sable. » Et tous ses hommes de se jeter dans les vagues glacées, ressortir de l'eau, se rouler dans le sable avant de se relever telles des momies, raides comme des zombies, pour entamer l'épreuve suivante. Ils eurent tôt fait d'apprendre qu'on courait en toutes circonstances, y compris pour couvrir les quinze cents mètres aller-retour afin de rejoindre la cantine.

On était en 1994, l'année où le magazine *Time* décrivait Internet comme un « nouveau monde étrange ». Moore râlait en songeant que les candidats d'aujourd'hui pouvaient grâce au Web en apprendre dix fois plus sur l'entraînement à venir que Moore et ses potes en ce temps-là. La génération actuelle pouvait parcourir des sites consacrés à la formation BUD/S, visionner des vidéos en situation ou regarder des documentaires bien léchés produits par Discovery Channel. Quand tout ce dont Moore et ses compagnons disposaient, c'étaient des ragots colportés par les promotions précédentes, ou les rumeurs et mises en garde sur les horreurs à venir postées sur les rares groupes de discussion. Excessifs ? Dans bien des cas, sans doute, mais Moore et Carmichael avaient su relever les défis sans guère plus de préparation.

De toutes les activités effectuées lors des classes initiales, la natation avait la préférence de Moore. On lui enseigna à battre des pieds, nager et glisser mais d'abord et avant tout, à se familiariser complètement avec l'élément liquide. C'était le domaine d'excellence des SEAL parmi tous les autres commandos. Les renseignements qu'ils collectaient grâce à leur furtivité sous l'eau étaient d'une aide inestimable pour les marines et bien d'autres combattants. Il apprit à réaliser des nœuds complexes tout en étant submergé, à ne pas paniquer après qu'on l'eut balancé à la flotte, les mains ligotées dans le dos. Il se relaxa, nagea jusqu'à la surface, reprit son souffle et replongea, puis répéta la manœuvre tandis qu'à côté de lui, plusieurs membres du Canoë Club perdaient les pédales, buvaient la tasse et criaient pouce. Sa réaction fut de prouver le contraire à ses instructeurs – qui les entouraient munis de leur équipement de plongée et qui attendaient justement qu'il panique. Alors pour mieux marquer le coup, il se laissa couler au fond du bassin et retint sons souffle...

Pendant près de cinq minutes.

Un des instructeurs se porta alors à sa hauteur et le dévisagea avec des yeux encore agrandis par son masque, tout en lui indiquant avec des gestes frénétiques de regagner la surface. Alors, Moore sourit, attendit encore quelques secondes et enfin remonta reprendre son souffle. Il avait appris à accroître sa tolérance anaérobie à force d'entraînement et de plongeons et il était certain qu'il aurait encore pu tenir un peu plus longtemps encore.

Killian eut vent de sa « cascade » et l'avertit de ne pas s'aviser de recommencer. Mais il avait assorti son ordre d'un clin d'œil.

L'épreuve des cinquante mètres sous l'eau s'avéra intéressante pour bien des gars. Killian avait conclu sa description du test par ces mots : « Et ne vous inquiétez pas, quand vous tomberez dans les pommes, on vous ranimera. » Mais Moore nagea les cinquante mètres et même un peu plus, glissant sous l'eau comme s'il était dans son élément, un homme-grenouille au sens propre du terme. Carmichael lui confia même que certains instructeurs avaient alors laissé échapper un juron.

Ses aptitudes naturelles avaient été découvertes par M. Loengrad alors que Moore avait tout juste seize ans. Loengrad n'était pas seulement un prof de gym, c'était également un passionné de cyclisme. Il avait demandé à Moore d'effectuer un test sur un cyclo-ergomètre et il avait ainsi découvert que le jeune homme avait une VO_2max de 88 – un chiffre comparable à celui de bien des athlètes olympiques. Le pouls de Moore au repos était d'à peine 40. Son corps pouvait ainsi transporter et exploiter l'oxygène bien plus efficacement que la moyenne de ses congénères et c'était là, lui avait expliqué

Loengrad, une aptitude génétique qui faisait de lui un individu bien particulier. C'est alors que le prof de gym avait évoqué la carrière militaire, en particulier les commandos de marine. Détail ironique, l'homme n'avait jamais servi dans l'armée, pas plus qu'aucun de ses proches. Mais il admirait tout simplement les militaires, il éprouvait du respect pour leur patriotisme.

Quand Moore et ses compagnons de classe n'étaient pas dans la piscine, ils se retrouvaient sur la plage, dans les vagues et les embruns, et le sable pénétrait tous les orifices de leur corps. Et même les douches d'eau glacée à haute pression qu'ils prenaient de retour à la caserne n'arrivaient pas à les en débarrasser. La marine voulait les voir littéralement ne faire plus qu'un avec la plage et le Pacifique.

Toujours flanqué de Carmichael, Moore se tenait allongé sur le dos, jambes tendues, orteils pointés pour réaliser des dizaines d'extensions sans que jamais leurs pieds ne touchent le sol. Le but était de relever et baisser les jambes avec une amplitude de vingt-cinq à trente centimètres. Tous les exercices qu'ils pratiquaient exigeaient une ceinture abdominale développée et, comme les autres instructeurs, Killian faisait une véritable fixation sur ces mouvements propres à développer de véritables tablettes de chocolat. Dans le même temps, Moore continuait à travailler la partie supérieure du corps, car Killian ne cessait de les mettre en garde contre ce qui les attendait en deuxième semaine, sans toutefois vouloir leur en dire plus.

Avant la fin de la première, seize gars avaient déjà déclaré forfait. Ils semblaient s'être éclipsés du jour au lendemain. Moore et Carmichael ne les avaient pas vus et n'avaient guère eu l'occasion de discuter de leur défection pour tenter de se soutenir mutuellement.

C'est à 5 heures pile, le premier jour de la deuxième semaine, que la classe 198 découvrit, résignée, le parcours du combattant, désigné « parcours d'O », un enfer d'obstacles conçu par des malades mentaux pour les accueillir dans leur club élitiste très privé.

Vingt obstacles définis par des pancartes avaient été érigés sur la plage, et lorsqu'il les parcourut du regard, Moore eut l'impression de découvrir des difficultés croissantes. Killian s'approcha de lui et de son binôme. « Messieurs, vous avez douze minutes pour accomplir mon parcours d'O.

– Oui chef ! » s'exclamèrent-ils en chœur. Moore prit la tête et courut vers le premier, les barres parallèles. Il se hissa et progressa jusqu'à l'autre bout à la seule force des bras et des poignets. Lorsqu'il y parvint et retomba sur le sable, ses épaules et ses triceps étaient en feu. Déjà hors d'haleine, il effectua un rapide quart de tour à droite, leva les bras au-dessus de la tête et traversa le mur de pneus de camion (cinq de large sur dix de profondeur) pour gagner le mur bas. Il prit appel sur deux plots en saillie (pied droit, pied gauche) pour se hisser au sommet de la paroi de bois et basculer de l'autre côté ; la réception sur le sable fut plus rude qu'il ne l'avait escomptée. Une cheville l'élançait et il trottina jusqu'au mur à trois mètres de là, mais au point où il en était, il aurait aussi bien pu se trouver à douze. Il empoigna l'une des cordes et entreprit de grimper, et la corde s'enfonça douloureusement dans ses paumes.

Au début du parcours, Killian aboyait des ordres et/ou des corrections mais Moore avait de plus en plus de mal à l'entendre, assourdi qu'il était par le martèlement de son cœur et le soufflet de forge de sa respiration. Il se dirigea vers les barbelés tendus en travers d'une série de poutres sous lesquelles s'étendaient deux tranchées allongées. Il plongea dans le premier fossé sur sa gauche et progressa en rampant sur les mains et les genoux. Un instant, il crut que sa chemise s'était prise dans les barbelés mais en fait elle s'était juste accrochée au bois. Avec un soupir de soulagement, il termina de franchir l'obstacle, se releva et aussitôt grommela un *et merde !*

Le filet était tendu entre deux mâts qui s'élevaient à une bonne douzaine de mètres. Il s'avisa d'emblée que le filet serait plus stable près d'un mât qu'au milieu, aussi se dirigea-t-il sur un côté pour entamer son ascension.

« T'as pris le coup, mec », commenta Carmichael, juste en dessous de lui.

Regarder vers le bas n'était pas une bonne idée, quand il se rendit compte qu'il n'y avait aucune mesure de protection, et alors qu'il arrivait en haut du filet, il se sentit gagné par le vertige. Il n'avait plus qu'une hâte, être redescendu. Il se précipita. Et c'est alors qu'il rata un maillon, glissa, et plongea sur près de deux mètres avant de se rattraper par miracle et d'interrompre sa dégringolade. Tenus en haleine par cet incident, tous ses compagnons poussèrent des cris d'encouragement en le voyant regagner le sol sans autre aléa.

Suivi comme son ombre par son binôme, il fonça sans réfléchir vers la nouvelle attraction, les poutres en équilibre. Équilibre instable, faut-il le préciser. Et en cas de chute, Killian leur donnerait un gage sous forme de série de pompes. Moore courut, crispé le long de la première poutre, vira à gauche, puis renquilla la seconde dans la foulée, et fut le premier étonné de ne pas s'être vautré en route. Carmichael le talonnait lorsqu'ils arrivèrent à l'obstacle suivant, formé de six rondins empilés en pyramide. Les mains croisées sur la nuque, ils l'escaladèrent et passèrent de l'autre côté, puis rejoignirent la corde de transfert. À ce point du parcours, Moore tenait encore bon, côté cœur, mais son compagnon était quasiment hors d'haleine et son pouls était manifestement entré dans le rouge.

« On l'a eu ; allez, on enchaîne », pressa-t-il à l'intention de son pote avant de saisir la première corde, de grimper environ deux mètres, puis de se balancer pour saisir d'une main un échelon métallique, lâcher alors la première corde et s'élancer à nouveau pour attraper la seconde. Il redescendit. Carmichael dut s'y reprendre à deux fois, mais il avala néanmoins l'obstacle.

Le défi suivant était annoncé comme « le Gros Mot ». Un seul coup d'œil lui suffit pour comprendre pourquoi : il s'agissait de structures en « N » supportant trois rondins transversaux placés à des hauteurs croissantes et disposés en deux rangées, ce qui permettait à deux candidats d'affronter l'obstacle en même temps. Moore courut vers le premier qui servait de planche d'appel, sauta pour agripper le second rondin, se hissa dessus à la force des bras, pour recommencer avec le second, en nouant les jambes autour avant de se laisser ensuite retomber de l'autre côté. La violence de ces deux impacts successifs lui fit émettre le fameux gros mot…

Une nouvelle pyramide de rondins l'attendait, cette fois composée de dix, plus gros et plus escarpés. Parvenu au sommet, il dérapa et s'étala le nez par terre. Avant d'avoir compris ce qui lui arrivait, il se sentit relevé de force.

C'était Carmichael qui lui gueulait dessus, les yeux écarquillés : « Allez, debout ! » Avant de tourner les talons et de filer.

Moore lui emboîta le pas.

Devant eux, deux espèces d'échelles géantes posées l'une contre l'autre à un angle de quarante-cinq degrés. Killian leur gueulait dessus : « Ça, c'est l'espalier… faut se faufiler dessus-dessous ! » Moore agrippa le premier rondin, pivota, se lança vers le second, et ainsi de suite, comme une navette sur un métier, se faufilant de bas en haut puis de haut en bas, peu à peu gagné par le tournis. Carmichael négocia l'obstacle d'à côté et parvint au bas de l'échelle quelques secondes avant lui.

Le pont de corde, également appelé le « pont de Birmanie » était constitué d'une corde épaisse tendue entre des supports formant un V. Carmichael avait déjà grimpé au sommet et s'aventurait sur la corde horizontale. Dès qu'il eut posé le pied sur la première tresse, Moore comprit que les meilleurs appuis se trouvaient aux endroits où étaient nouées les cordes de tension. Il passa ainsi de nœud en nœud et rattrapa bientôt son binôme. Parvenu au bout, il avait acquis un sens du rythme qu'il espérait bien retrouver la prochaine fois qu'il négocierait cet obstacle.

Ils escaladèrent ensuite une troisième pyramide de dix rondins et parvinrent bientôt au « toboggan de la mort », une succession de quatre plates-formes qu'il fallait escalader sans corde ni échelle. Il y avait deux façons de négocier l'obstacle : monter tout au sommet puis redescendre en s'accrochant aux cordes tendues à quarante-cinq degrés ou rester sur la première plate-forme et suivre les cordes inférieures, mais d'après Killian, si c'était moins dangereux, ils risquaient de se brûler quand même les avant-bras. Au premier passage, toutefois, il leur demanda d'aller tout en haut. Carmichael empoigna la corde de gauche, Moore saisit celle de droite. Il se pencha, passa la jambe par-dessus la corde, puis il se laissa glisser, tête la première, le filin entre les jambes, usant des deux mains pour se ralentir. Il n'en avait pas descendu la moitié que tous les points de son corps en contact avec la corde s'étaient mis à le brûler. Il parvint en bas un poil avant son copain et se précipita aussitôt vers une balancelle qui l'amena sur une poutre transversale, suivie d'une « barre à singe », puis d'une seconde poutre. Il saisit la corde, se hissa, se balança et rata la première. De son côté, Carmichael passa le long de la corde, l'agrippa au passage, et, emporté par son élan, rejoignit facilement la poutre. Moore l'imita pour sa seconde tentative mais dans l'intervalle, son binôme avait repris le large.

Après une nouvelle chicane de pneus, ils arrivèrent à une échelle renversée qu'ils durent monter à l'envers avant de glisser vers le bas en repassant dessus. Ce qui les mena à la toile d'araignée, un mur d'environ six mètres de haut composé d'un filet tendu entre des plots de bois. Tout était ici une question d'agilité, pour grimper en s'aidant des orteils et du bout des doigts ; une fois parvenu au sommet, il fallait alors redescendre en se plaquant au mur comme une araignée. Encore handicapé par ses brûlures aux mains suite à la glissade sur la corde, Moore lâcha prise au dernier moment mais réussit à se réceptionner sans autre dommage.

De son côté, Carmichael rata l'un des plots en bois, sa botte dérapa, il tomba et dut repartir de zéro, perdant un temps précieux.

Il ne restait désormais plus qu'un obstacle et un sprint ; Moore se précipita vers un alignement de cinq poutres transversales suspendues à peu près à hauteur de hanche. Les poutres étaient espacées d'un peu moins de deux mètres, et l'ensemble constituait un parcours de sauts enchaînés.

« Défense de toucher avec les jambes ! les prévint Killan. Juste les bras ! »

Ce qui déclencha quelques jurons vite ravalés alors qu'il plaquait les mains sur la première poutre et projetait les jambes en avant. Il enchaîna ainsi jusqu'au bout, talonné par Carmichael. Moore glissa sur le tout dernier rondin et se cogna violemment le genou. Il dégringola, grimaçant de douleur. Carmichael arriva, le tira pour le relever, puis il lui saisit le bras qu'il passa autour de son épaule. C'est ensemble qu'ils terminèrent le sprint, clopin-clopant.

« Toi, Carmichael, tu t'es bien débrouillé, commenta Killian. Je t'ai vu foncer mais tu n'as pas laissé ton pote à la traîne.

Pas mal pour un début. » Puis, se tournant vers Moore, l'air préoccupé : « Ça va la jambe ? »

Ladite jambe commençait à enfler comme un melon. Moore ignora la douleur et s'écria : « Ça va, instructeur Killian !

– Bien, alors filez à la plage vous mouiller ! »

Le parcours du combattant n'était qu'un des multiples exercices qu'ils durent effectuer, et même quand ils ne s'entraînaient pas et nettoyaient simplement leur chambrée avant l'inspection, les instructeurs se pointaient pour mettre la pagaille et tout foutre en l'air, histoire de voir comment ils géraient ces revers. Moore résista jusqu'au bout pour la dernière phase de l'entraînement initial où intervenait le canot pneumatique. L'embarcation mesurait quatre mètres de long et pesait environ quatre-vingts kilos. Réunis par groupes de sept, les hommes apprirent à pagayer, balancer le canot à l'eau en le retournant ou le transporter en le maintenant par-dessus la tête. On leur dit qu'une fois passés dans la seconde phase de leurs classes, ils ne lâcheraient pas leur bateau. Ils se lancèrent donc dans une série de courses, et durent même faire des pompes, les bottes calées sur les boudins en caoutchouc. Malgré sa stature relativement frêle, Carmichael se révéla un redoutable pagayeur, et grâce à lui, son équipe remporta souvent la victoire. Les gagnants avaient droit à du repos. Les perdants étaient bons pour filer sur la plage faire une série de pompes. On leur enseigna enfin à surveiller les vagues pour savoir quand foncer entre deux déferlantes et mettre à l'eau leur embarcation sans qu'elle soit retournée par les brisants.

À l'issue de la deuxième semaine, vingt-sept hommes du groupe de Moore avaient abandonné. C'étaient des braves qui avaient simplement mal orienté leur choix. C'est en tout cas ce que leur expliqua Killian sur un ton qui impliquait qu'il n'était pas question de se moquer d'eux.

Mais le fait demeurait qu'ils ne recevraient pas leur code d'habilitation spéciale au combat naval, un grand honneur, certes, mais surtout la preuve tangible qu'un agent avait survécu au test ultime de motivation physique et mentale. Une pancarte au centre d'entraînement leur rappelait à tous la devise des SEAL : « La seule journée facile était hier. »

À l'issue du dernier briefing de la phase initiale, Killian prit à part Moore et lui serra vigoureusement la main : « Toi, t'es bourré de talent. Je veux que tu te fasses un nom. Et n'oublie jamais ça : t'es une de *mes* recrues. Rends-moi fier de toi.

– Oui, chef ! »

Moore et Carmichael chantaient à tue-tête quand ils transportèrent leur paquetage dans la chambrée réservée aux unités spéciales de la marine. Ils n'étaient désormais plus de simples visiteurs. Mais de vrais candidats.

Leur jubilation fut de courte durée.

Trente et un mecs renoncèrent dès la première heure. Ils allèrent sonner la cloche à la porte du commandant et vinrent déposer devant celle-ci leur casque vert frappé en blanc du numéro de leur classe.

Durant cette toute première heure, les instructeurs avaient semé une belle pagaille dans le groupe en les faisant passer du sable à l'eau et de l'eau au sable, puis en enchaînant les séances de pompes et de barres parallèles, suivies de plongeons dans les canots pneumatiques remplis d'eau glacée. Les mecs tremblaient, pleuraient, souffraient d'hypothermie et tombaient comme des mouches.

Les instructeurs ne faisaient que s'échauffer.

Les courses de six mille mètres sur la plage étaient fréquentes et brutales. Par groupes de sept, les recrues découvrirent le nouvel entraînement à la barre. Lesdites barres étaient longues de deux mètres cinquante et pesaient quelque soixante-quinze kilos. Mais certaines étaient un peu plus légères, d'autres beaucoup plus lourdes. On héritait de la première à vous tomber sous la main. Ils traînaient la barre dans les vagues, se faisaient bien tremper et ensabler, la trimbalaient ici et là, marchaient des kilomètres avec, et tout du long, ils étaient surveillés, contrôlés, harcelés, épiés par les instructeurs – surtout les petits gabarits, plus susceptibles de lâcher prise. Moore et Carmichael tinrent bon et réussirent même à éviter la chute de leur charge quand, lors d'une évolution, le dernier de leur groupe avait trébuché pour s'étaler dans le ressac.

Il y eut neuf autres défections à l'issue de la première semaine. La classe 198 était réduite à cinquante-six éléments. La rangée de casques devant la porte du commandant s'était allongée à un rythme alarmant et Moore la considérait chaque jour, partagé entre la détermination et l'appréhension.

Ce fut lors du petit déjeuner à la fin de la première semaine que Carmichael émit une remarque qui fit vibrer une corde chez Moore : « Tu sais quoi, ces gars qui ont abandonné ? Je crois savoir ce qui les a fait craquer.

– Comment ça ?

– Je veux dire, à un moment, ils sont en plein dedans, l'instant d'après, ils sont HS. Prends McAllen, par exemple. Un type bien. Aucune raison de lâcher prise. Il n'avait aucune intention d'abandonner et hop, une minute après, il remonte de la plage et file sonner la cloche.

– Alors tu sais pourquoi il a renoncé ? » Moore était dubitatif.

Carmichael acquiesça. « Je sais pourquoi ils renoncent tous, parce qu'ils ne prennent pas les trucs, une heure, un exercice à la fois. Ils se mettent à trop gamberger sur l'avenir et le nombre de jours qu'il leur reste encore à en baver, et ils pètent un câble. »

Moore soupira. « Il se pourrait bien que t'aies raison. »

Durant la troisième semaine, on les initia au portage sur rochers, une évolution où ils devaient faire accoster leur canot pneumatique sur un éperon rocheux. Les vagues déferlaient sur le rivage avec l'obstination d'un batteur de heavy metal, l'écume leur brouillait les yeux quand Carmichael aborda le premier, la drisse passée autour de la taille. Il escalada les rochers, trouva un bon appui pour ses bottes, puis il se pencha en avant pour s'assurer que le canot n'allait pas être remporté vers l'océan par la vague suivante. La tâche de Moore était alors de s'emparer de toutes les pagaies, de sauter à l'eau, nager jusqu'aux rochers, puis se hisser pour ranger les pagaies au sec. Les autres suivirent, chacun essayant comme il pouvait de s'extraire des vagues, le visage ruisselant.

Puis Carmichael cria qu'il avançait et Moore se précipita pour le rejoindre afin de l'aider à hisser l'embarcation par-dessus les rochers, tandis que les autres sortaient enfin de l'eau pour leur prêter main-forte.

Quand ils eurent terminé, tous reprirent leur souffle au sommet de cet étroit éperon rocheux, le visage fouetté par les embruns, tandis que leur instructeur lâchait, en hochant la tête : « Bien trop lent, tout ça ! »

L'évaluation en quatrième semaine fut une épreuve douloureuse tant pour les hommes que pour leurs instructeurs. Des gars qui avaient tenu bon, fait de leur mieux, jamais lâché, pas une seule fois, se voyaient éliminés parce qu'il leur manquait tout simplement une des qualités physiques nécessaires : l'endurance, l'énergie, un bon temps au parcours du combattant, et ainsi de suite. Tous ces hommes avaient le cœur et l'âme de vrais commandos de marine mais c'était leur corps qui n'était pas à la hauteur de la tâche.

Moore et son binôme Carmichael survécurent à ces quatre semaines de classes et se préparaient déjà à la tristement célèbre et si redoutée « Semaine en enfer », cinq jours et demi d'évolutions en continu, durant lesquelles on leur allouait en tout et pour tout quatre heures de sommeil. Pas quatre heures par jour, non, quatre heures au total durant ces cinq jours. Moore n'était même pas sûr que le corps humain pût tenir le coup aussi longtemps, mais il avait reçu l'assurance de son surveillant et de ses instructeurs qu'ils y arriveraient… « pour la plupart ».

Moore fut choisi comme chef d'équipe en récompense de ses prouesses exemplaires et répétées lors des courses et des épreuves nautiques. Il avait déjà prouvé qu'il pouvait retenir son souffle plus longtemps que tous les autres membres de sa classe, nager et courir plus vite. Le dimanche après-midi précédant le début de la Semaine en enfer, ils le passèrent bouclés dans l'une des salles de classe. On leur donna à manger des pizzas, des pâtes, des hamburgers et des hot-dogs, le tout arrosé de Coca. Ils regardèrent quelques vieux films de Steven Seagal sur des VHS et essayèrent de se détendre.

Aux environs de 23 heures, quelqu'un ouvrit la porte à coups de pied et aussitôt les lumières s'éteignirent tandis que des détonations et des coups de feu retentissaient de toutes parts. La séance de simulation de combat venait de commencer. Moore se précipita dehors, en essayant de se convaincre que, malgré le raffut, ces hommes tiraient des balles à blanc. Un des instructeurs actionnait une mitrailleuse de calibre 50, et l'arme faisait un tel boucan que Moore put à peine entendre un second instructeur gueuler : « Vous entendez le sifflet ? Vous l'entendez ? Rampez vers le sifflet ! » Ce que firent Moore et Carmichael, filant vers le terre-plein où ils furent accueillis par des lances à incendie qui les arrosèrent copieusement durant un quart d'heure, sans ordre ni explication. Tout ce qu'ils pouvaient faire, c'était lever les mains pour se protéger les yeux et tenter d'échapper à la douche. Enfin, on leur ordonna de descendre vers la mer. Les instructeurs continuaient de tirer et Moore constata qu'on avait dû en recruter plus de deux douzaines pour participer aux festivités de la Semaine en enfer.

Fais comme si tu ne devais jamais renoncer, se morigéna-t-il. *Ne jamais renoncer.*

Les corvées s'enchaînaient à un rythme effréné : pompes dans les vagues, suivies de portage de rondins, puis on leur demanda même d'effectuer le parcours du combattant, en groupes, lestés de leur canot pneumatique. Ils eurent droit à plusieurs séances de portage sur les rochers et finirent en transportant leurs canots jusqu'au rata après dix heures de dur labeur ininterrompu au cours de cette toute première journée.

Comme ils avaient été trop excités pour dormir la veille et qu'ils avaient passé une nuit blanche à s'entraîner, dès le matin du premier jour, la privation de sommeil commença de se faire sentir. Moore avait la cervelle en compote. Il voulait faire appel à l'instructeur Killian et son binôme dut lui rappeler qu'ils n'étaient plus en formation initiale, que cette fois, ils y étaient pour de bon, que c'était la Semaine en enfer. Ils avaient les paupières lourdes, tenaient des propos sans suite et d'étranges conversations avec des fantômes dans leur tête.

Ce qui constituait un problème majeur, vu que les chefs de groupe devaient prêter tout particulièrement attention à leurs instructeurs – car ces derniers s'ingéniaient à oublier une partie des instructions, histoire de vérifier si leurs poulains étaient toujours dans le coup. Si les chefs de groupe relevaient l'erreur et la signalaient, la tâche allouée était facilitée – les hommes pouvaient même en être dispensés.

Mais Moore était alors trop épuisé, au bord de l'évanouissement, et il n'était sûrement pas en état de porter une lourde poutre avec le reste de ses hommes.

« Ramassez votre poutre et tenez-vous prêts ! » lança l'instructeur.

La plupart des hommes se précipitèrent pour obtempérer mais plusieurs chefs d'équipe restèrent en retrait. Moore n'était pas du nombre. Dans son dos, il entendit un des chefs lancer : « Instructeur, vous ne voulez pas dire plutôt de les ramasser et d'aller les mouiller dans le sable ?

– Oui, tout à fait ! Dispense de corvée pour ton groupe ! »

Les épaules de Moore s'affaissèrent. Il avait merdé et tout son groupe allait payer son erreur.

Ce soir-là, durant une rare heure trois quarts de repos, Moore posa un bras en travers de ses yeux. Carmichael avait eu raison. Il ne pouvait s'empêcher de songer à la douleur, aux souffrances qui s'annonçaient et à la pression d'être responsable vis-à-vis de ses camarades. On lui avait donné un poste de commandement et il avait lamentablement échoué.

« Eh, frangin ! » entendit-il dans l'obscurité.

Il ôta son bras et vit Carmichael penché au-dessus de lui. « T'as déconné. Bon, et alors ?

– T'avais raison. Je suis prêt à abandonner.

– Non, sûrement pas.

– J'ai échoué. Laisse-moi renoncer maintenant, inutile que j'entraîne le reste de l'équipe. Je vous complique la tâche.

– Peut-être qu'on avait besoin de porter cette satanée poutre.

– Ouais, c'est ça. »

Les yeux de Carmichael s'agrandirent. « Voilà ce que je te propose. Notre entraînement va devenir encore plus dur que celui des autres. Quand on s'en sera tirés, on aura le droit de se vanter d'avoir relevé tous les défis, et de la manière la plus difficile qui soit. On n'aura pas cherché à esquiver. On est les meilleurs.

– Ils ont rien dit, mais je sais que les autres m'en veulent pour ça.

– Je leur ai causé. C'est faux. Ils sont aussi vannés que toi. On est tous des zombies, mec, alors ressaisis-toi. »

Moore resta quelques instants sans mot dire, la respiration lourde, puis enfin, il lâcha : « J'en sais rien.

– Écoute-moi. Tu continues de faire attention. Mais même si un instructeur oublie sciemment un ordre, tu restes coi. »

Moore frissonna. « T'es cinglé, mec. Jamais on ne survivra. »

Et ce n'était pas une figure de style. On n'était qu'à la fin de la première journée d'entraînement et déjà la moitié des effectifs avait disparu.

La voix de Carmichael se fit plus insistante. « On a pris un sacré engagement. Il y a quelques semaines, ils nous ont demandé de nous consacrer à la vie de combattants. Tu t'en souviens ?

– Ouais.

– On est venus pour se battre. Et on va leur montrer jusqu'où on peut aller. T'es avec moi ? »

Moore se mordit la lèvre.

« T'as déjà oublié leur maxime ? Il n'y a que deux façons de se faire battre : mourir ou abandonner. Et on n'abandonne pas.

– OK.

– Alors, on y va ! »

Moore serra les poings et se rassit sur sa couchette. Il regarda Carmichael, dont les yeux injectés de sang, le visage défait et rougi par le soleil, les mains pleines d'ampoules et le crâne couvert de croûtes étaient le strict reflet de son propre état. Cependant, Carmichael gardait encore une flamme dans les yeux et c'est en cet instant précis que Moore décida que son binôme avait raison, qu'il avait toujours eu raison. Chaque chose en son temps. Une corvée après l'autre. Pas de faux-fuyant. Pas de journée facile.

Moore inspira un grand coup. « J'ai merdé. Peu importe. On ne prendra pas de pauses. On est les plus forts et on va le prouver. À fond les ballons. »

Et c'est bien ce qu'ils firent, nom de Dieu, rampant sous les barbelés du parcours du combattant, tandis que des mines factices sautaient partout autour d'eux et qu'ils étaient noyés dans la fumée.

Couvert de boue, le cœur empli d'une terreur animale, Moore se serinait des encouragements. Renoncer, pas question.

Puis vint le moment où l'instructeur omit un ordre avant un de leurs parcours de six mille mètres. Les autres chefs d'équipe l'avaient relevé.

« Alors, Moore, ça t'a encore échappé ? s'écria l'instructeur.

– Non, chef !

– Alors, pourquoi n'avoir rien dit ?

– Parce que cette équipe ne cherche pas de passe-droit. Cette équipe est ici pour se battre plus dur que les autres ! Cette équipe a le cran de le faire !

– Bon Dieu, fils, c'est impressionnant. Ça demande du courage. Tu viens de condamner tous tes hommes.

– Non, chef ! Sûrement pas !

– Alors, montrez-moi ça ! »

Ils partirent à la charge avec un bel ensemble. C'était le cinquième jour de la Semaine en enfer, le dernier, et, avec seulement quatre heures de sommeil, ils ne tenaient que par une force de volonté qu'aucun d'eux n'avait soupçonné posséder jusqu'ici.

En fait, la détermination instinctive manifestée par Moore et ses hommes avait été inspiratrice, devait-il apprendre plus tard. De gré ou de force, ils surmontèrent les épreuves, les courses, les portages de nuit dans les rochers, et un « tour du monde en canot » qui leur fit longer la partie nord de l'île, puis revenir par la baie de San Diego et la base sous-marine. Ils se jetèrent dans les fosses remplies de boue, ressortant de la gadoue comme des mannequins noirs aux yeux étincelants.

« Dans le cas improbable où vous aurez encore tenu les deux prochaines journées, un succulent repas vous attend, cria l'un des instructeurs.

– On n'en a plus qu'une ! protesta Moore.

– Non, il vous en reste deux. »

Les instructeurs les menaient en bateau, ils les enfumaient exprès, mais Moore s'en foutait.

On les maintint dans une mer glaciale jusqu'à ce qu'ils frôlent l'hypothermie. On les en sortit, leur donna de la soupe chaude, puis les remit à la baille. Des gars s'évanouissaient, on les ranimait et on les remettait à l'eau. Moore et Carmichael tinrent bon.

Quand arriva l'ultime heure, quand Moore, Carmichael et les camarades de leur classe se sentirent vraiment à deux doigts de la mort, on leur ordonna de sortir du Pacifique et de se rouler dans le sable. C'est alors qu'un surveillant leur cria de se regrouper. Une fois qu'ils furent réunis, il hocha lentement la tête.

« Vous tous ! Regardez la plage ! Sur votre gauche ! Sur votre droite ! Vous êtes la classe 198. Vous êtes les guerriers qui ont survécu grâce à leur travail d'équipe. Pour la classe 198, la Semaine en enfer est bouclée ! »

Moore et Carmichael tombèrent à genoux, les larmes aux yeux, et jamais de sa vie Moore ne s'était senti à la fois aussi épuisé et aussi débordant d'émotion. Les sifflets, les vivats, les hourrahs qui jaillirent de ce petit groupe de juste vingt-six hommes retentirent comme le cri de cent mille légionnaires romains prêts à l'attaque.

« Frank, mon pote, je te dois une fière chandelle. »

Carmichael ravala un sanglot. « Tu me dois rien du tout. »

Ils éclatèrent de rire, et leur joie, la joie pure et sans tache de savoir qu'ils avaient finalement réussi, gonfla le cœur de Moore et l'emplit de frissons. Il eut soudain l'impression de défaillir, comme si le monde basculait sur son axe, mais c'était simplement Carmichael qui l'aidait à se relever.

Plus tard, Moore devint l'Homme d'honneur de la classe 198 pour son aptitude à inspirer ses compagnons et les aider à tenir quand ils étaient prêts d'abandonner. C'est Carmichael qui le lui avait enseigné, et quand il dit à son binôme de nage que c'est en fait à lui qu'aurait dû revenir le titre, ce dernier se contenta de sourire. « C'est toi le plus coriace. C'est en t'observant que j'ai tenu le coup. »

11

DÉTACHEMENT SPÉCIAL INTERSERVICES JUÁREZ

Service du contrôle des détournements de fonds
Brigade des stups, San Diego, Californie
De nos jours

QUAND MOORE quitta l'autoroute par la bretelle 15 et descendit Balboa pour rallier les bureaux de la brigade des stups sur Viewridge Avenue, il avait déjà vingt minutes de retard. Il avait les cheveux dans les yeux et une grande barbe – deux ans à laisser pousser son système pileux, mais il n'allait pas tarder à passer à la tondeuse – heureusement, du reste, car il voyait déjà pointer quelques poils gris près du menton. Tout en arpentant le long couloir qui menait à la salle de conférences, il jeta un coup d'œil à son futal au tissu tout froissé. Sans oublier les taches de café sur sa chemise – à cause de la mère de trois enfants, devant lui dans la file, qui n'avait pas vu que la grosse bétonnière qu'elle collait de près était en train de ralentir. Elle avait pilé sec, idem pour Moore, et son café avait suivi les lois de la physique. Même s'il veillait à prendre soin de son apparence, ce n'était pas toutefois sa préoccupation essentielle.

Un nouveau message électronique de Leslie Hollander contenait une photo de son sourire ravageur prise avec son mobile et Moore avait du mal à effacer l'image de son esprit quand il ouvrit la porte et pénétra dans la salle.

Toutes les têtes se tournèrent vers lui.

Il soupira. « Désolé pour ce retard. Je suis resté trop longtemps dans la cambrousse. J'avais oublié l'existence des embouteillages. »

Un petit groupe s'était installé sur le côté d'une table de conférence longue comme le pont d'un porte-avions. Elle semblait assez vaste pour accueillir un pique-nique tout en laissant encore de la place pour des appontages et le garage de deux Harrier. Cinq individus s'étaient regroupés près d'un bout et un homme aux cheveux en brosse brillants comme des copeaux d'acier sous l'éclairage fluo se détourna du tableau blanc sur lequel il venait d'inscrire son nom : Henry Towers.

« Mais que voyons-nous là ? » lança-t-il en indiquant une chaise vide à l'aide de son marqueur. « Est-ce un homme ou une bête ? »

Moore se fendit d'un sourire. La barbe et les cheveux suggéraient qu'il avait passé la nuit dans un conteneur. Mais il lui suffirait d'un petit rafraîchissement pour retrouver son image habituelle, et ce serait bien agréable d'avoir de nouveau les joues imberbes. Il tourna la tête. « Où est Polk ? On m'avait dit que le NCS devait diriger ce détachement.

– Polk est HS, c'est moi qui le remplace, l'informa Towers. Je pense que vous gagnez au change, les mecs.

– Et vous, qui êtes-vous ? » demanda Moore en contournant la table, une chemise dans une main, son café dans l'autre.

Towers lui adressa un sourire torve. « Vous lisez pas trop les journaux, hein ? »

Un Latino maigrichon qui devait être Ansara (si Moore se fiait au profil et à la photo qu'il avait consultés) se tourna vers lui et se mit à rire. « Relax, mec, il nous a fait à tous le même numéro. C'est un type cool. Il essaie juste de détendre un peu l'atmosphère.

– C'est vrai, ça, je suis cool, reprit Towers. Faut qu'on se lâche tous un peu ici, parce que la situation qui s'annonce va être tendue. Très tendue.

– Vous venez de quel service ? s'enquit Moore.

– Du BORTAC. Déjà entendu parler ? »

L'Unité tactique des gardes-frontières américains (US Border Patrol Tactical Unit) constituait le groupe spécialisé d'intervention à l'étranger du Service des douanes et de protection des frontières du ministère de la Sécurité intérieure. Les agents du BORTAC étaient déployés dans plus de vingt-huit pays pour répondre aux menaces terroristes de toutes sortes. Leur armement et leur équipement étaient comparables à ceux des SEAL, des forces spéciales de l'armée, du corps des marines, des forces de reconnaissance et autres unités d'opérations commando. Des unités du BORTAC travaillaient de concert avec des unités militaires en Irak et en Afghanistan pour leur prêter main-forte dans la recherche, la confiscation et la destruction de l'opium et autres drogues qui traversaient la frontière en contrebande. Ils s'étaient forgé une excellente réputation dans la communauté des services spéciaux et Moore avait à plusieurs reprises partagé des informations avec des agents du BORTAC qui avaient toujours fait montre du plus extrême professionnalisme.

L'unité avait été fondée en 1984, et en moins de trois ans, elle s'était déjà engagée dans les opérations antidrogues menées en Amérique du Sud entre les années 1987 et 1994. Les agents du BORTAC avaient pour tâche de participer au démantèlement de la culture, du traitement et du transport de la cocaïne dans une longue liste de pays, y compris le Guatémala, Panamà, la Colombie, l'Équateur et le Pérou. Ces agents travaillaient aux côtés de la brigade des stups et des unités de surveillance et d'interdiction de la gendarmerie maritime américaine.

Ces dernières années, le BORTAC avait élargi ses compétences pour inclure les opérations de secours tactique lors des cyclones, inondations, séismes et autres catastrophes naturelles. Ils fournissaient du personnel de soutien, du matériel d'assistance et assuraient la formation des unités locales de maintien de l'ordre.

Moore devait apprendre par la suite que Towers avait plus de vingt ans de service au BORTAC. Il avait été déployé à Los Angeles lors des émeutes qui avaient éclaté à la suite du procès de Rodney King[1]. Il avait également participé à l'opération *Réunion* au cours de laquelle le BORTAC avait investi une résidence à Miami pour récupérer un réfugié cubain, Elian González, et le restituer à son père à Cuba[2]. Après les attaques contre les tours jumelles, Towers avait été dépêché à l'étranger pour donner un coup de main aux forces spéciales lors des premières frappes en Afghanistan. Enfin, en 2002, il avait collaboré avec le service de protection de la présidence pour assurer la sécurité des installations olympiques lors des J.O. d'Hiver à Salt Lake City.

« Je dirige le secteur de San Diego, poursuivit Towers. Mais le commissaire adjoint m'a demandé de collaborer avec votre bande de gorilles pour cette opération. À mon humble avis, je conviens à la tâche uniquement parce que notre mission implique la recherche et le démantèlement du cartel de la

---

1. Citoyen noir-américain violemment passé à tabac par la police à la suite d'une interpellation routière en 1991. L'intégralité de la scène avait été filmée par un amateur. L'acquittement, l'année suivante, des policiers impliqués déclencha une vague d'émeutes.

2. En fait, toute une bataille juridique s'est déroulée en 1999 et 2000 pour savoir si le jeune garçon, alors âgé de six ans, et parvenu sur les côtes américaines sur une épave à la dérive, avait ou non droit au statut de réfugié politique.

drogue de Juárez et la mise en évidence de leurs relations avec des terroristes du Moyen-Orient, ce qui, dois-je vous le rappeler, est le domaine d'expertise de monsieur Moore.

– Présent et paré, *chef*, lança Moore avec un petit rictus ironique.

– Ah, je vois à présent que vous jouez le jeu, observa Towers avec un sourire sincère. Bienvenue au sein du Détachement spécial interservices Juárez. À ce qu'il se trouve, on m'a demandé de vous nommer chef des opérations sur le terrain. »

Moore rigola dans sa barbe. « Quel ivrogne décérébré est allé suggérer une idée pareille ?

– Votre patron. »

Ce qui suscita quelques rires autour de la table.

« Très bien, messieurs, un peu de sérieux, nous avons du pain sur la planche. Je me suis laissé dire que vous adoriez les présentations PowerPoint, alors j'en ai quelques-unes sous le coude. Le temps de les charger… »

Ansara bougonna et se tourna vers Moore. « Ravi de vous rencontrer. Ils n'ont pas mis grand-chose dans votre dossier.

– C'est toujours comme ça. Disons que je suis un brave espion, sans plus.

– Et ancien membre des commandos de marine.

– Avec l'aide de quelques copains.

– Vous avez fait du bon boulot là-bas, en Afghanistan et au Pakistan. Pas sûr que j'aurais tenu le coup plus de cinq minutes. »

Sourire de Moore. « Peut-être dix. »

Ansara était un super agent du FBI avec une tripotée de succès à son actif. Tout récemment encore, il avait effectué des missions de reconnaissance dans le parc national des Séquoias, où les cartels cultivaient la marijuana, pour y pister les *sicarios* qui avaient assassiné l'un de ses collègues. Il était, aux yeux de

Moore, un peu trop beau gosse, ça risquait de lui jouer des tours, mais son ton et son sourire avenant suggéraient qu'ils pourraient devenir amis.

Assise à ses côtés, se trouvait Gloria Vega, trente-deux ans, agent de la CIA comme Moore et travaillant de concert avec la police fédérale mexicaine. C'était une Hispanique sans chichis, large d'épaules, aux cheveux bruns ramenés en chignon serré. D'après plusieurs collègues de Moore, elle était à la fois appréciée et redoutée à cause de la difficulté de son travail et de son entier dévouement à celui-ci. Elle était célibataire, fille unique, sans parents vivants. L'Agence était toute sa vie. Point final. Son regard scrutateur à l'entrée de Moore n'était sans doute que le prélude à un interrogatoire. Que la police fédérale fût en cheville avec les cartels mexicains n'était pas un scoop ; qu'un agent de la CIA fût à leurs côtés était tout à la fois dangereux et instructif. Le NCS avait collaboré directement avec les responsables de la police fédérale pour instaurer une relation permettant à Vega d'avoir libre accès à leurs dossiers tout en protégeant son identité. En théorie, c'était parfait. Il n'empêche que Mme Vega se trouvait *de facto* plongée dans une fosse aux serpents et pour rien au monde Moore n'aurait voulu sa place.

L'homme assis en face d'elle était David Whittaker, un inspecteur au bureau des Alcools, tabacs, armes à feu et explosifs (l'ATF). Cheveux gris peignés en arrière, légèrement dégarni, petit bouc grisonnant, lunettes à monture métallique. Il portait un polo bleu frappé de l'insigne de son agence, et un badge négligemment pendu autour du cou. Il se leva de sa chaise pour tendre à Towers une clé USB qui contenait sans doute sa présentation PowerPoint personnelle. D'après son dossier, l'homme travaillait depuis plusieurs années sur les opérations de trafic d'armes des cartels, et tout récemment, il avait, pour traiter le problème, formé des équipes de dix hommes réparties dans sept villes frontalières. Les cartels recrutaient aux États-Unis des hommes de paille qui achetaient des armes à feu pour leur compte, puis qui payaient eux-mêmes des passeurs pour les transporter de l'autre côté de la frontière. Dans l'un de ses rapports, Whittaker notait que le cartel de Juárez avait constitué un réseau complexe basé (qui l'eût cru ?) dans le Minnesota pour chapeauter ce trafic d'armes vers le Mexique. Par suite du renforcement de la législation dans les États comme la Californie, le Texas et l'Arizona, les cartels avaient dû recourir à des mesures extrêmes, d'où leur choix de lieux géographiquement éloignés pour centraliser la contrebande. Les contacts de Whittaker le portaient également à croire que des armes de type militaire en provenance de Russie étaient distribuées en Amérique du Sud. Démanteler les réseaux de trafic d'armes des cartels s'avérait pour le moins aussi difficile, dangereux et frustrant que s'attaquer à leurs réseaux de trafic de drogue et le rapport de Whittaker se concluait sur une note inquiétante : il n'était pas du tout certain qu'on parvienne jamais à stopper les cartels, tout au plus à les retarder, les ralentir, les démanteler temporairement…

Moore croisa le regard de l'homme assis près du bout de la table ; malgré son nom – Thomas Fitzpatrick –, on aurait aisément pu le confondre avec un *sicario*. Son père était moitié irlandais, moitié guatémaltèque, sa mère mexicaine. Il était né et avait grandi aux États-Unis et avait été recruté par les stups dès sa sortie d'université. Dix-huit mois auparavant, on l'avait expédié au Mexique infiltrer le cartel de Juárez, mais il s'était trouvé qu'il était plus facile pour lui de pénétrer et infiltrer celui des Sinaloas dont il était devenu un membre à part entière. Il travaillait pour un certain Luis Torres qui n'était autre que le bras droit de Zúñiga et le chef de sa milice.

Fitzpatrick, dont les bras minces et musclés étaient recouverts de tatouages inspirés de l'imagerie catholique et dont le crâne était rasé, plissa les yeux et demanda, dans un espagnol fluide et rapide : « *¿ Qué pása, Moore ?* J'espère que ton espagnol est bon parce que ces gars te démasqueront en moins d'une seconde si tu n'as pas l'air réglo. Et pour être franc, ma couverture pour l'instant est plus importante que la tienne, alors t'as tout intérêt à te recycler et oublier tout ce que t'as appris sur les milieux terroristes. Parce que désormais, tu bosses chez les grands garçons. »

L'espagnol de Moore était excellent même s'il admettait volontiers des lacunes dans l'argot des cartels et des gangs. Il n'en répondit pas moins, en castillan : « Pas de souci, *vato*[1]. Je sais ce que je dois faire. »

Fitzpatrick – dont le surnom était Flexxx – se pencha au-dessus de la table, le poing fermé. Il portait à trois doigts de grosses bagues en or. Il cogna le poing avec Moore puis se rassit.

Gloria Vega lorgna Moore et lui demanda, toujours en espagnol : « Pris une douche, dernièrement ?

– Euh... ouais, mais... je n'ai pas encore récupéré du décalage horaire. »

Elle leva les yeux au ciel avant de se tourner vers l'écran qu'était en train de déployer Towers.

Moore contempla les clichés volés de deux jeunes Latinos.

« J'imagine que vous avez tous vu ceci ? commença Towers.

– Ouais », fit Moore en espérant prouver qu'il ne débarquait pas complètement. « Le mec sur la gauche est Dante Corrales. C'est le chef de la milice du gang. On l'appelle le Gentleman, si ma mémoire est bonne. Celui sur la droite est Pablo Gutiérrez.

---

1. « Mec » en espagnol du Mexique.

Il a tué un agent du FBI à Calexico. Monsieur Ansara aimerait bien lui mettre la main au collet.

– Tu ne sais pas à quel point », commenta l'intéressé, dans un sifflement de rage.

Towers acquiesça. « Notre ami Corrales est un jeune homme très doué mais il ne cesse de prendre les Sinaloas à rebrousse-poil. Nous ne pensons pas que ses supérieurs en soient ravis.

– Pourquoi ? » demanda Moore.

Towers se tourna vers Fitzpatrick qui se racla la gorge avant de répondre : « À cause des Escuadrones de la Muerte, les escadrons de la mort guatémaltèques. Ils ont repris du service après une coupure de deux ans. Dans l'intervalle, ils se sont réorganisés et liquident les membres des labos de méthamphétamine installés dans la capitale, ainsi que les exportateurs basés dans les ports de Puerto Barrios et de Santo Tomás de Castilla, sur la mer des Antilles. Ils ont également éliminé des membres du cartel installés dans les ports de San José et de Champerico, sur la côte Pacifique.

– Et laissez-moi deviner, ils ne s'en prennent qu'aux autres cartels. Celui de Juárez n'a pas été touché.

– Tout juste, confirma Towers. Donc, s'ils veulent terroriser les Sinaloas, pourquoi ne pas utiliser Los Buitres Justicieros ? C'est ainsi qu'ils baptisent leurs hommes de main les plus actifs : “les Vautours vengeurs”.

– Et nous pensons qu'au bas mot une douzaine de leurs membres se trouvent aujourd'hui à Juárez, précisa Fitzpatrick. Si les *sicarios* ordinaires sont déjà gratinés, ces gars-là sont carrément cinglés.

– Tout ça m'a l'air d'une poudrière, remarqua Moore.

– Torres et Zúñiga savent que ces gars zonent dans le secteur, et ça les inquiète, poursuivit Fitzpatrick. On évoque une nouvelle attaque contre les gars de Juárez mais l'essentiel pour Zúñiga est d'abord de se garantir l'accès à un tunnel et il n'a pas envie de payer au cartel de Juárez le droit d'exploiter un des leurs.

– Pourquoi ne pas en faire creuser un de son côté ? » s'étonna Vega.

Fitzpatrick ricana. « Il a essayé. Et chaque fois Corrales et ses gars ont fait une descente et tué tout le monde. Ils disposent de bien plus de fonds que nous. Ils ont des guetteurs un peu partout. Un vrai réseau. Corrales a par ailleurs soudoyé la plupart des entrepreneurs du coin, si bien que pas un ne voudra travailler pour Zúñiga. L'autre salaud a verrouillé tout le secteur. »

Towers indiqua l'un des clichés. « Très bien. Notre problème est celui-ci. Corrales est, pour l'heure, le plus haut responsable du cartel que nous ayons identifié, et dans le cas présent, la bonne vieille maxime s'applique : si l'on peut identifier et éliminer son chef, le cartel tombe dans la plupart des cas. Ce sont des réseaux complexes et ils ne sont pas dirigés par des imbéciles. J'oserais même dire qu'il faut dans certains cas de vrais petits génies. Qui que soit notre bonhomme, il s'est super bien camouflé et son organisation est devenue le cartel le plus agressif de tout le Mexique.

– Des personnalités dans le coup ? demanda Moore.

– Pas des masses, répondit Towers. On a enquêté sur le maire, le chef de la police, et même le gouverneur. On sait que les types moins instruits comme Zúñiga se font mousser, ça satisfait leur ego, mais ce gars est extrêmement bien protégé. »

Towers fit apparaître un diagramme en couleurs représentant les multiples facettes du cartel. Il poursuivit : « Tout cela pour dire que notre préoccupation première est d'identifier les liens éventuels entre le cartel de Juárez et des terroristes afghans ou pakistanais, avec les labos de synthèse de cristal et de coke en Colombie et au Guatémala, et enfin, de confirmer leur implication avec les réseaux de contrebande d'armes aux États-Unis. Nous devons également tâcher d'identifier leurs contacts éventuels avec les forces de police locale et fédérale. Ça, c'est la phase un. La phase deux est simple : on les élimine. »

Ansara hocha la tête. « On a déjà des masses de boulot. Et ça, je déteste.

– Question, intervint Moore. Zúñiga a-t-il été ouvertement approché pour qu'il nous file un coup de main dans l'élimination des gars de Juárez ? Peut-être qu'il sait qui dirige l'opération.

– Ouah, une seconde, l'ami », intervint Towers en levant la main. « Vous évoquez rien moins que l'implication du gouvernement des États-Unis avec un cartel de la drogue mexicain.

– Tout à fait, confirma Moore.

– Ça me paraît de la routine, lança Vega. Fricoter avec un démon pour en éliminer un autre.

– Crois-je déceler l'ombre d'un sarcasme ? observa Moore.

– Monsieur sait détecter les évidences. Mais en effet, tu as raison. Ça ne m'emballe pas plus que ça.

– Ma foi, ce n'est peut-être pas joli-joli mais ça marche.

– Je dois supposer qu'on n'aura pas le feu vert d'en haut pour une telle opération, remarqua Towers. Vous devrez vous débrouiller pour recruter des informateurs dans chaque camp, mais je vous avertis, en général ces types ne survivent pas très longtemps. »

Moore opina. « J'ai deux-trois idées. Et Fitzpatrick, je veux que t'ouvres tout grand tes oreilles. Au moindre signe d'activité au Moyen-Orient, chez les Arabes, tout ce que tu voudras, je veux en être informé.

– Rien pour l'instant, mais t'as pigé le topo. Et si tu as lu mon rapport, tu sais déjà que je n'ai pas encore rencontré

Zúñiga, donc, je ne peux pas te dire s'il sait qui dirige le cartel. J'ai posé la question à Luis, mais il l'ignore.

– OK », répondit Moore.

Comme Fitzpatrick avait déjà fait un excellent boulot de pénétration et de reconnaissance du cartel de Sinaloa, il prit la parole durant quelques minutes pour en décrire les rouages, évaluer les forces et pointer son désir de prendre la place de celui de Juárez et de récupérer son emprise sur les meilleures zones de passage à la frontière. Mais ces informations étaient déjà mentionnées dans son rapport et il ne put s'empêcher de les enjoliver un brin.

« Monsieur Moore, nous ne savons pas grand-chose de vos activités au Pakistan », remarqua Towers après que Fitzpatrick se fut rassis. « On nous a donné le dossier de Tito Llamas, le gars qu'on a retrouvé dans une malle au Pakistan.

– Je l'ai vu, répondit Moore. C'est notre premier lien. Le cartel achète de plus grandes quantités d'opium en Afghanistan, mais nous ne savons pas trop pourquoi ils y ont envoyé Llamas. Sa mort aurait pu créer un accroc dans leurs relations.

– Espérons-le.

– J'ai du mal à imaginer un cartel, quel qu'il soit, disposé à laisser des terroristes traverser la frontière pour entrer aux États-Unis, observa Vega. Pourquoi laisser tuer vos meilleurs clients et risquer de surcroît des représailles massives des Américains ?

– Et Zúñiga, dans cette histoire ? » Moore s'était tourné vers Fitzpatrick. « Tu penses qu'il voudrait aider des talibans à passer la frontière, rien que pour emmerder le cartel de Juárez ?

– Inconcevable. D'après ce qu'a dit Luis, le topo a été discuté en long et en large. Je pense qu'aucun membre d'un cartel n'aiderait des terroristes connus ou serait leur complice. Il faut que ce soit un groupe dissident, indépendant, des gars réunis juste pour faire un gros coup. Un truc comme ça. Mais les cartels encadrent de près ces passeurs. En général, il leur est impossible d'agir à leur insu.

– Bon, dans ce cas, je peux rentrer chez moi, observa Moore avec un léger sourire. Parce que les cartels protègent nos frontières des menaces terroristes, pour nous permettre de continuer d'acheter tranquillement leur drogue.

– Hé, on se calme, l'ami, dit Towers, amusé malgré tout par cette ironie. Donc, les cartels ne seraient peut-être pas si disposés à les aider, mais les talibans ou Al-Qaïda pourraient entrer de force. »

Fitzpatrick manifesta par un soupir sa frustration. « Tout ce que je peux dire, c'est qu'ils ont intérêt à venir munis de gros calibres… parce que chaque fois que les gars de Sinaloa se frottent à ceux de Juárez, ils perdent à tous les coups.

– Ne vous bercez pas trop d'illusions. Les terroristes sont déjà dans la place. Ils sont tout autour de nous. Des cellules dormantes qui n'attendent que leur heure pour frapper, riposta Vega.

– Elle a raison, renchérit Fitzpatrick.

– Ô, joie ineffable, commenta Moore en bougonnant.

– Bon, très bien, les gars, on va procéder dans l'ordre. Je peux faire appel à de gros moyens si nécessaire ; sinon, notre taille et notre envergure limitées peuvent nous donner l'avantage. Ansara, on va te mettre sur Calexico. Vois si tu peux nous recruter quelques mules. Pas plus tard que la semaine dernière, des agents ont confisqué à la frontière pour près d'un million de dollars de coke et de marijuana. Le cartel avait planqué la came dans un compartiment dissimulé à l'intérieur du tableau de bord, sans doute un des dispositifs les plus complexes qu'on ait jamais vu. Il fallait une télécommande et un code d'accès pour ouvrir la trappe secrète. Un truc assez incroyable. Ils avaient même emballé les drogues sous des tartines de sauce pimentée pour déjouer le flair des chiens. C'est vous dire le niveau de subtilité auquel nous sommes confrontés. Vega, tu creuses en profondeur. Tu connais la chanson. Flexxx, tu retournes simplement auprès de Zúñiga. Whittaker, tu repars dans le Minnesota. Ça ne nous laisse que vous, monsieur Moore. »

Sourire de l'intéressé. « Eh bien, on remballe. Prochain arrêt : le Mexique. »

12

ALLIÉS ET ENNEMIS

Aéroport de Paris-Charles-de-Gaulle
Terminal 1

AHMAD LEGHARI était un taliban du Pendjab et il était censé rencontrer le mollah Abdul Samad en Colombie. Leghari, vingt-six ans, était vêtu d'un pantalon classique, d'une chemise de soie et d'un veston. Il n'avait sur lui qu'un sac à dos et avait déjà fait contrôler son unique valise. Rien de suspect dans ses bagages. Ses papiers étaient en règle et jusqu'ici, personne ne l'avait ennuyé. La femme au guichet d'embarquement s'était même montrée aimable et avait toléré son français rudimentaire, alors qu'on l'avait mis en garde contre la réputation de grossièreté de ces employés toujours débordés. De plus, il n'y avait aucune raison d'imaginer qu'il fût sur la liste américaine des individus interdits de vol. De ce côté, sa confiance était justifiée. La liste de près de neuf mille noms était ouvertement critiquée, considérée comme ruineuse, truffée de faux positifs, et de toute manière facile à déjouer. De nombreux enfants, beaucoup de moins de cinq ans et même un nourrisson, y apparaissaient. À contrario, cette liste n'avait pas permis de détecter à temps Oumar Farouk Abdulmutallab, le terroriste porteur de la bombe du vol NWA 253, ou Faisal Shahzad, celui de la voiture piégée de Times Square. Le faux positif le plus notable était feu le sénateur Edward « Ted » Kennedy.

La mention sur la liste d'un « T. Kennedy » lui avait causé quantité de problèmes (et provoqué maintes irritations) lorsqu'il prenait l'avion. Le fait que « Ted » fût seulement un surnom et pas son prénom pour l'état-civil semblait n'avoir aucune importance. Kennedy avait finalement eu gain de cause en s'adressant directement au directeur de la Sécurité intérieure, une option guère envisageable par un citoyen lambda, fait que le sénateur s'était empressé de noter publiquement.

Le nombre exact de personnes consignées sur la liste était censé rester un secret bien gardé, avec juste quelques bribes d'informations révélées lors des auditions du Congrès. Les talibans avaient cependant réussi à analyser de manière efficace par quels rouages certains des leurs finissaient sur ladite liste. Une première étape pouvait être la collecte d'informations par un espion ou un policier, transmises ensuite au centre national de lutte antiterroriste situé en Virginie et surnommé « Liberty Crossing », où le nom de l'individu était consigné dans une base de données baptisée TIDE, acronyme pour Terrorist Identities Datamart Environment. Cette information était corrélée avec d'autres pour tenter de recueillir des noms et identités supplémentaires. En cas de succès, les renseignements étaient alors transmis au centre de dépistage des terroristes – également situé en Virginie – pour un complément d'analyse. Chaque jour, plus de trois cents noms étaient adressés au centre. Si à ce point, les données collectées sur un suspect soulevaient un « doute raisonnable », il pouvait se retrouver sur la liste de terroristes dressée par le FBI et consultée par les personnels de sécurité des aéroports pour demander un contrôle renforcé de certains voyageurs – mais à ce moment, il pouvait malgré tout encore prendre l'avion. Les talibans avaient en effet découvert que pour qu'un individu soit versé sur la liste des interdits de vol, les autorités devaient disposer de son identité complète, de son âge et pouvoir attester qu'il constituait une menace tangible pour l'aviation ou pour la sécurité nationale. Même si les talibans ne pouvaient le confirmer, ils avaient entendu dire que la décision ultime d'inscription sur la liste revenait à six administrateurs de la TSA, l'Administration de la sécurité des transports. Et même en étant portés sur la liste, certains suspects avaient encore l'autorisation de voler sous escorte, et à moins d'être recherchés pour un crime particulier, nombre d'inscrits sur la liste qui tentaient malgré tout de prendre un avion étaient simplement interpellés à l'embarquement, placés en quarantaine, interrogés et en fin de compte libérés.

Les suspects pouvaient également être placés sur la « liste particulière », qui les orientait d'office vers des mesures de contrôle renforcées, s'ils remplissaient certains critères comme d'avoir réservé un aller simple, réglé leur billet en espèces, procédé à une réservation le jour même du vol, ou d'être démuni de pièces d'identité.

Leghari s'entraînait pour ce voyage depuis près de neuf mois ; il avait mémorisé la disposition des lieux, envisagé ce qu'on lui dirait et comment il devrait réagir. Il avait passé la majeure partie de son existence à Dera Ghazi Khan, une bourgade déshéritée située à la frontière du Pendjab, une région abritant un nombre grandissant d'écoles coraniques fondamentalistes.

Ses parents étaient des anciens combattants de l'insurrection (téléguidée par le pouvoir) contre les forces indiennes au Cachemire jusqu'à ce que les pressions américaines contraignent le Président de l'époque, Pervez Musharraf, à retirer son soutien à ces groupes pendjabis. Ses parents avaient alors été contraints de fuir vers les zones tribales, où ils avaient renforcé leurs liens avec les talibans et Al-Qaïda. Leghari s'était alors retrouvé seul, sans personne de sa famille.

C'est ce fait qui – plus que toute autre chose – avait conduit le jeune garçon aigri à se tourner vers la *madrasa* locale dirigée par Mohammed Ismaïl Gul, en fait un centre de recrutement pour le groupe taliban interdit des Lashkar-e-Jhangvi.

Leghari inspira un grand coup et pénétra dans le box hexagonal abritant le scanner corporel millimétrique. Depuis plusieurs mois déjà, l'aéroport testait cette technologie controversée sur tous les passagers des vols à destination des États-Unis, mais il avait récemment élargi son champ d'utilisation. On demanda à Leghari de lever les bras tandis que des plaques mobiles s'avançaient devant et derrière lui pour émettre simultanément des ondes radio à extrême haute fréquence. L'énergie réfléchie produisait une image interprétée par les membres de la sécurité. Bien entendu, il s'était bien gardé de porter sur lui des liquides ou des objets pointus ou tout autre élément susceptible de déclencher l'alarme.

Toutefois, alors qu'il s'engageait dans un corridor de verre et d'acier poli en suivant les flèches jaunes, il se vit accosté par deux hommes en uniforme bleu marine, accompagnés d'une employée du comptoir d'enregistrement, tout sourires.

« Est-ce lui ? lui demandèrent-ils en anglais.

– *Oui* », répondit-elle en français.

Le plus grand des deux officiers lui dit alors une phrase qu'Ahmad ne comprit pas vraiment mais quelques mots suffirent à le glacer : *Douanes américaines* et *Services de l'immigration et de la protection des frontières*. L'un des hommes portait sur son uniforme un brassard avec le drapeau américain.

Il recula d'un pas et déglutit. La sécurité américaine, ici ? Ses mentors n'avaient pas envisagé cette hypothèse.

Soudain, il s'arrêta de respirer.

Ils s'adressèrent à lui de nouveau, plus lentement, et la femme lui expliqua en français qu'il allait devoir suivre ces messieurs.

Ahmad en resta bouche bée. Et puis, sans réfléchir, sans crier gare, il détala. Droit devant lui. Vers le bout du couloir. Les types lui crièrent dessus. Il ne se retourna pas.

Tout en zigzaguant entre les voyageurs traînant leur valise à roulettes ou portant en équilibre instable leur gobelet de café, il se défit de son sac à dos qui le lestait. Il l'abandonna sur place et courut de plus belle.

Les hommes lui criaient toujours dessus.

Il ne s'arrêta pas. Impossible. Il parvint à une intersection, prit à droite et une sirène se mit à beugler dans le terminal tandis que des voix crépitaient dans la sono.

Puis enfin une voix masculine ordonna, en français, aux voyageurs de rester devant les portes d'embarquement.

Devant lui, la voie était barrée par une rangée de portes vitrées mais, au-delà, il avisa une zone d'entretien où s'alignaient sagement des chariots à bagages. Une pancarte indiquait que l'accès était réservé. Peu lui importait.

Sortir. Il devait sortir.

C'est alors qu'il faillit percuter de plein fouet un agent de sécurité de l'aérogare. Il essaya de contourner cet individu corpulent mais ce dernier le plaqua ; Ahmad s'étala au sol et aussitôt chercha à tâtons l'arme du vigile. Il mit la main dessus, se tortilla pour se libérer et tira deux coups de feu dans la poitrine de son agresseur. Il se releva d'un bond ; autour de lui, les gens s'écartaient en hurlant, le bruit des détonations résonnait encore, tandis que les Américains derrière lui continuaient à hurler – puis il y eut comme un crépitement de pétards…

Une douleur fulgurante lui poinçonna le dos et le jeta de nouveau à terre. Soudain, il se mit à suffoquer – étouffé par son propre sang, comprit-il. Il roula sur le dos, s'imagina tombant dans les bras ouverts de mille vierges. *Allahu Akbar !*

Ils le rejoignirent, continuant de hurler, les visages des Américains étaient pareils à des masques hideux, et ils pointaient sur lui leurs armes, tandis que le monde autour de lui s'assombrissait peu à peu.

Maison dans la jungle
Nord-ouest de Bogotà
Colombie

Samad essuya son front trempé de sueur et quitta des yeux l'ordinateur portable sur lequel il venait de regarder, retransmis par le site d'Al-Jazeera, le reportage vidéo de la fusillade à Paris-Charles-de-Gaulle.

Sur les quinze talibans partis pour la Colombie, chacun par un itinéraire différent, un seul avait été pris – comme de juste, le plus jeune et le plus inexpérimenté. Ahmad Leghari ne s'était pas rendu compte que les Américains n'avaient aucune autorité pour l'arrêter à Paris. Ils n'étaient sur place qu'en capacité de conseillers. Ses papiers et son passeport étaient irréprochables. Il aurait été détenu, interrogé et plus que probablement libéré. Au lieu de cela, il avait paniqué. La question demeurait toutefois de savoir comment on avait pu l'identifier. Une fois encore, les Américains payaient grassement des paysans pour espionner les activités des talibans et Samad devait supposer que c'était ce qui avait dû se passer. Il ne put que pousser un gros soupir et hocher la tête à l'adresse de Niazi et Talwar, tous deux assis en face de lui à siroter leur petite bouteille de Pepsi – puisque leur hôte, ce barbare, n'avait même pas de thé.

Tout en buvant son soda, Samad entendit les paroles du mollah Omar Rahmani résonner dans sa tête : « *Tu les dirigeras. Tu ramèneras le djihâd sur le sol des États-Unis et pour ce faire, tu devras utiliser les contacts noués avec les Mexicains. As-tu compris ?* »

Samad ne put que fusiller du regard le gros porc qui entra dans la maison, un cigare éteint collé aux lèvres. Si Juan Ramón Ballesteros avait pris un bain depuis moins d'une semaine, il aurait fallu un constat d'huissier. Il ôta le cigare, caressa sa barbe argentée et dit, en espagnol : « Je vous aiderai à gagner le Mexique mais le sous-marin ne sera pas disponible.

– Quoi ? s'emporta Samad qui profita de l'occasion pour dérouiller son espagnol. On nous avait promis et on vous avait payé grassement pour ça.

– Je suis désolé mais nous avons dû prendre d'autres dispositions. Le sous-marin sera déjà en surcharge avec ma production, et la vôtre, et les deux autres engins sont en cours de maintenance. Quand nous avions conclu cet accord, j'ai bien pris soin d'informer Rahmani qu'une fois l'opium sur le sol de Colombie, je prenais la responsabilité du convoyage. Vous aurez de bien meilleures chances de succès en procédant ainsi. Avez-vous compris ? »

Samad grinça des dents. Leur coopération était sans précédent mais c'était une idée de génie, à en croire les membres du cartel de Juárez. Au lieu, par l'importation d'opium en contrebande, de se retrouver en concurrence avec la cocaïne de Ballesteros, pourquoi ne pas conclure un partenariat et coupler les livraisons pour rentabiliser celles-ci et les accélérer ? Le cartel de Juárez récompenserait les deux organisations en leur réglant des primes. C'était une collaboration unique, inédite, et espéraient-ils, totalement imprévisible par les Américains. Ballesteros avait déjà établi une douzaine d'itinéraires de contrebande par la terre, la mer ou la voie des airs, Rahmani avait reconnu la sagesse de la méthode et il était prêt à payer pour ouvrir ces routes à ses propres convoyeurs.

« Le reste de mon groupe ne va pas tarder, annonça Samad à Ballesteros. Comment comptez-vous nous faire entrer au Mexique ? À pied ?

– Je suis en train de chercher un avion qui vous transportera jusqu'au Costa Rica. Mais ne vous faites pas de souci. Nous devons bientôt nous rendre à Bogotà. Peut-être demain. Bon, écoutez, accordons-nous au moins sur le fait qu'on est loin de filer le parfait amour, mais notre employeur nous a payés grassement pour ça, alors autant se montrer tolérants.

– Entendu.

– Vous devrez également promettre de ne dire à personne comment je vous ai aidés à planifier votre voyage. Pas même à notre employeur. Vous n'en parlez à personne.

– Je n'ai aucune raison d'en discuter avec quiconque d'autre que vous », mentit Samad. Il savait déjà que le chef du cartel de Juárez pourrait les aider, lui et ses hommes, à pénétrer sans risque sur le territoire des États-Unis, et il avait bien l'intention d'en profiter. Certes, Ballesteros le Porc pourrait l'aider à entrer au Mexique, mais une fois rendu là-bas, il serait difficile de traverser la frontière sans aide.

Ballesteros se tourna vers la porte et pesta contre la chaleur.

C'est à ce moment qu'éclata une fusillade, criblant les murs et les fenêtres, pulvérisant les vitres ; il y eut des cris dehors, et d'autres coups de feu retentirent en riposte.

Samad se jeta au sol avec ses lieutenants et Ballesteros les rejoignit à son tour, indemne, mais grimaçant, alors qu'une nouvelle salve transperçait les murs, faisant éclater le bois et projetant de la poussière au plafond.

« Qu'est-ce qui se passe ? s'écria Samad.

– On a tous nos ennemis », bougonna Ballesteros.

Hôtel Serena
Islamabad, Pakistan

Israr Rana n'avait pas été trop emballé à l'idée de se faire recruter par la CIA. Il avait fallu à Moore près de trois mois pour finir par le convaincre que non seulement cette activité serait pour lui passionnante et lucrative, mais aussi que Rana travaillerait ainsi pour l'intérêt supérieur de son pays en contribuant à sa sécurité. Fréquenter l'université était censé être sa priorité, mais comme Rana avait été formé par Moore et missionné pour recueillir des informations, il trouvait de fait ce travail très excitant. Il avait vu tous les *James Bond* – il connaissait même par cœur une partie des dialogues dont il émaillait parfois ses conversations avec Moore, au grand désespoir de ce dernier. En fait, Rana avait perfectionné son anglais par le truchement du cinéma américain. Hélas, ses riches parents n'auraient jamais, au grand jamais, l'occasion de donner leur approbation à ce genre de travail, aussi comptait-il s'amuser un peu en attendant – jusqu'à ce que l'ennui le gagne. Certes, Moore aurait pu recourir à d'autres moyens pour le recruter – des méthodes plus discutables, comme la corruption, l'Américain lui avait même décrit la procédure – mais il avait ajouté aussitôt qu'il privilégiait une relation fondée sur la confiance réciproque et Rana s'en montrait si ravi qu'il redoublait d'efforts pour apporter des renseignements à son ami et mentor.

Pour l'heure, il était tapi dans un fossé au milieu de la pente dominant l'hôtel et son pouls s'accéléra tandis qu'il pianotait ce texto pour Moore :

AI LOCALISÉ GALLAGHER. HÔTEL SERENA. ISLAMABAD.

Rana était sur le point de dire à Moore que leur cher collègue était tout aussi mouillé qu'eux. Gallagher travaillait désormais avec des lieutenants talibans bien connus ; il en avait même déjà rencontré plusieurs à son hôtel. Rana songea qu'il pouvait fort bien avoir tué la famille de Khodaï – alors même qu'il était chargé de les protéger. Tout homme avait son prix et le taliban avait trouvé celui de Gallagher.

Rana ne les entendit pas venir par-derrière. Une main lui arracha son téléphone et au moment où il se retournait, une massue s'abattit et le plongea dans l'inconscience.

La tête pendante, Rana sentit une douleur lancinante émaner de sa nuque pour venir lui traverser le visage.

Il ouvrit les yeux et ne découvrit qu'un rideau granuleux vert et bleu, puis soudain une lumière vive l'aveugla.

« Tu es le traître qui travaille pour les Américains, hein ? »

L'homme qui venait de poser la question était tout proche, même si Rana ne pouvait toujours pas le distinguer. Il y voyait toujours flou et il semblait incapable de relever ou d'orienter la tête.

À en juger au son de la voix, cependant, l'homme était jeune, pas plus de trente ans ; sans doute un des lieutenants que Rana avait pu observer.

« Je suis désolé, mon pauvre garçon », dit une autre voix. Celle-ci bien reconnaissable : Gallagher. L'accent était caractéristique.

Et maintenant, Rana ne pouvait s'empêcher de vouloir parler mais ses lèvres étaient engourdies. « Qu'est-ce que tu fais avec eux ?

– C'est Moore qui t'a envoyé à mes trousses ? Il ne pouvait pas se dépatouiller tout seul. T'es un gentil garçon.

– S'il vous plaît, relâchez-moi. »

Une main tomba sur sa joue et il réussit enfin à trouver l'énergie de relever la tête pour regarder. Le visage ratatiné de Gallagher ne cessait de passer du net au flou et Rana s'aperçut qu'ils n'étaient pas dans une chambre d'hôtel mais dans une caverne quelque part, peut-être la zone tribale de Bajaur, au nord-ouest de l'établissement. Quant au patchwork de vert et de bleu aperçu un peu plus tôt, c'étaient la tunique et le pantalon de Gallagher.

« Très bien, on va te relâcher, mais tout d'abord, on va te poser quelques questions sur tes activités récentes et sur les informations recueillies par Moore au Pakistan. Est-ce que tu comprends ? Si tu es coopératif, tu seras libre. On ne te fera pas de mal. »

Rana souhaitait y croire de tout son être mais Moore l'avait prévenu que c'était précisément ce qu'ils lui diraient si jamais ils le capturaient. Ils lui assureraient la liberté, le feraient parler, puis ils le tueraient une fois appris ce qu'ils désiraient savoir.

Rana se rendit compte avec un frisson qu'il était déjà un homme mort.

Et si jeune, en plus. Sans même avoir terminé ses études. Encore célibataire. Sans enfants. Toute une vie qui l'attendait... mais qui lui était à tout jamais interdite.

Ses parents auraient le cœur brisé.

Il serra les dents, se mit à haleter.

« Rana, facilite-nous la tâche », dit Gallagher.

Il inspira un bon coup et s'adressa à Gallagher en anglais, recourant aux mots mêmes que lui avait enseignés Moore : « Va te faire foutre, Gallagher, espèce de putain de traître. Tu vas me tuer de toute façon, alors qu'on en finisse, sale connard.

– Ah, on fait le bravache, à présent, mais la torture sera longue et terrible. Et ton ami, ton héros, monsieur Moore, t'a bien laissé tomber. Tu comptes rester fidèle à quelqu'un qui t'a abandonné ? Je veux que tu y réfléchisses, Rana. Que tu y réfléchisses très soigneusement. »

Rana savait que Moore n'avait pas quitté le Pakistan délibérément. On l'avait rappelé et c'était dans la nature de son boulot d'espion. Il l'avait évoqué à plusieurs reprises et lui avait expliqué que d'autres agents seraient susceptibles de le contacter, et que sa relation avec l'Agence demeurait primordiale.

Mais Rana n'était pas certain de pouvoir endurer la torture. Il les imaginait lui trancher les doigts et les orteils, le brancher à une gégène, lui arracher les dents. Il les imaginait le découper en pièces, le brûler, l'énucléer, le faire mordre par des serpents. Il se voyait gisant dans la poussière, taillé en pièces comme un agneau, et laissé mourir dans le froid, baignant dans son sang.

Il tira sur les liens autour de ses chevilles et de ses poignets.

La vision lui revint. Gallagher se tenait toujours devant lui, flanqué en retrait de deux lieutenants talibans. L'un d'eux tenait un grand couteau, l'autre était appuyé sur un tuyau en métal qui lui servait de matraque.

« Regarde-moi, Rana, dit Gallagher. Je te le promets, si tu nous dis ce que nous voulons savoir, on te laisse partir.

– Me crois-tu assez stupide ? »

Gallagher eut un mouvement de recul. « Me crois-tu si impitoyable ?

– Va te faire foutre.

– Très bien, dans ce cas. Je suis désolé. (Il lança un regard à ses acolytes.) Tu vas pleurer comme un bébé et tu nous diras tout ce que nous désirons savoir. » Gallagher fit signe au type muni d'un couteau. « Tranche ses liens. On va commencer par ses pieds. »

Rana trembla. Retint son souffle. Et oui, il pleurait maintenant comme un bébé.

La panique l'envahit par bouffées. Peut-être que s'il parlait, s'il leur disait tout, ils le libéreraient. Non, sûrement pas. Quoique ? Il ne savait plus que croire. Il tremblait tant qu'il était près de vomir. Il hurla :

« OK, OK, je vais vous aider ! »

Gallagher se pencha et lui adressa un sourire mauvais. « On savait bien que tu le ferais… »

13

MA PLACE EST ICI

Hôtel Bonita Real
Juárez, Mexique

TOUS LES GADGETS ÉLECTRONIQUES de la planète ne remplaceraient jamais la bonne vieille méthode de collecte de renseignements sur le terrain. Moore se faisait souvent la réflexion que c'était cela qui l'avait nourri tout au long de ces années. Le jour où les ingénieurs inventeraient un androïde capable de le remplacer, il serait alors contraint de rendre sa cagoule et de crier joker – car, à son humble avis, ce serait le présage imminent de la fin du monde, désormais remplacé par le pouvoir des machines. Un des thèmes éculés de la science-fiction serait devenu réalité et Moore regarderait tout cela en simple spectateur, installé aux premières loges avec, il fallait l'espérer, un hot-dog dans une main et une bière dans l'autre.

Il continuait néanmoins de s'extasier devant les prodiges des données puissamment cryptées qu'il pouvait capter sur son smartphone. En cet instant, il était en train de visionner en direct des images de l'hôtel transmises par satellite, ce qui lui permettait de surveiller les allées et venues, tout en restant douillettement calé dans son lit, les pieds relevés, une chaîne d'infos gazouillant doucement en bruit de fond le journal du matin. Les satellites utilisés pour lui transmettre ces données dépendaient du Service national de reconnaissance (exploité par des personnels du ministère de la Défense et de la CIA), et croisaient en orbite basse pour optimiser leur résolution. Ces satellites se relayaient toutes les quelques minutes pour assurer un flux continu d'informations, grâce à un système complexe de transfert de données.

Parallèlement, il recevait sous forme de texte les alertes émises par les analystes qui observaient ces mêmes images simultanément et pouvaient ainsi attirer son attention sur tel ou tel détail. Une autre fenêtre affichait les coordonnées GPS de tous les autres membres de la cellule de crise, et une dernière montrait d'autres photos de cibles potentielles, tel le ranch du patron du cartel de Zúñiga. De fait, il avait là le résultat d'une campagne de surveillance tous azimuts organisée par un troupeau de geeks en train de siroter leur gobelet de café-crème à l'autre bout du monde.

Moore était descendu dans l'hôtel appartenant à Dante Corrales (désigné par Towers comme le plus important membre du cartel déjà identifié par les autorités). Comme tout bon trafiquant de drogue, Corrales avait entrepris de se dissimuler derrière un vaste réseau d'entreprises légales, mais même ces multiples paravents n'empêchaient pas les erreurs, le blanchiment d'argent sale, et les braves bougres employés à ces activités honnêtes se retrouveraient soit impliqués dans ses crimes, soit tout bonnement licenciés s'il devait être arrêté.

Toutefois, ce ne serait pas pour demain. Il leur faudrait tout d'abord le débusquer pour identifier avec certitude le big boss et il semblait que Corrales fût la cible idéale pour ce faire.

La bio qu'ils détenaient était fragmentaire, glanée à partir d'informateurs sur le trottoir et des quelques documents personnels qu'ils avaient pu obtenir. Que ses parents eussent trouvé la mort dans l'incendie d'un hôtel et que lui-même eût décidé d'en acheter un n'était pas inintéressant. Sa prétention démesurée était un atout pour l'Agence, qu'elle comptait bien exploiter. Son penchant pour les voitures tape-à-l'œil et les fringues voyantes le rendait ridiculement facile à repérer. Le gars avait sans doute une affiche de *Scarface* punaisée au-dessus de son lit et, sous certains côtés, il ressemblait au Moore post-adolescent – combatif, bravache, tête en l'air.

Moore se leva, reposa le téléphone, enfila un polo et un pantalon de bonne coupe. Il était passé chez le coiffeur, avait noué ses cheveux en queue de cheval, et sa barbe taillée de près était bien loin du bavoir hirsute qu'il avait exhibé au Pakistan et en Afghanistan. Il avait décidé de porter un faux brillant en boucle d'oreille, pour la frime. Il saisit une mallette en cuir et se dirigea vers la porte. Sa montre Breitling Chronomat indiquait 9 h 21.

Il prit l'ascenseur jusqu'au rez-de-chaussée et le réceptionniste dont le badge indiquait qu'il se prénommait *Ignacio* le salua courtoisement.

Derrière lui se tenait une jeune femme absolument renversante, longs cheveux, regard de vamp. Elle portait une robe brun et argent, un crucifix en or pendait entre ses seins. Seins siliconés mais sans la démesure ridicule des outres qu'exhibaient les stars du porno.

Moore sortit son smartphone, s'arrêta, fit mine de consulter un mail, et prit en douce un cliché de la femme.

Il fronça les sourcils, glissa sur une autre page, releva la tête. La femme lui adressa un sourire fugace, qu'il lui rendit, avant de sortir récupérer sa voiture de location. Une fois à bord, il transmit le cliché aux gars de Langley.

Un quart d'heure plus tard, il rencontrait l'agent immobilier à l'autre bout de la ville, mais pas sans être passé devant une petite taverne près de laquelle étaient garées plusieurs voitures de police, tandis que des flics sortaient de l'établissement avec des types menottés. Une descente matinale à Juárez, on aurait tout vu.

L'agent immobilier se révéla être une femme obèse et moustachue arborant une ombre à paupières bleu vif. Elle réussit tout juste à s'extraire d'un coupé Kia rouillé et crasseux avant de lui secouer vigoureusement la main. « Je dois être franche avec vous, monsieur Howard, ces propriétés sont sur le marché depuis plus de deux ans et n'ont toujours pas trouvé acquéreur. »

Moore, alias M. Scott Howard, se recula un peu pour embrasser du regard deux vieilles usines installées côte à côte sur dix hectares de terrain désert et poussiéreux ; quant aux bâtiments proprement dits, ils paraissaient avoir essuyé plusieurs tornades, avec leurs vitres brisées et leurs murs lézardés et couverts de graffitis. Si l'on y ajoutait la grisaille générale qui semblait s'étendre par-delà la clôture grillagée défoncée, Moore ne put s'empêcher de faire la grimace. Il prit toutefois plusieurs clichés avec son téléphone. Puis, avec un large sourire de façade, il lança : « Madame García, je suis ravi que vous m'ayez présenté ces bâtiments. Comme je vous l'ai dit au téléphone, nous recherchons des propriétés dans tout le Mexique pour y installer nos usines d'assemblage de panneaux solaires. La fabrication aura lieu ici tandis que l'administration, la recherche et les entrepôts demeureront à San Diego et El Paso. Je suis justement à la recherche de terrains exactement comme celui-ci, pourvus d'un excellent accès aux grandes routes. »

Moore évoquait tout bonnement une opération surnommée *maquiladora*, par référence à un programme américano-mexicain permettant une réduction des droits de douane sur les biens assemblés au Mexique. C'est proprement par milliers que de telles maquiladoras opéraient de chaque côté de la frontière.

En fait, Moore avait dîné avec un vieux pote du temps des commandos qui était parti travailler chez General Instruments, une boîte de télécoms. Le type était devenu le directeur général des maquiladoras de l'entreprise ; or, quand il lui avait fallu importer au Mexique des matières premières en provenance des États-Unis, il était tombé sur un os. Celles-ci devaient en effet obligatoirement provenir du Mexique mais ne pouvaient pas être la propriété d'une société américaine. Le copain de Moore avait alors monté un plan habile : il vendait les matières premières à une entreprise de transport mexicaine qui les faisait entrer dans le pays et, une fois sur place, il les rachetait, moyennant une « commission » – une *mordita* –, comme matériaux d'origine mexicaine. Pour citer son copain, « le Mexique tournait à la mordita ». C'est le souvenir de ce dîner qui avait aidé Moore à concevoir sa toute première couverture alors qu'il se trouvait à Juárez.

Tandis que la femme lui adressait un sourire, Moore avisa derrière elle deux jeunes types garés de l'autre côté de la rue. Ils le surveillaient, à la bonne heure. Il ne s'était pas attendu à moins. Il se demanda juste s'ils appartenaient au cartel de Sinaloa ou à celui de Juárez.

Ou pire… ils pouvaient être guatémaltèques. Des Vautours vengeurs…

Moore arqua les sourcils : « Je pense que ce terrain pourrait faire parfaitement l'affaire et j'aimerais rencontrer le propriétaire pour en discuter le prix. »

La femme grimaça. « J'ai peur que ce ne soit pas possible.

– Oh, je vous demande pardon, pourquoi ? » Moore s'abstint d'en faire des tonnes car il connaissait déjà la réponse : le terrain appartenait à Zúñiga, le patron du cartel de Sinaloa.

« Le propriétaire est un homme très discret, et en outre, il voyage beaucoup. Tout ceci ne pourrait être réglé que par le truchement de ses avocats. »

Grimace de Moore. « Ce n'est pas ainsi que j'ai l'habitude de procéder.

– Je comprends. Mais c'est un homme très occupé. Il est rare que je parvienne à l'avoir au bout du fil.

– Ma foi, j'ose espérer que vous essaierez. Et j'espère surtout qu'il fera une exception pour moi. Dites-lui qu'il en aura pour son temps et son argent. À présent… » Moore chercha dans sa serviette pour en sortir un dossier rempli de catalogues bidon concernant son activité fictive. Inséré dans le bristol de la couverture, se trouvait une minuscule balise GPS. Moore espérait que la femme passerait les documents à Zúñiga, et que ce dernier ferait l'effort de se renseigner sur sa compagnie et s'apercevrait qu'elle était fictive.

On ne se pointait pas comme une fleur à la porte du patron d'un cartel pour sonner à sa porte et conclure un marché. Jamais vous n'obtiendriez ainsi de rendez-vous. Il fallait tout d'abord « inspirer » sa curiosité, au point que ce soit lui qui cherche à vous rencontrer. C'était un petit jeu auquel Moore s'était livré bien des fois avec des seigneurs de la guerre en Afghanistan.

« Tenez, si vous voulez bien confier ceci au propriétaire.

– Monsieur Howard, je ferai tout mon possible mais je ne puis rien vous promettre. J'espère toutefois que, quoi qu'il advienne, vous envisagerez sérieusement de vous établir ici. Comme vous l'avez dit, l'endroit est idéal pour y installer votre nouvelle usine. »

À peine avait-elle achevé son laïus qu'une rafale d'armes automatiques retentit au loin. Une seconde déchira le silence matinal, suivie d'une sirène de police.

La représentante de l'agence immobilière eut un sourire coupable. « C'est, euh, en fait tout va bien, vous comprenez, c'est sans doute la partie la plus… difficile de cette ville.

– Non, pas de problème. » Moore avait écarté l'objection d'un revers de la main. « Mes nouvelles installations exigeront un surcroît de sécurité, j'en suis bien conscient. Mais aussi de l'aide et des renseignements fiables. C'est la raison pour laquelle je tiens à m'adresser en personne au propriétaire. Faites-le-lui savoir, je vous prie.

– Bien entendu. Et encore merci pour votre visite, monsieur Howard. Je vous recontacte. »

Il lui serra la main, puis rejoignit sa voiture, en prenant soin de ne pas regarder dans la direction des types qui l'observaient toujours. Il s'assit, baissa la vitre et attendit là, sans broncher, passant le temps à consulter les photos les plus récentes prises à l'extérieur de l'hôtel et examiner les voitures garées à proximité. Il les scruta plus attentivement, constata qu'il ne pouvait déchiffrer aucune plaque, aussi finit-il par démarrer et s'éloigner pour regagner directement son hôtel. Une affiche en espagnol annonçait des courses de lévrier sur le cynodrome local, en signalant que les paris étaient ouverts.

Bien des années auparavant, Moore et ses parents avaient fait le voyage à Las Vegas dont son père rêvait depuis toujours. Le trajet avait paru interminable au jeune Moore alors âgé de dix ans, et il avait passé le plus clair du temps à jouer sur la banquette arrière avec ses figurines de G.I. Joe et ses cartes de base-ball. Sa mère n'avait cessé de se plaindre de la longueur et du coût trop élevé du déplacement, tandis que son père rétorquait que ça valait largement le coup, qu'il avait une martingale pour gagner et que, de toute façon, son métier était de manier les chiffres. Si elle voulait bien le croire, pour une fois, ils pourraient être en veine.

Ça n'avait pas été le cas. Son père avait perdu gros, et il ne leur était même plus resté assez d'argent pour déjeuner car il fallait d'abord faire le plein pour le trajet du retour. Moore n'avait jamais eu une telle faim de toute sa vie et c'est là, s'avisa-t-il, bloqué dans la fournaise de cette voiture dont la clim' était en panne, qu'il avait commencé à nourrir une haine profonde pour les chiffres, le jeu, en fait, pour tout ce qu'adorait son père. Les chiffres lui avaient certes été bien utiles en cours de maths, plus tard, mais, à l'époque déjà, l'argent et la comptabilité étaient devenus des obsessions malsaines qui faisaient pleurer sa mère et lui donnaient des crampes d'estomac.

Et chaque fois qu'un peu plus tard le jeune Moore revoyait les adaptations au cinéma du *Chant de Noël* de Dickens, il voyait régulièrement son père dans le rôle de Scrooge, toujours en train de compter ses pièces. Sa rébellion d'adolescent, il le comprenait à présent, n'était qu'une façon de se révolter contre son père pour ne pas avoir été le super-héros qu'il aurait rêvé d'être. L'homme était si intimidant, si entêté, avant que le cancer ne le réduise à l'état de frêle coquille puis ne le transforme en outre gonflée de médicaments. Il avait tiré sa révérence un soir de Noël, comme un ultime pied-de-nez à une famille qui l'avait couvert de ridicule.

Moore aurait voulu que père lui enseignât comment devenir un homme, se complût dans les plaisirs de la chasse, de la pêche et du sport, au lieu d'être un petit gratte-papier ventripotent au crâne dégarni. Il aurait voulu aimer son père mais, pour commencer, il fallait avoir du respect pour lui, et plus il songeait à l'existence de cet homme, plus ça lui devenait difficile.

Tant et si bien qu'à défaut d'une figure paternelle, Moore avait trouvé dans l'armée un sentiment de fraternité. Il était devenu partie intégrante d'une organisation stratifiée dont le seul nom inspirait une crainte respectueuse à tous ceux qui en entendaient parler.

« Oh, et t'as fait quoi, dans l'armée ?

– J'étais dans les plongeurs commando de la marine.

– Merde, pas possible ? »

Après ses classes et le stage commando, Moore, tout comme Carmichael, avait été sélectionné pour intégrer le groupe 8 des SEAL et envoyé à Little Creek, en Virginie, afin d'entamer l'entraînement en peloton, considéré par les initiés comme l'entraînement « pour de bon » à la guerre. Il s'était écoulé vingt-quatre mois entre sa formation, son déploiement sur le terrain, puis son retour au bercail. Il avait été promu maître de deuxième classe (échelon E-5), et dès 1996, il avait déjà reçu trois citations, de quoi le faire recommander par ses supérieurs pour une candidature à l'école des sous-officiers. Il y avait passé douze longues semaines pour en sortir comme enseigne de grade O-1. En 1998, il était devenu sous-lieutenant (O-2) avec une nouvelle citation assortie d'une médaille du Mérite. Ses performances exceptionnelles lui avaient valu d'être sélectionné pour une promotion avancée et, dès mars 2000, il était promu lieutenant O-3.

Et puis, en septembre 2001, l'enfer s'était abattu sur lui. Son groupe avait été envoyé en Afghanistan, où il fut déployé sur de nombreuses missions spéciales de reconnaissance qui lui avaient valu une citation à l'ordre du Président et une à l'ordre de la marine pour ses opérations de lutte contre les rebelles talibans. En mars 2002, il participait à l'opération *Anaconda*, l'ultime mission couronnée de succès pour nettoyer la vallée de Shahi-Kot et les montagnes de l'Arma des éléments d'Al-Qaïda et des talibans.

Même Moore lui-même avait du mal à croire qu'il avait mûri si vite depuis l'époque où il était un cancre au lycée.

Les cancres et les petites frappes, ce n'était bien sûr pas non plus ce qui manquait dans le secteur de Juárez, songea-t-il en se garant sur le parking de l'hôtel. Il prit encore quelques clichés des plaques de toutes les voitures rangées aux alentours. Il les transmit à Langley, puis entra dans le hall et alla se préparer une tasse de café à la machine, sous le regard placide d'Ignacio. Dehors, on entendait résonner des bruits de scie et de marteau. Des ouvriers de construction s'affairaient.

« Vos affaires se passent bien, señor ? » s'enquit le concierge en anglais.

Moore répondit, mais en espagnol. « Oui, pour le mieux. Je suis à la recherche de terrains sur place pour y étendre mes activités.

– Señor, voilà qui est excellent, vous pourrez nous amener vos clients. Nous en prendrons le plus grand soin. Trop de gens craignent de venir à Juárez, mais la ville a changé. Il n'y a plus de violence.

– Très bien. » Moore se dirigea vers sa chambre, qu'Ignacio lui avait promise « pour pas cher du tout, du tout », vu que l'établissement était toujours en travaux. De fait, Moore ne s'était pas rendu compte du raffut car il était sorti avant que les ouvriers ne se mettent à scier et marteler.

De retour dans sa chambre, donc, il reçut toutes les informations dont pouvait disposer l'Agence sur la femme brune, Maria-Puentes Hierra, vingt-deux ans, née à Mexico et petite amie de Dante Corrales. Ils n'avaient pas grand-chose sur elle, sinon qu'elle avait passé un an comme strip-teaseuse au club Monarch, l'un des rares établissements de ce type subsistant en ville. La plupart des autres clubs avaient été soit fermés par la police fédérale, soit incendiés par le cartel de Sinaloa. Le Monarch était tenu par celui de Juárez et qui plus est, soigneusement protégé par la police, dont le rapport signalait que ses membres comptaient parmi la clientèle d'habitués. Moore supposa que Corrales avait rencontré la jeune beauté alors qu'elle étreignait langoureusement un mât métallique sous les lumières de flashes disco. L'amour avait dû s'épanouir entre deux cocktails dans la fumée de cigarettes.

Après avoir terminé la consultation de la fiche, Moore s'informa de la situation de ses camarades de l'unité d'intervention.

Fitzpatrick était retourné au ranch Sinaloa après ses « vacances » aux États-Unis. Lui et son « patron » Luis Torres concoctaient une attaque contre le cartel de Juárez, en représailles contre l'explosion au ranch qui avait tué plusieurs hommes de Zúñiga et provoqué plus de dix mille dollars de dégâts à la clôture et aux dispositifs électroniques de surveillance et de sécurité.

Gloria Vega devait commencer son premier jour de boulot comme inspectrice de la police fédérale à Juárez. Moore supposa qu'elle aurait du pain sur la planche.

Ansara était passé signaler qu'il se trouvait déjà à Calexico, pendant californien de Mexicali, de l'autre côté de la frontière. Il y travaillait avec des agents locaux aux principaux points de passage pour identifier les passeurs et en recruter un pour leur équipe.

L'agent Whittaker était de retour au Minnesota et déjà sur le coup pour reconnaître plusieurs entrepôts de stockage loués par le cartel pour y planquer des armes.

La femme de l'agence immobilière était à son bureau et passait des coups de fil, écoutés et interprétés par des analystes à Langley.

Et Moore s'apprêtait à s'étendre, siroter un petit café et souffler un peu en attendant qu'on vienne le chercher.

Alors qu'il grimaçait à cause du marc tapissant le fond de son gobelet en plastique, il reçut un texto d'une source surprenante : Nek Wazir, le vieil informateur du Waziristan du Nord. Le message le décontenança. Il se réduisait à :

RAPPELLE-MOI STP.

Moore avait le numéro de téléphone satellite du bonhomme et il le composa aussitôt, sans réfléchir une seconde au décalage horaire qui devait dépasser les dix heures – Wazir avait donc posté son SMS aux alentours de 23 heures, pour lui.

« Allô Moore ? » fit Wazir.

Ils n'étaient pas nombreux à connaître son vrai nom, mais compte tenu des talents et du nombre de contacts du bonhomme, Moore lui avait confié ce secret – en partie pour sceller leur confiance, en partie aussi pour bien lui signifier qu'il tenait vraiment à son amitié.

« Wazir, c'est moi. J'ai reçu votre texto. Avez-vous quelque chose pour moi ? »

Le vieil homme hésita et Moore retint son souffle.

Moore passa l'heure suivante au téléphone avec Slater et O'Hara, et ce n'est qu'après s'être déchargé de sa colère et de sa frustration sur ses supérieurs, puis avoir pris un long moment pour regarder dehors par la fenêtre de sa chambre, qu'il sentit enfin les larmes lui brûler les yeux.

Les fils de pute avaient tué ce pauvre Rana. Ce n'était… ce n'était qu'un brave garçon intelligent qui n'avait commis qu'une bêtise : accepter de travailler pour Moore. Et pas pour de l'argent. Ses parents étaient déjà fortunés. C'était un aventurier qui demandait plus à la vie ; quelque part, il y avait du Moore en lui, et voilà maintenant qu'on faisait redescendre de la zone tribale de Bajaur son cadavre enveloppé dans de vieilles couvertures. Du peu qu'il en savait, ils l'avaient tailladé et brûlé. Aux dires de Wazir, sans doute avait-il résisté dix heures, quinze heures maximum, avant de mourir. La rumeur de son supplice était parvenue aux hommes de Wazir qui étaient montés vers les grottes et y avaient découvert le corps. Les talibans avaient laissé Rana comme un message adressé aux Pakistanais qui s'aviseraient de choisir « la voie erronée » vers la justice.

Moore s'assit sur le lit et laissa couler ses larmes. Il jura, jura encore. Puis il se leva, pivota, dégaina son Glock et visa la fenêtre, en s'imaginant les têtes des talibans qui avaient capturé Rana.

Il rengaina son pistolet, reprit son souffle, retourna vers le lit. Et merde, si le moment était venu de s'apitoyer sur son propre sort, autant le faire maintenant, avant que les types lancés à ses trousses ne viennent frapper à la porte.

Il envoya un texto à Leslie, lui dit qu'elle lui manquait, lui demanda de lui envoyer une nouvelle photo d'elle, que les choses ne tournaient pas si rond et qu'il aurait bien besoin d'un petit réconfort. Il attendit plusieurs minutes, mais il était déjà trop tard chez elle, et elle ne répondit pas. Alors il se rallongea et se sentit soudain submergé par le même sentiment qui l'avait envahi durant son stage commando, un désir suffoquant de renoncer, d'accepter la défaite. Il aurait aimé que Frank Carmichael fût auprès de lui en ce moment, pour le convaincre que la mort de Khodaï et celle du môme avaient un sens et que détourner les yeux était bien la pire solution. Malgré tout, une petite voix se faisait entendre elle aussi, une voix qui semblait bien plus raisonnable et qui lui murmurait qu'il ne rajeunissait pas et qu'il y avait bien d'autres façons moins dangereuses et plus lucratives de gagner sa vie, par exemple comme consultant pour une société de surveillance privée, ou comme représentant d'un fabriquant d'armes ou de matériel de sécurité, alors que s'il continuait dans cette même voie, jamais il n'aurait de femme ni de famille. Le boulot était toujours amusant, excitant, jusqu'au jour où une personne connue, avec qui on avait noué une relation solide, fondée sur la confiance et sur un profond respect, se retrouvait torturée et assassinée. Chaque fois que Moore abaissait sa garde et se laissait aller à éprouver des sentiments sincères pour quelqu'un, cette relation lui était arrachée. Était-ce ainsi qu'il désirait vivre le reste de son existence ?

Vers la fin 1994, Moore et Carmichael s'étaient retrouvés dans un bar à Little Creek pour célébrer le fait qu'ils allaient devenir des spécialistes de la lutte antiterroriste avec leurs nouveaux collègues des SEAL. Il parlaient avec un autre membre du commando, qu'on surnommait capitaine Nemo, un sous-lieutenant canonnier qu'on avait affecté comme pilote et mécanicien à l'unité BRAVO. Durant un exercice au cours duquel Nemo était aux commandes d'un SDV, le sous-marin de poche utilisé par les plongeurs commando, l'un de ses camarades s'était noyé accidentellement. Il avait refusé d'entrer dans les détails mais Moore et Carmichael avaient entendu parler de cet incident avant de le rencontrer et avaient appris qu'il était sur le point de démissionner. Nemo se sentait responsable des événements, même si l'enquête l'avait complètement disculpé.

Ils étaient donc tous les deux sur le point de fêter dignement leur entrée dans la carrière de plongeurs commando de la marine – et Nemo avait sérieusement refroidi l'ambiance.

Une fois encore, le brave Carmichael avait su parler d'or : « Il est hors de question que tu démissionnes, avait-il dit à Nemo.

– Ah ouais, et pourquoi ?

– Parce que qui fera le boulot à ta place ? »

Nemo avait ricané. « Vous deux. Et tous les mecs qui sont trop naïfs pour se rendre compte que ça n'en vaut pas la peine.

– Écoute-moi, mec. Notre présence ici est un don du ciel. On a répondu à l'appel parce que quelque part au tréfonds de nous, et je veux que tu pèses mes paroles, au tréfonds de nous, nous avons toujours su, sans l'ombre d'un doute, qu'on n'était pas nés pour vivre la vie de tout le monde. On le savait déjà quand on était mômes. Et on le sait aujourd'hui. On ne peut pas y échapper. C'est un sentiment qui restera ancré en toi jusqu'à la fin de tes jours, que tu démissionnes ou pas. Et si tu démissionnes, tu le regretteras. Tu regarderas autour de toi et tu ne cesseras de te répéter : "*Je n'ai rien à faire ici. Rien à faire.*" »

Alors Moore se redressa sur son lit dans sa chambre d'hôtel, il se retourna et marmonna tout haut : « Ma place est ici, merde ! »

Son téléphone sonna. Un SMS. Il consulta l'écran. Leslie. Il émit un soupir.

14

A SANGRE FRÍA

Commissariat de Delicias
Juárez, Mexique

GLORIA VEGA sauta sur le siège d'un 4 x 4 F-150 arborant sur ses portières l'insigne de la Policia Federal. Elle avait revêtu la tenue d'intervention tactique, gilet pare-balles en Kevlar, cagoule sur le visage et casque bien serré par son mousqueton. Elle était armée de deux Glock dans leur gaine sur les hanches, et tenait contre elle une mitraillette Heckler & Koch de neuf millimètres, canon levé. Qu'un simple inspecteur de police doive endosser un tel attirail et s'armer jusqu'aux dents aurait fait tiquer plus d'un collègue au pays, songea-t-elle. Ces tire-au-flanc pouvaient sans problème se pointer sur une scène de crime en civil, sans gilet, juste munis de leur arme de service, et avec encore le sucre de leur beignet collé aux lèvres.

Alberto Gómez, l'homme grisonnant derrière le volant, portait le même attirail et il l'avait mise en garde : se rendre sur les lieux « après les faits » pouvait s'avérer aussi dangereux que l'incident proprement dit. Les cadavres servaient bien trop souvent d'appâts, les *sicarios* les piégeant pour qu'ils sautent au moment où les policiers s'approchaient. Parfois, c'étaient des tireurs embusqués sur les toits des alentours qui prenaient les inspecteurs pour cibles.

De sorte que le temps où ils intervenaient en civil était depuis longtemps révolu, avait observé Gómez avec un haussement d'épaules. Son regard était si las lorsqu'il l'avait dévisagée que Vega s'était demandé pourquoi il n'avait pas encore pris sa retraite.

Mais, encore une fois, elle connaissait la réponse. Elle n'était pas devenue son binôme par hasard. Même si la police fédérale n'avait pas de preuve formelle, Gómez était en tête de la liste des policiers mouillés avec les cartels. Hélas, le vieux flic avait une telle ancienneté et de tels états de service que personne ne souhaitait l'impliquer. D'un commun accord, on s'était entendu pour le laisser tranquillement achever sa carrière et prendre sa retraite dans quelques années. C'était un vrai père de famille, avec quatre enfants et onze petits-enfants, il s'était même porté volontaire pour aller dans les classes primaires faire de la sensibilisation aux problèmes de criminalité et de sécurité. Il était en outre bedeau à l'église voisine et un membre apprécié des Chevaliers de Colomb[1], dont il était devenu le responsable local. Il faisait également du bénévolat à l'hôpital du quartier et s'il l'avait pu, il aurait passé ses dimanches à aider les vieilles dames à traverser la rue.

Vega soupçonnait tout cela de contribuer à une couverture élaborée, une double vie qui lui permettait de se disculper d'être en cheville avec les cartels.

Les hauts responsables de la police fédérale, et en particulier ses nouveaux administrateurs, avaient une attitude bien plus intransigeante vis-à-vis de la corruption ; ils appliquaient une

1. Organisation catholique de bienfaisance fondée en 1882 aux États-Unis par l'abbé Michael J. McGivney, un fils d'immigrant irlandais, et forte aujourd'hui de près de deux millions de membres, essentiellement sur le continent américain.

politique de tolérance zéro quand les autorités locales avaient trop souvent tendance à détourner les yeux – par respect du grade, de l'ancienneté et plus que tout, par peur. Et c'est ainsi que Vega se retrouvait assise à côté d'un homme qui pouvait bien être le pire salaud de Juárez.

« Nous avons trois cadavres, lui dit Gómez. Quand nous serons sur place, restez bouche cousue.

– Pourquoi ?

– Parce qu'ils n'ont pas besoin que vous leur refiliez des tuyaux.

– Qu'est-ce que c'est censé signifier ?

– Que je n'ai rien à cirer du nombre de vos années de fonction dans la capitale. Rien à cirer de vos états de service exceptionnels. De votre promotion, votre carrière ou tout ce que vos collègues ont pu raconter dans votre dossier. Mon seul souci pour l'instant, c'est de vous aider à rester en vie. Me suis-je bien fait comprendre, ma petite dame ?

– Je vous comprends. Mais ce que je ne comprends pas, c'est cette interdiction de parler. Je ne sais pas si vous êtes au courant, mais dans ce pays, les femmes ont le droit de vote et celui de postuler à la fonction publique. Peut-être que vous n'avez pas lu la presse depuis un certain temps.

– Vous voyez ? C'est exactement ça, votre problème. Cette arrogance. Je vous suggère de la remettre dans votre sac avec votre mouchoir dessus, aussi longtemps que vous serez ici, à Ciudad Juárez.

– Oh, laissez-moi voir si je retrouve mon sac. Ah, il ne contient que ces gros flingues et tous ces chargeurs. »

Il eut un sourire en coin.

Elle hocha la tête, les dents serrées. Huit ans dans le renseignement militaire et quatre années de service actif à la CIA, tout ça pour ça : se retrouver assise dans une voiture à discuter de machisme avec un inspecteur de la police fédérale désabusé et corrompu. La fausse-couche, le divorce, l'éloignement de ses frères et sœurs et tout cela, pourquoi ? Pour ça ? Elle se tourna vers Gómez et le fusilla du regard.

Ils écoutèrent le trafic des autres unités à la radio, et moins de dix minutes plus tard, ils descendaient une rue bordée d'immeubles d'appartements roses, blancs et mauves séparés par des ruelles festonnées de cordes à linge bariolées. Des gamins de dix à douze ans se tenaient avachis sur les pas de porte, les surveillant avant de prendre leur téléphone mobile. C'étaient les vigies du cartel et Gómez avait également relevé leur présence.

Au bout de la rue, près du carrefour, trois cadavres bloquaient la chaussée. Vega saisit la paire de jumelles posées sur la console centrale et fit le point.

C'étaient de jeunes gens, deux étaient affalés au milieu de mares de sang, le troisième était étendu sur le dos, une main crispée sur le cœur. Tous étaient en jeans sombre et tee-shirt et s'ils avaient porté des bijoux, on les leur avait déjà dérobés. Deux voitures de police étaient garées à une vingtaine de mètres, les agents étaient tapis derrière les portières ouvertes. Gómez se gara derrière une des voitures, écarquilla les yeux. « Ne dites rien. »

Ils descendirent et le regard de Vega parcourut les toits alentours, elle nota la présence d'au moins une demi-douzaine d'hommes tranquillement assis, certains déjà au téléphone. Elle étreignit un peu plus fort son fusil, sa bouche devint sèche.

Une camionnette arriva derrière eux. En descendirent deux autres policiers avec deux chiens renifleurs. Au moment où ils passaient devant eux, le téléphone mobile de Gómez se mit à sonner et ce dernier sortit se planquer derrière la camionnette pour prendre la communication. Vega nota cependant que le vieil inspecteur était muni de deux téléphones ; et ce n'était pas celui qu'il avait utilisé pour l'appeler, lui donnant *de facto* son numéro. Non, c'était un autre appareil. *Intéressant.*

Elle ne pouvait entendre ce qu'il disait à cause de ses collègues qui s'interpellaient devant lui. Les maîtres-chiens progressaient avec lenteur, et une fois qu'ils eurent inspecté les cadavres et les abords, l'un d'eux s'écria qu'il n'y avait rien à signaler.

Il reçut aussitôt une balle tirée depuis un toit sur leur gauche ; le projectile lui emporta une partie de la tête.

Comme ça. Sans crier gare. En plein jour. Sous les yeux de badauds à leur balcon.

Et tandis que les témoins poussaient des cris, le second maître-chien reçut une balle dans la nuque, balle qui ressortit en explosant sous le menton.

Une nouvelle rafale d'AK-47 cribla les corps gisant dans la rue et hacha menu les deux chiens qui s'effondrèrent tandis que Vega s'était jetée à terre pour avancer à plat ventre, en restant collée à la roue avant de leur véhicule. Elle leva son arme et riposta en direction des toits. Sa rafale déchiqueta la corniche en stuc.

« Cessez le feu ! s'écria Gómez. Cessez le feu ! »

Et puis… plus rien. Quelques cris, une odeur tenace de poudre, et la chaleur de l'asphalte montant par bouffées au visage de Vega.

Un crissement de freins détourna son attention. Au carrefour suivant, elle avisa un pick-up blanc au hayon rabattu, tandis que surgissaient d'une des ruelles trois hommes armés de fusils automatiques – deux AR-15 et un AK-47. Ils coururent vers le véhicule et sautèrent dans la benne. Devant, plusieurs policiers ouvrirent le feu, mais le pick-up avait déjà pris le large. À vrai dire, les coups de feu semblaient plutôt symboliques car pas un seul projectile n'atteignit sa cible.

Vega se releva d'un bond et repassa du côté passager où Gómez s'était planqué et hochait la tête.

« Allez ! le pressa-t-elle. Debout !

– Je vais appeler des renforts. D'autres unités se lanceront à leur poursuite.

– On y va maintenant ! » insista-t-elle.

Il écarquilla les yeux et soudain haussa le ton : « Qu'est-ce que je vous ai dit ? »

Elle soupira, retint un juron, puis fit demi-tour pour filer vers un des toits d'où le sniper qui avait tué les deux chiens l'avait en ligne de mire.

« Oh, mon Dieu », souffla-t-elle une seconde avant que le tueur ne disparaisse derrière le parapet.

Elle cligna des yeux. Inspira.

Et retrouva aussitôt ses esprits.

« Il est là-haut ! Juste là ! »

Les autres flics restèrent planqués derrière les portières de leurs véhicules, secouant la tête et lui faisant signe de se mettre à l'abri.

Elle retourna vers Gómez et s'accroupit près de lui. « On est en train de les laisser filer.

– Les autres unités les retrouveront. Suffit d'attendre. On n'est pas venus ici pour se battre. On est venus enquêter sur les lieux du crime. À présent, vous la bouclez. »

Vega ferma les yeux et d'un seul coup, d'un seul, la lumière se fit en elle : elle avait tout faux. Elle devait se rapprocher de ce type, gagner sa confiance, ne pas le transformer en l'ennemi qu'il avait déjà sans doute tendance à être. Elle devait se comporter en bonne fille, le laisser lui enseigner cette ville, et s'il parvenait à l'apprécier, voire la respecter, il abaisserait suffisamment sa garde pour lui permettre alors d'attaquer.

Mais voilà, son ego avait pris le pas, son intransigeance naturelle, bref elle avait probablement foiré son coup.

Ils restèrent immobiles deux ou trois minutes encore, et puis enfin, les policiers devant eux se relevèrent et s'approchèrent lentement des corps, et les voisins du quartier revinrent même pointer le nez au balcon pour jouir du spectacle.

« C'est ta nouvelle partenaire ? s'enquit un des agents en s'adressant à Gómez.

– Oui, répondit-il sèchement.

– Elle sera morte avant la fin de la semaine. »

Gómez regarda Vega. « Faut espérer que non. »

Elle déglutit. « Je suis désolée. Je ne m'étais pas rendu compte que ce serait comme ce… »

Gómez arqua un sourcil. « Peut-être que vous feriez bien de lire les journaux. »

Le Monarch
Juárez

Dante Corrales était d'humeur massacrante. On avait abattu trois de ses *sicarios* à Delicias, et l'inspecteur Gómez avait appelé en personne pour faire part de sa préoccupation. La police fédérale le surveillait désormais de plus près et elle l'avait affublé d'une collègue, une inspectrice sans doute en cheville avec la cellule présidentielle. On ne devait pas se fier à elle et il devait dorénavant redoubler de prudence.

En outre, un Américain était descendu à l'hôtel, un certain Scott Howard et Ignacio avait appris que le gars recherchait des terrains pour installer ses entreprises. Corrales était moyennement convaincu et il l'avait donc fait suivre mais jusqu'ici, son histoire semblait se tenir.

Tandis que Raúl et Pablo effectuaient un gros transfert d'argent à un contact simplement baptisé « le banquier », Corrales prit la direction du Monarch pour manger et boire quelques bières. En chemin, son téléphone sonna : Ballesteros, qui appelait de Bogotà. Qu'est-ce qu'il voulait encore, ce gros balourd ?

– Dante, tu sais que les gars des FARC s'en sont encore pris à moi ? Je vais vraiment avoir besoin d'un nouveau coup de main.

– OK, OK. Tu pourras discuter avec eux quand ils se pointeront.

– Quand ça ?

– Bientôt.

– T'es au courant, pour Porto Rico ?

– Quoi donc ?

– T'as pas regardé les infos ?

– J'étais occupé.

– Le FBI a effectué une nouvelle descente dans les rangs de la police. Plus d'une centaine de flics ont été arrêtés. Sais-tu ce qu'ils ont en réserve pour moi ? On comptait sur eux. C'est tout un itinéraire de transit que je perds en l'espace d'une journée. Tu sais ce que ça veut dire ?

– Boucle-la un peu et cesse de te lamenter, bougre de vieux connard ! Le boss ne va pas tarder. Alors, merde, arrête tes jérémiades ! »

Sur quoi, Corrales coupa la communication et entra se garer au parking du club.

Il n'y avait que deux strip-teaseuses en scène, des femmes de ménage avec enfants qui exhibaient sans vergogne leurs cicatrices de césarienne. Deux clients étaient assis au comptoir, des vieux portant chapeau à large bord, ceinture épaisse et bottes de cow-boy.

Corrales se dirigea vers une table du fond, où il retrouva son ami Johnny Sanchez, un grand escogriffe latino, journaliste et dramaturge qui arborait des lunettes minuscules et exhibait une chevalière ornée de l'insigne de l'université de Berkeley. Johnny était le fils de la marraine de Corrales, il était allé faire ses études aux États-Unis, mais s'était empressé de revenir voir Corrales car il désirait rédiger une série d'enquêtes sur les cartels de la drogue mexicains. En aucun cas, il ne mentionnerait que Corrales travaillait pour eux. Il se contenterait d'affirmer que, selon lui, l'homme était très bien informé. Et on en était resté là.

Ces derniers mois, Corrales s'était entretenu avec le jeune homme, l'avait aidé à développer un scénario inspiré de la vie du trafiquant. Leurs déjeuners constituaient souvent la partie la plus agréable dans la journée de ce dernier, en dehors bien sûr de ses parties de jambes en l'air avec Maria.

Avec la permission de Corrales, Johnny venait de faire publier dans le *Los Angeles Times* un article sur la violence des cartels le long de la frontière. Le papier insistait en particulier sur le fait que la corruption de la police était désormais si répandue que les autorités ne savaient plus séparer le bon grain de l'ivraie. C'était très précisément ce que désirait le cartel de Juárez.

« L'article a reçu un très bon écho, l'informa Johnny avant de boire une grande lampée de bière.

– À ton service.

– C'est une période assez passionnante pour moi », insista-t-il.

Ils dialoguaient en espagnol, bien sûr, mais de temps à autre, Johnny revenait inconsciemment à l'anglais – comme à cet instant précis –, et Corrales perdait alors le fil. Parfois, ça l'irritait tant qu'il tapait du poing sur la table, alors Johnny sursautait, clignait des yeux et s'excusait.

« Qu'est-ce que t'as dit ?

– Oh, pardon. J'ai reçu plus d'une centaine de mails à propos de mon article et mon rédacteur en chef voudrait que je le développe en série régulière. »

Corrales hocha la tête. « Je pense que tu devrais plutôt te focaliser sur ton scénario de film.

– J'y compte bien. Ne t'inquiète pas.

– Je te dis ça parce que tu es le fils de ma marraine, et parce que je veux que tu racontes l'histoire de ma vie, ça ferait un excellent film. Je ne veux plus que t'écrives d'articles sur les cartels. Ça risque de déranger pas mal de gens. Et je me ferai du souci pour toi. D'accord ? »

Johnny tâcha de masquer sa déception. « D'accord. »

Sourire de Corrales. « Merci.

– Il y a un problème ? »

Du bout du doigt, Corrales traça un trait sur la buée qui couvrait sa bouteille, puis il leva les yeux et répondit : « J'ai perdu plusieurs gars de valeur aujourd'hui.

– Je l'ignorais. On n'en a pas parlé aux infos.

– Je déteste les infos. »

Il baissa les yeux vers la table. Le cartel de Juárez tenait d'une main de fer tous les médias locaux. Certains parfois lui tenaient tête mais les meurtres tout récents de deux journalistes d'investigation, retrouvés décapités sur le pas de leur station de télé, avaient occasionné des « retards » significatifs et quelques « omissions » dans la relation des derniers événements. Nombre de journalistes demeuraient méfiants tandis que d'autres redoutaient carrément de signaler le moindre fait en rapport avec les cartels et leur violence.

« J'aimerais qu'on parle du jour où ces *sicarios* t'ont menacé, reprit Johnny, cherchant à détendre l'atmosphère. Je pense que ça ferait une très bonne scène pour le film. Et puis on te verrait tomber à genoux devant l'hôtel, avec l'incendie en arrière-plan, et toi, devant, en train de pleurer, sachant tes parents morts à l'intérieur, brûlés vifs parce que tu as osé tenir tête au cartel et refusé de céder. T'imagines un peu la scène ? Oh, mon Dieu ! Quel pied ! Le public serait en larmes. T'es là, un pauvre jeune homme sans avenir qui veut juste rester à l'écart d'un monde de crime, et voilà qu'on te punit pour cela ! Ils t'ont puni ! Et il ne te reste plus rien. Absolument rien. Et tu dois tout rebâtir de zéro, tu dois te relever, et on est tous avec toi ! De toute façon, tu n'as pas le choix : tu es pris au piège dans une cité qui n'offre aucune perspective, avec une seule véritable activité, alors tu fais ce que tu dois faire parce que tu as besoin de survivre. »

Johnny se laissait toujours emporter par le feu de sa passion lorsqu'il discutait du film et l'enthousiasme du jeune homme était contagieux. Corrales s'apprêtait à remarquer qu'un tel scénario suggérait qu'il appartenait bel et bien à un cartel – mais soudain Johnny tourna la tête, attiré par quelque chose près du comptoir.

« Baisse-toi », hurla-t-il en plongeant par-dessus la table pour plaquer Corrales au sol à l'instant même où retentissait une détonation, suivie d'une demi-douzaine d'autres coups de feu qui ricochèrent sur la table et criblèrent le mur dans leur dos. Les strip-teaseuses se mirent à hurler et les garçons criaient « Ne tirez plus, ne tirez plus. »

Puis, alors que Corrales roulait à terre, ce fut Johnny qui le surprit pour le coup en ripostant avec le Beretta qui venait soudain d'apparaître dans sa main droite.

« C'est ça que vous voulez ? hurla Johnny en espagnol. C'est ça que vous voulez de moi ? »

Et le tireur près du bar tourna les talons pour s'enfuir tandis que Johnny finissait de vider son chargeur dans son sillage.

Ils se rassirent tous les deux, le souffle court, en se regardant. Puis Johnny lâcha : « L'enculé…

– Où as-tu trouvé ce flingue ? »

Il fallut plusieurs secondes avant qu'il ne réponde à Corrales. « Il vient de mon cousin, à Nogales.

– Et où as-tu appris à tirer ? »

Johnny rigola. « Ce n'est que la deuxième fois que je m'en sers.

– Eh bien, il n'en fallait pas plus. Tu m'as sauvé la vie.

– Je les ai simplement aperçus le premier.

– Et sinon, à cette heure-ci, je serais mort.

– On serait morts tous les deux.

– Ouais, confirma Corrales.

– Pourquoi veulent-ils te tuer ?

– Parce que je ne suis pas du cartel. »

Johnny soupira. « Corrales, on est comme des frères. Et je ne te crois pas. »

L'autre hocha lentement la tête.

« Tu ne peux pas me dire la vérité ?

– J'imagine qu'à présent je te dois bien ça. OK. Je suis à la tête du cartel de Juárez, mentit-il. Je contrôle tout le bizness. Et ces gars-là appartenaient à celui de Sinaloa. Nous sommes en guerre avec eux pour la possession des tunnels sous la frontière et à cause de leur ingérence dans nos convoyages.

– Je pensais que tu étais peut-être un *sicario*. Mais tu es le chef ? »

Il opina.

« Alors tu ne devrais pas te montrer en public, comme ça. C'est idiot.

– Je ne me planquerai pas comme un couard. Pas comme les autres chefs. Moi, je me montrerai en pleine rue, que les gens puissent me voir. Et qu'ils puissent ainsi savoir qui est véritablement de leur côté… pas la police ou le gouvernement… non. Nous !

– Mais c'est terriblement dangereux », observa Johnny.

Corrales se mit à rire. « Peut-être que ça aussi, ça peut entrer dans le film, non ? »

L'expression de Johnny changea : de dubitatif, son regard devint comme possédé, on aurait dit qu'il contemplait déjà la scène à travers l'objectif. « Ouais, admit-il finalement. Ouais. »

15

LE BÂTISSEUR ET LA MULE

Site de construction du tunnel
Mexicali, frontière du Mexique

PEDRO ROMERO estimait que d'ici une semaine, ils auraient fini de creuser. La maison qu'ils avaient choisie à Calexico, du côté californien, était située dans un quartier dense, occupé surtout par des familles de la classe moyenne inférieure, dont les chefs travaillaient dans les commerces de détail et les zones industrielles à proximité. Le cartel de Juárez avait déjà acheté la bâtisse sur la suggestion de Romero et ce dernier avait soigneusement supervisé le tracé du tunnel avec le tout jeune « représentant » du cartel, M. Dante Corrales. Ce dernier avait recruté Romero, suite à un autre chantier de travaux publics du côté de la Silicon Valley, où tout récemment plusieurs de ses collègues avaient dû mettre la clé sous la porte. Avec la récession économique, les projets d'expansion avaient connu un coup d'arrêt, tout comme les emplois induits par ces derniers.

Romero descendit dans le tunnel, suivi par ses deux déblayeurs. La galerie faisait près d'un mètre quatre-vingts de haut sur quatre-vingt-dix centimètres de large, et quand elle serait achevée, sa longueur avoisinerait les soixante mètres. On l'avait creusée à une profondeur de seulement deux mètres parce que la nappe phréatique était très proche du sol à cet endroit ; à deux reprises, du reste, ils avaient dû pomper pour évacuer l'eau du tunnel parce qu'ils étaient allés accidentellement un peu trop bas.

Les parois et le plafond étaient renforcés par de lourdes poutres en béton et Romero avait installé une voie ferrée provisoire pour permettre l'évacuation des déblais par des wagonnets poussés à la main. Une fois sortis, ces déblais étaient chargés sur de gros camions-bennes qui les évacuaient sur un site secondaire, une quinzaine de kilomètres plus au sud, en vue d'être exploités pour d'autres projets.

Pour ne pas faire de bruit, ils avaient entrepris de creuser à la pelle, et ce, de bout en bout. Romero avait organisé des roulements par équipes de quinze hommes qui se relayaient vingt-quatre heures sur vingt-quatre. Alors qu'ils se méfiaient toujours des éboulements, ils avaient perdu quatre hommes d'une manière parfaitement inattendue. Il était environ 2 h 30 du matin et Romero avait été réveillé par un coup de fil de son chef de travaux : un trou béant de près de deux mètres de large s'était ouvert dans le plancher du tunnel, engloutissant quatre ouvriers avant que ses parois ne s'effondrent. L'excavation faisait près de trois mètres de profondeur et elle était remplie d'eau. Les victimes avaient été englouties sous la masse de sable et s'étaient noyées dans la boue avant qu'on ait pu les secourir. Même si tout le personnel avait été bouleversé par l'accident, les travaux s'étaient bien sûr poursuivis.

Du côté mexicain, le tunnel débouchait à l'intérieur d'un petit entrepôt situé dans un important chantier de construction ; le site appartenait à une fabricant de cellules photo-voltaïques. Cinq bâtiments étaient en cours d'édification et le va-et-vient des camions-bennes sur le site contribuait à dissimuler ceux employés pour évacuer les déblais du tunnel. Une brillante idée qui ne provenait pas de Romero. Corrales avait révélé qu'elle émanait du patron du cartel en personne, un homme dont l'identité demeurait secrète pour des raisons de sécurité. Les ouvriers « réguliers » du chantier de l'usine n'avaient jamais posé la moindre question sur les travaux du tunnel, ce qui portait Pedro à croire que tout le monde était payé par le cartel – jusqu'au P-DG de la firme de cellules solaires. Tout le monde était donc au courant, mais, aussi longtemps que chacun était payé, régnerait la loi du silence.

D'après les plans de Romero, le tunnel serait le chantier le plus complexe et le plus audacieux jamais lancé par le cartel, raison pour laquelle Romero touchait l'équivalent de cent mille dollars américains en rétribution de ses bons et loyaux services. Il n'était pas enthousiasmé à l'idée de travailler pour le cartel mais devant une telle somme, qui plus est assortie d'une grosse avance en liquide, il était difficile de résister – d'autant que Romero approchait de la quarantaine et que l'aînée de ses deux filles, Blanca, seize ans à peine, souffrait d'une défaillance rénale chronique qui nécessitait une greffe. Elle avait déjà reçu un traitement contre l'anémie et une maladie osseuse, et elle était soumise à une dialyse coûteuse. L'argent récolté par ce chantier ne pourrait que contribuer à régler les frais médicaux de plus en plus élevés. Même s'il ne s'en était ouvert qu'à ses plus proches collaborateurs, le bruit s'était vite répandu parmi le personnel et Romero avait appris de l'un de ses contremaîtres que tous les ouvriers travaillant sur le chantier auraient à cœur de redoubler d'efforts pour qu'il puisse sauver sa fille. Tout d'un coup, Romero n'était plus un voyou qui acceptait un pot-de-vin du cartel ; c'était un brave père de famille qui essayait de sauver sa petite fille. Les hommes avaient même déjà organisé une collecte et lui avaient offert l'argent, avec une carte d'encouragements, à la fin de la semaine précédente. Ému, Romero les avait remerciés et il priait pour les voir achever les travaux sans se faire prendre.

En fait, dissimuler tous les déblais évacués du tunnel n'était pas le seul défi auquel ils étaient confrontés ; il y avait un autre gros souci : les gouvernements américain et mexicain utilisaient la technique du RPS (Radar à pénétration de sol) pour détecter les excavations. Là encore, le chantier de construction voisin contribuait à masquer en partie les bruits du forage initial qui étaient également détectés par des sonars REMBASS-II adaptés des équipements de l'armée et employés par l'administration des douanes. De surcroît, le tunnel avait été creusé selon une succession de virages à quarante-cinq degrés et non pas en ligne droite du sud vers le nord. Un tel tracé permettait de l'assimiler en partie à un réseau d'évacuation d'eaux usées. Romero savait également que toutes les données sismiques étaient enregistrées, même si les ordinateurs utilisés dans ce but ne pouvaient inspecter qu'un site à la fois. Les agents du contrôle aux frontières pouvaient néanmoins examiner une carte cumulant divers événements micro-sismiques pour tenter de les raccorder au trafic en surface et aux autres activités alentour. En effet, le tunnel proprement dit affecterait la transmission des ondes sismiques, retardant parfois celles-ci en créant des effets d'écho ou de réverbération qui se manifestaient comme des images « fantômes » sur les relevés géodésiques. Pour régler ce problème précis, Romero avait donc commandé (et reçu) des milliers de panneaux d'isolation acoustique qui tapissaient les parois du tunnel non seulement pour absorber la plus grande partie des bruits d'excavation durant les travaux, mais aussi pour aider à mieux fondre ceux-ci, une fois terminés, dans l'environnement naturel du sous-sol. Il avait même fait venir un sismicien rencontré à Mexico pour l'aider à étudier et appliquer ses plans. Mais d'ici peu, les travaux seraient terminés, le boulot achevé, et Romero toucherait son dernier règlement. Avec l'aide du ciel, sa fille pourrait alors recevoir sa greffe.

Romero consulta l'un de ses électriciens qui était sur le point de déployer l'alimentation électrique dans la plus récente section du tunnel dans le même temps que deux autres ouvriers s'affairaient à installer les conduites de climatisation. Ses terrassiers avaient demandé s'ils pouvaient installer un petit autel juste en cas d'accident – pour au moins avoir un endroit où prier – et Romero les avait autorisés à creuser une petite galerie latérale où étaient disposés des cierges ainsi que des photos de famille ; les hommes venaient de fait s'y recueillir avant chaque prise de service. Par ces temps difficiles, ils s'étaient attelés à une rude tâche qui pouvait au bout du compte mener à leur arrestation, prier, Romero le savait, leur donnait la force de poursuivre.

Romero claqua l'épaule de l'électricien. « Comment ça va, aujourd'hui, Eduardo ?

– Très bien, très bien ! La pose des nouvelles lignes sera terminée ce soir.

– T'es un chef.

– Merci, patron. Merci. »

Romero lui sourit et s'enfonça un peu plus loin dans le tunnel en prenant soin de ne pas se prendre les pieds dans les rails. Il alluma sa lampe-torche et bientôt sentit l'odeur de terre humide que ses hommes extrayaient à la seule force de leurs bras, avec des pelles et des pioches.

Il essaya de ne pas songer à l'utilisation de cet ouvrage, aux millions de dollars en billets, en drogue et en armes qui y transiteraient grâce à lui et à ses hommes, ne pas songer aux vies qui seraient affectées de manière tout à la fois incroyable et tragique. Il se dit qu'après tout, il faisait un boulot comme un autre. Sa fille avait besoin de lui. Mais le sentiment de culpabilité lui collait à la peau, le privait de sommeil et lui donnait des frissons à l'idée qu'il pourrait être arrêté et jeté en prison jusqu'à la fin de ses jours.

« Qu'est-ce que vous allez faire quand ce sera terminé ? lui demanda l'un des deux terrassiers qui l'accompagnaient.

– Je trouverai un autre chantier.

– Avec eux ? »

Romero se crispa. « Honnêtement, j'espère que non.

– Moi non plus.

– Que le Seigneur nous protège.

– Je sais. Mais il l'a déjà fait en faisant de vous notre patron.

– Très bien, ça va comme ça, coupa Romero avec un sourire. Allez, on se bouge et on se remet au boulot ! »

Poste-frontière de Calexico-Mexicali
Poste est, en direction du nord

Quand le poste-frontière principal était vraiment embouteillé et que le délai pour franchir les contrôles et entrer aux États-Unis dépassait une heure, Rueben Everson – jeune étudiant américain de dix-sept ans – avait instruction de se rendre avec sa voiture une dizaine de kilomètres plus à l'est et d'utiliser le passage annexe qui servait à absorber le surplus de personnes en transit et qui était connu surtout des gens du coin et pas des touristes.

Rueben servait de « mule » pour le cartel de Juárez depuis maintenant près d'un an. Il avait déjà effectué plus de vingt convoyages et amassé plus de quatre-vingt mille dollars en espèces – largement de quoi se payer les quatre années d'étude à l'université d'État. Il n'en avait jusqu'ici dépensé que quinze cents et placé le reste à la banque. Ses parents ignoraient tout de son activité et ne se doutaient certainement pas de l'existence de ce compte. Sa sœur Georgina, tout juste vingt ans, suspectait un loup et ne cessait de le mettre en garde, mais il écartait d'un revers de main ses avertissements.

Rueben avait été mis sur le coup par un copain lors d'une soirée ; cet ami avait répondu à une annonce dans la presse promettant un job bien payé avec de coquets bénéfices. Rueben avait alors rencontré un certain Pablo qui l'avait « interviewé » avant de lui remettre pour deux mille dollars de hasch à faire passer, à pied, de l'autre côté de la frontière. L'opération s'était déroulée sans encombre et ils lui avaient alors fourni un SUV Ford dont le tableau de bord et le réservoir avaient été modifiés pour y planquer de grosses quantités de cocaïne et de marijuana. La planque derrière le tableau de bord était accessible via un code tapé sur une télécommande : la console centrale avec l'autoradio et les commandes de la clim' s'ouvraient alors grâce à des vérins électriques pour donner accès à un compartiment secret dissimulé entre l'habitacle et la cloison pare-feu. Rueben avait été bluffé par la complexité du dispositif et c'est du reste ce qui lui avait donné le courage d'effectuer des transports en plus grosses quantités. Le réservoir de la voiture avait été divisé en deux, de telle sorte que la moitié supérieure pût contenir les sachets de drogue tandis que le fond permettait à l'essence de masquer l'odeur de la marchandise. Le réservoir avait ensuite été sali pour éviter tout repérage par les gardes-frontières qui se servaient de miroirs pour détecter d'éventuels travaux effectués récemment sous la caisse des véhicules. Deux fois déjà, Rueben avait été prié de ranger sa voiture pour une inspection en règle mais dans l'un et l'autre cas il voyageait à vide. Cela aussi faisait partie de la manœuvre

– établir une routine afin d'endormir la méfiance des agents, couplée à un solide alibi, comme un emploi au Mexique alors qu'on vivait en Californie. Le cartel s'était chargé pour lui de cette dernière partie, et bon nombre d'agents se souvenaient de lui et de sa voiture, tant et si bien qu'il passait le plus souvent sans problème, un étudiant parmi d'autres à avoir trouvé un boulot à temps partiel à Mexicali.

Mais aujourd'hui, c'était différent. Ils l'avaient extrait de la file d'attente et lui avaient demandé de se garer sur la seconde zone d'inspection. Là, il avisa un grand Latino dégingandé aux allures de vedette de cinéma, qui ne le lâchait pas des yeux. Rueben gara sa voiture et descendit pour parler à l'un des gardes-frontières qui vérifia son permis de conduire et lui dit : « Rueben, je te présente monsieur Ansara du FBI. Il aimerait s'entretenir quelques minutes avec toi pendant qu'on inspecte ta voiture. Pas de souci, n'est-ce pas ? »

Rueben fit comme à son habitude : se distraire avec des pensées agréables, sortir avec sa copine, manger, l'embrasser, acheter des fringues grâce à ses économies. Il se détendit : « Bien sûr, vieux, pas de souci. »

Ansara plissa les paupières et lui lança sèchement un : « Suivez-moi. »

Ils pénétrèrent dans le poste de douane bondé, où déjà une bonne quinzaine de personnes aux habits poussiéreux patientaient sur des chaises, la mine allongée. Rueben en conclut d'emblée qu'ils avaient tous dû tenter de passer des trucs en contrebande et qu'ils s'étaient fait piquer. Peut-être des marchandises planquées dans le chargement d'un semi-remorque ou d'un gros camion. Il vit également une mère avec ses deux petites filles ; la femme sanglotait. Six ou sept douaniers étaient assis derrière un guichet allongé et l'un d'eux essayait d'expliquer à un vieux bonhomme que quiconque transportait de telles quantités d'argent en liquide était tenu de le déclarer.

Rueben tâcha de prendre l'air de rien et se hâta de suivre Ansara qui s'était engagé dans un long couloir dénudé. Rueben n'avait encore jamais pénétré dans ce bâtiment et son pouls s'accéléra quand Ansara ouvrit la porte d'une salle d'interrogatoire où un autre jeune homme d'environ son âge était déjà assis, l'air maussade. Un jeune Blanc aux cheveux bruns avec des taches de rousseur. Il avait les bras recouverts de tatouages et portait une boucle d'oreille en or en forme de crâne.

Ansara referma la porte. « Assieds-toi. »

Rueben obtempéra ; l'autre gamin continua de garder les yeux baissés.

« Rueben, je te présente Billy.

– Qu'est-ce qui se passe ? demanda aussitôt Rueben.

– Putain, mec, t'as pas idée... », grommela l'autre, toujours sans relever la tête.

Rueben tourna un regard interrogatif vers Ansara. « Que se passe-t-il ? J'ai des ennuis ou quoi ? Qu'est-ce que j'ai fait ?

– J'irai droit au but. Ils vous recrutent toujours à la sortie du lycée, donc on commence toujours par là. Deux de tes amis t'ont balancé parce qu'ils se font du souci pour toi. J'ai également fait une promesse à ta sœur, mais ne t'inquiète pas... elle ne dira rien à tes parents. À présent, j'ai fait venir notre ami Billy pour qu'il te montre quelque chose. Montre-lui, Billy. »

Le gamin repoussa soudain sa chaise pour poser ses deux pieds nus sur la table.

Il n'avait plus d'orteils.

Ils avaient tous été sectionnés, les cicatrices étaient encore toutes fraîches et roses, si affreuses que Rueben réprima un haut-le-cœur.

« J'ai perdu un chargement d'une valeur de cinquante mille. Je n'ai que dix-sept ans, alors ils se sont arrangés pour me laisser en conditionnelle. Enfin, peu importe. Ils ont traversé la frontière pour venir me chercher à la sortie des cours. Ils m'ont jeté dans une camionnette. Et regarde ce que ces enculés m'ont fait.

– Qui ça ?

– Ton pote Pablo et son patron, Corrales. Ils m'ont tranché les orteils, et c'est ce qu'ils te feront subir, au premier faux pas. Alors tire-toi de ce merdier, mec. Tire-toi vite fait. »

On frappa à la porte. Ansara répondit et sortit pour parler à un agent.

« Ils t'ont vraiment fait ça ?

– Qu'est-ce que tu crois ? Bordel, mec, tu crois que je pourrai encore lever une fille ? Tu crois qu'une nana va être attirée par un type avec ces putains d'arpions ? » Il rejeta la tête en arrière et commença à pleurer, puis il se mit à gueuler : « Ansara ! Je veux sortir ! Sors-moi de là, merde ! J'en ai ras la casquette ! »

La porte s'ouvrit et Ansara apparut qui fit signe à Billy de sortir. Le gamin se leva et clopina jusqu'à la porte, une paire de bottes d'une drôle de forme calée sous le bras.

La porte se referma.

Et Rueben resta là, tout seul, durant cinq, dix, quinze minutes, à s'imaginer les pires scénarios. Il se vit en prison, retenu sous la douche par quatorze partouzeurs ventripotents qui lui réclamaient ses faveurs – tout ça parce qu'il avait voulu entrer à l'université et se faire un peu de gratte. Il n'était pas une lumière. Le diplôme ne l'aiderait pas beaucoup. Il avait besoin de l'argent.

Soudain, Ansara revint et lui dit : « Ta voiture a un tableau de bord très spécial, et je ne parle pas du réservoir.

– Et merde, lâcha Rueben.

– Tu crois que sous prétexte que tu n'as pas encore dix-huit ans, on va juste te relâcher comme ça et te mettre à l'épreuve ? »

Rueben ne put retenir ses larmes.

« Écoute-moi, petit. Nous savons que les guetteurs du cartel sont dehors aux aguets. On va faire comme si on n'avait rien trouvé. Tu vas finir ta course. Tu livreras la dope. Mais à présent, tu bosses pour moi. Et on a des choses à se dire, tous les deux… »

16

CONDUITE EN RETRAIT

Hôtel Bonita Real
Juárez

LA SEULE FAÇON pour Moore de ne plus penser à l'assassinat de Rana était de se concentrer sur l'instant présent, sur les deux hommes qui l'avaient pris en filature. Ils étaient garés à présent en bas de l'hôtel, sur le trottoir opposé. *Ils doivent se faire chier à cent sous de l'heure*, pensa-t-il. Ça faisait déjà deux plombes qu'ils attendaient, à tripoter leur téléphone mobile tout en matant la porte d'entrée et le parking. Sous certains aspects, le cartel recourait à des techniques de pointe, mais pour des trucs de base comme la surveillance humaine, leurs méthodes étaient frustes voire rudimentaires. Deux ou trois fois même, ils sortirent de leur vieille Corolla blanche dépareillée (avec une aile avant rouge) pour fumer une clope, adossés au coffre, sans cesser de regarder en direction de l'hôtel. Ces jeunes gens étaient des génies, pas de doute, et Moore voyait bien pourquoi on leur avait refilé la tâche subalterne de le filer. N'importe quel *sicario* digne de ce nom ne se serait pas risqué à confier de l'argent, des armes ou de la came à ces deux nigauds. En revenant, Moore avait également repéré deux guetteurs postés sur le toit de l'hôtel, déguisés en ouvriers du bâtiment, mais en réalité, ils étaient là pour donner l'alerte à Corrales et ses sbires en cas d'attaque.

Moore n'aurait su dire s'ils étaient en contact avec les deux zigues près de la voiture.

Ces deux-là, Moore leur avait déjà tiré le portrait à plusieurs reprises et il avait envoyé les clichés à la maison mère, à charge pour les analystes de les identifier et de fouiller dans les sommiers de la police mexicaine pour y pêcher des renseignements complémentaires. Les deux types avaient un casier, pour des affaires mineures – cambriolage et détention de drogue – et aucun n'avait effectué de long séjour en prison. La police les avait fichés comme « membres probables d'un cartel ». Quelque part dans la nature, il y avait un inspecteur de police mexicain doué d'un œil affûté pour détecter l'évidence.

Moore envoya un texto à Fitzpatrick qui répondit en précisant qu'ils n'étaient pas membres du cartel de Sinaloa et qu'à tous les coups, ils bossaient pour Corrales.

C'était une déception – et un problème – parce qu'il s'efforçait de pousser les Sinaloas à le contacter, par le truchement de sa recherche immobilière, mais Fitzpatrick lui confirma que ni lui, ni Luis Torres n'avaient donné l'ordre de venir récupérer l'Américain à l'hôtel.

Moore considéra la situation avant de répondre à un appel de Gloria Vega.

« Je serai brève. On a eu un accrochage avec des membres d'un cartel. Fitzpatrick a confirmé que c'étaient des gars à Zúñiga. Trois gars de Juárez ont été tués. La police chie dans son froc et Gómez est sérieusement mouillé. Il pourrait bien être un acteur clé et le meilleur lien avec le cartel. Il se trimbale avec deux téléphones et, de ce que je sais des autres mecs en poste, on le considère là-bas comme un dieu. Je crois que le mieux que je puisse faire est de rassembler suffisamment de preuves contre lui, puis de le retourner et voir combien d'autres il va nous balancer. Comme je vois les choses, il n'y a pas d'autre solution. Il faudra qu'on passe un deal avec lui.

– Faut pas culpabiliser pour ça.

– Je ne culpabilise pas. J'ai juste les boules parce qu'il ne va pas nous les balancer tous et, qu'au final, ça ne fera que les ralentir. C'est tout.

– Quoi qu'on puisse faire, on le fait. On ne s'interdit rien.

– Ouais, j'ai pigé. Enfin, j'essaie. »

Son cynisme était compréhensible mais éprouvant, aussi changea-t-il de sujet. « Eh, t'as entendu parler de cette grosse prise à Porto Rico ?

– Ouais, encore un beau succès pour le Bureau.

– Notre heure viendra, fais-moi confiance. Faut juste s'accrocher.

– Pas si facile. Gómez est un gros con de machiste. J'ai des crampes aux mâchoires à force de me retenir de répliquer. »

Le ton de Moore se radoucit. « Eh bien, si quelqu'un peut s'acquitter de la tâche, c'est bien toi. »

Elle renifla. « Merde, qu'est-ce que t'en sais ?

– Faites-moi confiance, ma jolie petite dame, votre réputation vous précède.

– C'est ça, à plus. »

Elle raccrocha.

Leur communication était bien entendu cryptée et n'apparaîtrait ni sur son téléphone, ni sur la facture, ni nulle part ailleurs, du reste. Si l'Agence voulait que de tels enregistrements disparaissent, ils disparaissaient, point final.

Moore reçut de Towers une alerte au sujet de la fusillade survenue au Monarch, la boîte de strip-tease où leur vieil ami Dante Corrales aimait à prendre ses quartiers. La police du coin était sur les lieux. Pas de blessé. Juste des coups de feu et les tireurs s'étaient éclipsés. Il se fit l'observation que dans la ville de Juárez, les stations de télé commençaient obligatoirement leurs bulletins par les fusillades du jour, comme si c'était la météo ou le point route.

Après un dernier coup d'œil à la fenêtre pour s'assurer que les deux super-bandits étaient toujours en bas, Moore enfila un ample sweat à capuche pour planquer le Glock et son étui d'épaule, puis il quitta la chambre. Il se dit qu'il devrait faire un tour du côté du V Bar, à l'autre bout du patelin. Fitzpatrick avait indiqué que les *sicarios* de Sinaloa avaient l'habitude d'y traîner.

Tout en se garant au parking, Moore se remit à songer à Rana et à sa blague nulle sur Batman. Il avait présenté Rana aux gars des forces spéciales comme son acolyte « Robin » et l'air surpris du gamin lui avait valu une explication, mais Moore avait totalement oublié l'incident.

Il se raidit et serra les poings en se repassant mentalement une fois encore le supplice et le meurtre de son jeune ami, et ce n'est que trop tard qu'il sentit la présence de l'homme derrière lui, quand ce dernier enfonça quelque chose de dur et de froid – sans doute le canon d'un pistolet – au creux de sa nuque.

« Tout doux », dit le gars en anglais. La voix était grave et rauque, comme au soir d'une vie passée à fumer. « Les bras en l'air. »

Moore décrochait rarement de son environnement immédiat ; ce genre de gaffe pouvait entraîner sa radiation de la division spéciale, voire de l'Agence. Mais la perte de Rana avait été comme celle d'un petit frère et céder à sa frustration et à sa colère avait suffi – en un rien de temps – à le déconcentrer.

L'homme lui palpa les hanches, puis il remonta et tomba presque aussitôt sur l'étui d'épaule. Il descendit le zip du sweat, rabattit la patte en Velcro de l'étui et retira le Glock de Moore.

« Maintenant, tu montes et tu démarres. »

Moore serra les dents, se maudissant pour sa bourde et sentant son pouls s'accélérer face à l'inconnu. Il ne savait pas trop ce que le gars avait fait de son arme personnelle, mais il sentait toujours l'autre canon contre sa nuque. Trop près. Trop risqué pour hasarder un mouvement. Il ne pouvait éliminer un flingue que pour se retrouver avec l'autre pointé sur sa poitrine. *Pan.* Abattu avec son propre Glock. « C'est toi le chef », observa-t-il. Il monta lentement en voiture et l'homme s'empressa d'ouvrir la portière arrière pour sauter sur le siège derrière lui, plaquant de nouveau le canon de son feu contre la nuque de Moore.

« Qu'est-ce que tu veux ? Ma voiture ? demanda Moore. Mon argent ?

– *No.* Fais juste ce que je dis. »

Moore sortit du parking et, dans le rétro, il repéra les deux gars à la Corolla qui sautaient dans leur caisse pour les suivre.

Il aperçut également l'homme sur le siège arrière, sa barbe grisonnante, ses cheveux bouclés et cendrés. Il portait un sweat bleu et un jeans, un gros anneau d'or ornait son oreille gauche. Il gardait les yeux constamment plissés. Il était à mille lieues des branleurs dans la tire derrière eux, et son anglais était étonnamment bon. Les autres crétins avaient déjà repris leur filature, même si Moore n'aurait pas juré qu'ils avaient compris qu'ils assistaient à son enlèvement, et inversement, il n'était pas sûr non plus que son ravisseur eût remarqué leur présence.

Il avança tout droit pendant encore une minute, vira à droite, comme ordonné, puis dit alors : « Il y a une voiture derrière nous, la Toyota avec une aile rouge. Deux mecs en filature. Ils sont avec toi ? »

L'autre se retourna vivement, vit la bagnole et jura en espagnol.

« On fait quoi, maintenant ? s'enquit Moore.

– Continue.

– J'imagine que ce sont pas tes copains ?

– Ta gueule !

– Écoute, si tu ne veux ni ma voiture, ni mon argent, c'est quoi, le plan ?

– Le plan, c'est que tu conduises. »

Le mobile de Moore se mit à sonner. *Merde.* Il était glissé dans sa poche de chemise et le gars ne l'avait pas repéré.

« N'y pense même pas », avertit l'autre.

La sonnerie indiqua à Moore que Fitzpatrick lui avait envoyé un texto et si le SMS était lié au passager de Moore, alors Fitzpatrick avait un train de retard. Et perdu un dollar sur sa mise en garde.

« Balance dehors ce putain de portable. »

Moore glissa la main dans sa poche, passa l'appareil en mode vibreur en maintenant pressée la touche latérale, puis il balança l'étui, vide, par la fenêtre avant que le gars ait eu le temps de rien remarquer.

« Où allons-nous ? demanda Moore en glissant de nouveau l'appareil dans sa poche.

– Fini les questions. »

Moore jeta un dernier coup d'œil dans le rétro, tandis que son ravisseur se retournait pour lorgner les deux petites frappes qui les filaient toujours.

La voiture à leurs trousses se mit à accélérer et leur écart se réduisit à deux longueurs. Le type à l'arrière devint nerveux – il s'avançait sur la banquette pour mieux y voir par le rétroviseur. Il haletait à présent, et son flingue était toujours planté dans la nuque de Moore. Il avait glissé le Glock de ce dernier à sa ceinture. Moore ralentit quand le feu devant passa au rouge. Un coup d'œil circulaire : Wendy, Denny, McDo, Popeye et Starbucks. Les cinq chaînes de restau rapide. Durant un instant, il se crut revenu à San Diego, avec le smog et la puanteur de l'essence et des gaz d'échappement qui s'insinuaient malgré la clim'. Un coin pourri. Un mec pourri sur la banquette. Une journée au turf comme une autre.

« Pourquoi tu t'arrêtes ? » beugla le gars.

Signe de main de Moore : « C'est rouge !

– Fonce, fonce, fonce ! »

Mais il était trop tard. La bagnole derrière eux déboula, les deux types en sortirent d'un bond et se mirent à tirer.

« Non, non, non ! » s'écria Moore en écrasant l'accélérateur pour franchir en trombe l'intersection, brûlant de la gomme et manquant de peu une camionnette à plateau dont le hayon traînait presque par terre.

Les deux clowns derrière eux étaient visiblement résolus à vider leurs chargeurs, les impacts perforaient le coffre et firent exploser la lunette arrière, puis la vitre arrière gauche, et le passager de Moore émit un cri étranglé.

Moore jeta un coup d'œil derrière lui et le regretta aussitôt. Le gars gisait sur la banquette, le crâne et l'épaule transpercés.

Il ne bougeait plus. Le sang formait une mare sur le siège. Moore étouffa un juron.

Un coup d'œil dans le rétro lui montra que les gars avaient regagné précipitamment leur voiture pour se relancer à sa poursuite. Ils avaient traversé le carrefour en zigzaguant entre deux berlines.

Un autre carrefour se présentait devant, et au-delà, la « meilleure » partie du barrio, avec ses toits en tôle ondulée maintenue par des clous au lieu de vieux pneus de camion. Moore n'était plus trop sûr de l'endroit où il se trouvait désormais. Il avait prévu de calculer son itinéraire avec le GPS de son smartphone, mais il n'avait plus le temps de programmer dessus l'information...

Il sortit malgré tout l'appareil et composa un numéro direct qui le connecta à Langley. Une voix masculine familière répondit dans le haut-parleur : « Trois-deux-sept en fréquence. Que vous faut-il ?

– L'itinéraire pour le V Bar. Mettre au courant Fitzpatrick.

– Je m'y mets. Quittez pas... »

Moore jeta un nouveau coup d'œil dans le rétro, pendant que les deux crétins lancés à ses trousses faisaient un écart pour doubler une fourgonnette de livraison avant de mettre le pied au plancher pour rallier la prochaine intersection.

À l'instant pile où Moore franchissait celle-ci, le feu passa au rouge.

Un vieux bonhomme traversait la rue sur un vélo muni de paniers à l'avant comme à l'arrière. Ces derniers étaient lestés de piles de couvertures, de bouteilles en plastique et de sacs à dos. Il était au milieu du carrefour en même temps que plusieurs piétons qui s'étaient engagés sur la chaussée derrière lui.

Les idiots qui filaient Moore ne purent s'arrêter à temps.

Le cycliste et sa machine furent projetés comme des jouets par-dessus leur voiture dont le capot se replia comme une crêpe mais ils poursuivirent leur route tandis que, derrière eux, les piétons criaient et se ruaient au secours de la victime.

Une voix bourdonna dans le haut-parleur du téléphone : « Prochaine à gauche. Puis au troisième feu, à droite. J'appelle la police locale pour voir s'ils peuvent intervenir. J'ai un satellite sur votre position. J'aperçois vos poursuivants.

– Merci. » Moore enfonça la pédale d'accélérateur quand le feu suivant passa à l'orange. Il avait déjà remarqué que dans ce patelin la couleur des feux était juste considérée comme indicative par les automobilistes. Beaucoup se contentaient de ralentir au rouge avant de foncer de nouveau pour franchir l'intersection – même s'ils n'étaient pas engagés dans une poursuite. Il prit à gauche comme indiqué.

La plaque de rue indiquait *Paseo Triunfo de la Republica* et Moore se sentit tout de suite plus à l'aise en découvrant les abribus, les affiches et les trottoirs dégagés de ce quartier d'affaires. Il y avait beaucoup de passants et il se dit que les lumières lancées à ses trousses y songeraient peut-être à deux fois avant de refaire leur numéro.

Il scruta rapidement les rues latérales au passage et nota que des voitures étaient garées des deux côtés. Il n'y avait apparemment qu'une seule voie mais aucun panneau n'indiquait le sens de circulation.

Les abrutis derrière lui gagnaient du terrain et le passager sortit la tête à la portière et leva son pistolet.

C'était là. Troisième feu. « Trois-deux-sept ? C'est bon, merci pour le coup de main.

– Sûr que vous n'avez plus besoin de moi ?

– Affirmatif. Je vous recontacte plus tard. »

Retenant son souffle, Moore vira sec dans la rue à droite et appuya sur le champignon. Il fonça dans la ruelle, prit un nouveau virage sec, à gauche cette fois, évita une benne à ordures, poursuivit sa route. Il arrivait par l'arrière du V Bar qui se trouverait à main gauche.

Un coup d'œil derrière. Dégagé pour l'instant.

Une voiture surgit à l'intersection droit devant et tourna vers lui ; il se rendit compte avec surprise que c'étaient ses poursuivants. Les types avaient anticipé sa manœuvre. Ils étaient censés être des crétins. Qu'est-ce qui leur arrivait ? Pourquoi étaient-ils soudain devenus malins ? À présent, Moore n'avait aucune issue.

Il passa la main derrière lui et tâtonna pour saisir un des flingues – celui du type, sur le plancher, ou bien le Glock glissé à sa ceinture – mais l'un comme l'autre étaient hors d'atteinte.

Puis il ralentit, prêt à passer la marche arrière, quand soudain une autre voiture apparut derrière lui, un vieux Range Rover avec un Latino imposant au volant – gabarit sumo ou guerrier samoan –, et son collègue Fitzpatrick assis à côté. Était-ce la cavalerie ou le peloton d'exécution ? Quoi qu'il en soit, Moore était à présent pris en sandwich entre les membres de cartels rivaux – et avec un cadavre sur la banquette arrière.

En conséquence de quoi, il agit conformément aux instructions. Et se prépara à abandonner le navire. Il immobilisa la voiture, se retourna pour récupérer le Glock, puis se jeta dehors, faisant un roulé-boulé pour se planquer entre deux voitures garées. La portière côté conducteur se transforma en passoire pour armes de poing.

Aide-toi et le Ciel t'aidera. Il était temps que Moore file un coup de main à Moore.

Il rampa jusque derrière la voiture, jeta de nouveau un bref coup d'œil vers la chaussée et vit que ses deux poursuivants du début étaient morts, le corps criblé de balles.

Puisque Fitzpatrick était avec le reste de la bande de Sinaloa, Moore décida que, s'il se rendait, son collègue serait sans doute plus à même de contrôler la situation – à tout le moins, les persuader de causer avant de tirer. Si en revanche Moore choisissait de riposter, il risquait non seulement de se prendre une balle mais surtout de se retrouver à la case départ : à devoir chercher de nouveau à rencontrer leur patron. Et attirer de la sorte l'attention du cartel n'était sûrement pas son idée première.

Il était censé s'appeler Scott Howard. Un homme d'affaires spécialiste des panneaux solaires, un gars dont les instants les plus palpitants se jouaient sur un terrain de golf, que pouvait-il bien faire dans les rues mal famées de Juárez ?

Il réfléchit une seconde encore puis s'adressa, en espagnol, aux occupants du Range Rover. « Je suis américain. En voyages d'affaires. On m'a enlevé ! »

Un gangster en blouson de cuir avec un anneau dans le nez resta plaqué contre la porte arrière de la voiture et dégagea un chargeur vide de son pistolet.

« Ces types nous ont tiré dessus. Et tué le mec assis derrière », expliqua Moore.

Une autre voix se fit entendre : « On sait. Amène-toi ! »

Alors que Moore se relevait lentement, les mains en l'air, le flingue dans sa main droite bien en évidence, deux types au crâne rasé s'éloignèrent du groupe réuni près du Range Rover. Ils ramenèrent les cadavres des deux voyous dans la Toyota blanche et rouge, puis un des deux se mit au volant et ils filèrent. Moore assista à la scène tandis que trois autres types venaient l'encercler – parmi eux le tatoué à l'anneau dans le nez. Fitzpatrick qui les accompagnait évita son regard. *Bien.* Un autre type grimpa dans la voiture de Moore, recula et fila.

Le chauffeur du Range devait bien faire ses quatre cents livres, estima Moore, avec un bide qui ondulait par grosses vagues, à chaque inspiration. C'était le tristement célèbre Luis Torres, chef de la milice du cartel de Sinaloa et « patron » de Fitzpatrick. Il portait une casquette de base-ball tournée à l'envers, et une série d'éclairs tatoués sillonnait ses bras massifs. Sur un biceps, il exhibait un squelette vêtu d'une robe de bure. C'était Santa Muerte, le saint patron des trafiquants de drogue. Détail encore plus bizarre, Torres avait également les paupières tatouées d'une seconde paire d'yeux, de sorte que lorsqu'il clignait, il donnait toujours l'impression de vous dévisager. C'était presque aussi déroutant que le visage du bonhomme – si gras, si rond, comme un gros chérubin qui devait faire un effort pour vous regarder par-delà les épais replis de graisse bouffissant ses orbites. Et ses dents... pourries et jaunies, sans doute bousillées par la malbouffe... À gerber.

Mais Moore se retint de grimacer. Il se contenta d'un soupir au moins, ils avaient cessé le feu. Pour l'instant.

OK. Il venait de se faire capturer par le cartel de Sinaloa. *Récapitulons.*

D'abord, évite de te faire tuer. Et ensuite, évite de leur montrer que tu trembles.

Torres pinça les lèvres et regarda d'un œil désapprobateur le pistolet de Moore. Les longs poils de sa barbe étaient hérissés comme une brosse. Ses narines se dilatèrent. « Et qu'est-ce que tu fous avec ça ? » lança-t-il, cette fois en anglais.

« Je vous l'ai dit. Je suis un Américain en voyage d'affaires.

– Moi aussi.

– Vraiment ? »

Torres grogna. « Je suis né dans la banlieue sud de L.A.

– Moi, je suis du Colorado, précisa Moore.

– Alors comme ça, t'es dans les affaires ? Quel genre ?

– Les panneaux solaires.

– Et tu te trimbales avec une arme ?

– Je l'ai piquée au gars sur le siège arrière. »

Le regard de Torres se durcit. Il ricana. « Et tu portes toujours un étui d'épaule, au cas où tu tomberais sur un flingue ? »

Moore se rendit compte alors que son sweat à capuche était resté ouvert.

« T'es déjà mort. Tu sais quoi ? T'es déjà mort.

– Écoutez, je ne sais pas qui vous êtes, mais vous m'avez sauvé la vie. Je vous paierai pour ça. »

Torres secoua la tête. « T'es qu'un petit merdeux. »

Deux rues plus loin, une sirène de police retentit. Ah, les renforts rameutés par ses copains de Langley, mais ni Torres, ni ses sbires ne réagirent.

« Je suis désolé que vous ne me croyiez pas. Peut-être que je peux parler à quelqu'un d'autre ? »

Torres jura dans sa barbe. « Amenez ce connard à l'intérieur. »

Moore fut conduit dans un bureau au premier, au-dessus de la piste de danse et il s'assit sur un pliant métallique ; il tiqua en voyant aux murs la frisette très connotée années 1970 et le gros bureau métallique installé devant la fenêtre. Derrière celui-ci une étagère ployait sous le poids de dizaines de dossiers ; des tubes fluo éblouissants grésillaient au plafond. Le seul élément de modernité dans cette pièce était l'iPad allumé sur le bureau. Fitzpatrick, deux autres gros bras et Torres restèrent dans la pièce et ce dernier tâta le fauteuil du bureau comme un vieux morse tâte l'eau avant de se glisser dans les vagues. Dans ce cas précis, le gros bonhomme s'assurait que le siège ne s'effondrerait pas sous sa masse imposante.

« Qu'est-ce qu'on fait maintenant ? » demanda Moore, ce qui déclencha les sourires de l'assistance.

« Écoute, connard, tu te mets à table ou sinon c'est *el guiso*. Tu comprends ? »

Moore déglutit et acquiesça.

El guiso, ou « le ragoût », était une méthode d'exécution bien connue employée par les cartels. Ils vous fourraient dans un baril métallique, vous arrosaient d'essence ou de gazole, puis vous brûlaient vif. Le baril facilitait le nettoyage et la disparition commode du corps.

Torres croisa les bras. « Est-ce que tu travailles pour la police fédérale ?

– Non.

– Locale ?

– Non.

– Alors pourquoi diable fouines-tu dans le coin à visiter ces vieux terrains ?

– J'espérais rencontrer le propriétaire. Alors c'est vous qui avez envoyé un type pour m'enlever ?

– Ouais, c'est moi, confirma Torres. Tu parles d'un travail bâclé.

– Pas vraiment. J'ai fini devant vous, observa Moore.

– Qui es-tu ?

– Très bien. Voilà le marché. Je suis quelqu'un qui peut aider votre patron. Mais j'ai besoin de m'asseoir à une table pour causer avec lui, *mano a mano.* »

Torres étouffa un rire. « Dans tes rêves.

– Luis, écoutez-moi bien attentivement. »

L'autre se raidit. « Comment connais-tu mon nom ?

– Nous en savons bien plus, mais je ferai court. J'appartiens à un groupe d'investisseurs internationaux. Nous sommes basés au Pakistan et nous avions un commerce d'opium très lucratif avec le cartel de Juárez jusqu'à ce qu'on se fasse doubler. Mes employeurs veulent se débarrasser du cartel de Juárez. Point barre.

– Et alors, en quoi ça nous intéresse ?

– Parce qu'on m'a envoyé ici pour assassiner les chefs de ce cartel. Et vous allez m'aider. »

Torres se fendit d'un grand sourire avant de s'adresser à ses sbires en espagnol : « Vous avez entendu ce que dit le gringo ? Vous y croyez ?

– Ils auraient intérêt. Rendez-moi mon téléphone. Je vais vous montrer quelques photos. »

Torres se tourna vers Fitzpatrick – c'était lui qui avait confisqué le smartphone de Moore. Il le lui lança et Torres se pencha vers lui.

« Si tu passes un appel ou envoie un message quelconque, commença Torres, t'es un homme mort.

– Vous ne voulez pas me tuer. Je vais devenir votre meilleur pote. » Moore caressa l'écran pour accéder à la galerie photo. Il les fit défiler jusqu'au portrait de Dante Corrales. « N'est-ce pas l'un des enculés que tu voudrais voir mort ?

– Corrales…, fit Torres dans un souffle.

– J'ai besoin de causer avec ton patron. Je suis prêt à payer cinquante mille.

– Cinquante mille ? » Torres était abasourdi. « T'es pas venu tout seul, n'est-ce pas ? »

Moore faillit tourner les yeux vers Fitzpatrick. Il se retint juste à temps. « C'est pas vous notre préoccupation première. On pourrait même conclure un nouveau deal avec vous. Mais d'abord, c'est *el guiso* pour Corrales et ses copains… »

Torres s'appuya au dossier qui gémit de manière audible. Et puis, après un énorme soupir, il se mit à hocher la tête. « Et où as-tu l'argent ? À l'hôtel ?

– Transfert électronique.

– Désolé, gringo. Uniquement en espèces.

– Je comprends. Je t'apporterai du liquide. Mais auparavant, tu m'arranges une rencontre avec ton boss. Et tu as raison. Je ne suis pas venu tout seul. »

17

CERTAINS ONT DE L'ARGENT ET DES ARMES

Boeing 777 de Rojas
En vol vers Bogotà, Colombie

JORGE ROJAS regarda distraitement par le hublot ovale et poussa un soupir. Ils volaient désormais à douze mille mètres et l'on n'entendait plus que le doux ronronnement des moteurs Rolls-Royce Trent 800 de son Boeing 777 dans la cabine bien isolée. C'était assez remarquable car l'appareil avait les plus grosses turbosoufflantes de tous les avions de ligne – et heureusement, vu le prix de l'appareil, s'avisa Rojas. Il avait claqué près de trois cents millions de dollars dans cet avion de ligne pour VIP, le plus gros biréacteur disponible sur le marché, souvent surnommé le « triple sept ». Il pouvait effectuer un demi-tour du monde sans avoir besoin de ravitailler. S'ils étaient pressés, le pilote et le copilote, deux brillants anciens officiers de l'armée de l'air mexicaine, pouvaient le pousser jusqu'à Mach 0,89. Cet avion, comme ses nombreuses demeures magnifiques, témoignait de son succès et de sa retraite confortable. Il était allé prendre livraison de l'appareil directement à l'usine Boeing de Seattle pour rejoindre la base Lufthansa de Hambourg où on l'avait entièrement réaménagé avec une cabine sur mesure conforme à ses ambitions bien spécifiques. Alors qu'il pouvait accueillir cinquante passagers dans l'espace première classe, le reste de la cellule avait été converti en bureau et en suite, avec une grande chambre aux parois décorées de toile de jute anthracite. La salle de bains en travertin était dotée d'une douche à six buses, d'une baignoire à remous et d'un sauna pouvant accueillir quatre personnes. Le bureau adjacent avait été garni de meubles français anciens solidement fixés au sol. Même les bibliothèques étaient munies de légers rebords pour empêcher les livres de glisser. Si le mobilier était d'époque, la technologie était dernier cri : imprimantes, scanners, ordinateurs, réseau wifi, webcams et tout ce dont pouvait avoir besoin un expert en technologies de l'information. À l'opposé du bureau, une table de conférence était dotée d'un grand écran et d'un vidéoprojecteur informatique et entourée de confortables fauteuils en cuir bien rembourrés qui faisaient régulièrement l'admiration de ses hôtes. À l'extérieur du bureau, une salle multimédia était dotée d'un autre écran plat et meublée de canapés et de chaises longues, ainsi que d'un bar à alcools placé sous la responsabilité de Hans DeVaughn, un sommelier de réputation mondiale que Rojas avait spécialement recruté lors d'un séjour en Espagne. L'homme avait remporté un concours considéré comme l'équivalent des Oscars pour les barmen, et Hans – avec son savoir, son talent et sa créativité – avait battu plus de six mille concurrents venus de vingt-quatre pays différents. En fait, les sept domestiques employés par Rojas avaient été recrutés lors de séjours en Europe et chacun disposait d'une cabine particulière, de taille modeste mais parfaitement bien pensée, avec douche individuelle et couchette pour les déplacements de longue durée. Enfin, la cuisine privée, avec son four et ses plaques à convection, était un équipement spectaculaire à la conception duquel avait participé J.-C., son chef de toujours. L'homme avait insisté pour disposer en permanence de toute sa batterie de cuisine, quelle que soit leur destination. Quelques-unes des personnalités de choix invitées par Rojas n'avaient pu s'empêcher de remarquer que lorsqu'elles volaient à bord d'*Air Force One*, elles avaient l'impression de « loger dans un taudis », en comparaison avec le confort de son palace volant. Le roi de Jordanie avait même, par manière de plaisanterie, regretté l'absence d'une piscine.

« Ne riez pas, avait dit Rojas. Les Russes avaient des piscines d'eau de mer à bord de leurs sous-marins de classe Typhon. Mais ne vous inquiétez pas, sire, mon prochain avion sera plus grand, et vous aurez votre piscine !

– C'est inutile. Ce dont vous disposez est déjà tout bonnement spectaculaire. »

Rojas était en effet niché dans un écrin de cuir luxueux et de boiseries parfaitement encaustiquées, J.-C. leur préparait toujours des dîners de roi, et il avait plus d'argent qu'il n'en pourrait dépenser en mille vies. Les indices nord et sud-américains atteignaient des sommets inespérés. La vie était spectaculaire. Alors, pourquoi cette morosité ?

Hélas, Miguel grandissait trop vite et, alors que Rojas avait contribué à lui trouver une charmante petite amie, il le regrettait déjà quelque part, car la jeune fille – qui lui rappelait tellement sa précieuse Sofia – allait dorénavant devenir le centre de la vie de son garçon. Rojas sourit *in petto*. Comme tous les pères, il devait juste admettre que son fils acquérait son indépendance. Rien de plus. La logique devait prendre le pas sur les émotions. Plus facile à dire qu'à faire, cependant. Chaque fois qu'il les voyait ensemble, si jeunes et beaux et pleins d'enthousiasme, il ne pouvait s'empêcher de se revoir avec Sofia. Il était jaloux, bien sûr, jaloux de la jeunesse de son fils et du fait qu'il avait trouvé quelqu'un à aimer quand Rojas avait perdu l'amour de sa vie. Était-il convenable d'éprouver de tels sentiments ? D'envier son propre fils ?

Assis de l'autre côté de la cabine se trouvait Jeffrey Campbell, un vieil ami d'université fondateur de Betatest, une boîte qui s'était consacrée dès le début aux toutes premières applications pour téléphones mobiles. Campbell avait gagné des millions et il s'implantait maintenant en Amérique du Sud, avec l'aide de Rojas. Tous deux avaient joué dans la même équipe de foot, ils étaient même sortis un jour tous les deux avec des jumelles, ce qui avait fait sensation sur le campus, car ces deux beautés sculpturales étaient convoitées par des hordes d'étudiants.

« T'as l'air à des millions d'années-lumière », constata Campbell.

Rojas eut un petit sourire. « Pas tout à fait des millions. Et toi, comment tu te sens ?

– Très bien. J'avais toujours cru que je partirais avant lui. Ce n'est pas évident d'enterrer son petit frère. »

Cette dernière phrase toucha au vif Rojas. « Évidemment. »

Le frère de Campbell, lui aussi un athlète universitaire, qui n'avait jamais touché une cigarette de toute sa vie, avait été brusquement emporté par un cancer du poumon. À trente-huit ans. Ses médecins le suspectaient d'avoir été soumis au rayonnement d'uranium appauvri quand son char M1A1 Abrams avait sauté sur une bombe artisanale lors de la guerre d'Irak, mais le prouver pour essayer d'obtenir des compensations de l'armée s'avérait une tâche difficile.

Le frère aîné de Rojas était mort à dix-sept ans quand lui-même n'en avait que quinze. Ils avaient grandi ensemble à Apatzingán, à l'époque encore une bourgade dans l'État de Michoacán, dans le sud-ouest du Mexique. Leur père était un fermier et un éleveur de bétail qui, les week-ends, réparait du matériel agricole et les taxis de la compagnie qui desservait les villes voisines. C'était un homme à l'imposante carrure, qui arborait une grosse moustache et était coiffé d'un sempiternel feutre beige – au point que d'aucuns juraient qu'il le gardait même au lit. Leur mère, une femme aux grands yeux noisette et aux épais sourcils dont le regard pouvait parfois glacer Rojas jusqu'aux os, travaillait sans relâche à la ferme et tenait leur logis d'une manière impeccable. Ses parents lui avaient instillé une éthique du travail qui ne tolérait pas la moindre distraction, mais qui lui avait rendu insupportables ceux qui choisissaient de vivre dans la nonchalance.

La nuit avait été fraîche, le vent descendu des montagnes avait fait battre et grincer la clôture car le loquet était rouillé. Les trois gangsters se tenaient éclairés à revers par un dernier quartier de lune, attendant qu'Esteban, le frère de Rojas, émerge et les affronte. Ils étaient vêtus d'habits sombres, deux d'entre eux portaient une capuche, comme la Faucheuse. Le plus grand de la bande se tenait un peu en retrait, telle une sentinelle chargée de consigner l'incident pour des yeux plus puissants que les siens.

Rojas sortit sur le porche et saisit son frère par le poignet. « T'as qu'à leur rendre.

– Je ne peux pas, dit Esteban. Je l'ai déjà dépensé.

– À quoi ?

– À réparer le tracteur et les canalisations.

– C'est comme ça que t'as eu l'argent ?

– Oui.

– Pourquoi as-tu fait ça ? » La voix de Rojas était à deux doigts de se briser.

« Parce que regarde-nous ! On est des paysans ! On trime toute la journée et pour quoi ? Quasiment des clopinettes ! Eux, ils travaillent pour le cartel et, en cinq minutes, ils se font ce qu'on gagne en un mois ! C'est pas juste !

– Je sais, mais t'aurais quand même pas dû faire ça !

– D'accord, t'as raison. Je n'aurais pas dû leur piquer leur fric, mais je l'ai fait. Et maintenant, il est trop tard. Alors à présent, faut que j'aille leur parler. Peut-être qu'ils me laisseront un délai.

– N'y va pas !

– Il faut que je règle cette histoire. Je ne dors plus. Faut que je passe un marché avec eux. »

Esteban se dégagea d'une bourrade et descendit les marches pour gagner le chemin qui menait à la clôture.

Cette scène, Rojas se la repassait sans cesse dans ses cauchemars. Il avait noté chaque pas, relevé le mouvement de chaque ombre dans le dos du blouson en velours côtelé de son frangin. Esteban tirait nerveusement sur les manches, malaxant l'étoffe avec ses mains. Rojas avait toujours pris exemple sur son grand frère et, pas une seule fois, il ne l'avait vu avoir peur.

Mais ces mains qui tiraient sur les manches… et cette démarche soigneusement mesurée, même si les bottes semblaient s'enfoncer plus que d'habitude… tout cela lui disait que son héros, son protecteur, le garçon qui lui avait appris à pêcher, à escalader les rochers et à conduire un tracteur, était absolument terrifié.

« Esteban ! » s'écria Rojas.

Son frère pivota et leva un doigt. « Reste sous le porche ! »

Rojas n'avait qu'une envie, soit accompagner son frère, soit filer à l'intérieur prévenir ses parents, mais ils étaient sortis en ville fêter leur anniversaire de mariage, même que son père s'était vanté d'avoir économisé suffisamment pour payer à sa femme un repas de choix.

Un des gangsters dit quelque chose à Esteban, qui répliqua en haussant le ton. Esteban atteignit la clôture et, bizarrement, les gangsters ne bougèrent pas, refusant d'entrer comme si quelque force les retenait.

Ce n'est qu'après qu'Esteban l'eut franchie pour s'aventurer sur le chemin de terre qu'ils vinrent l'encercler. Rojas songea à la carabine que son père gardait planquée sous son lit. L'idée lui vint de filer dehors et de la décharger au visage de ces mauvais garçons. Il ne supportait plus de voir son frère ainsi accosté par ces *cabrones*.

Il se remémora le paquet de bonbons qu'Esteban avait ramené à la maison la semaine précédente, un vrai luxe pour eux, et se rendit compte que, même ça, il se l'était procuré avec l'argent volé.

« Tiens, avait dit Esteban. Je sais à quel point tu aimes le chocolat.

– Merci ! J'arrive pas à croire que t'en aies trouvé !

– Je sais. Moi non plus ! »

Et une fois terminés les chocolats, alors qu'allongés sur leurs lits, ils contemplaient le plafond, Esteban avait dit : « Tu ne devrais jamais avoir peur de personne, Jorge. Les gens essaieront de t'intimider mais personne n'est meilleur que les autres. Certains ont de l'argent et des armes. C'est la seule différence. N'aie pas peur. Tu devrais savoir te battre dans cette existence.

– Je ne sais pas si *el padre* serait d'accord, avait-il observé. Il nous a dit de nous méfier des gangs.

– Non ! Ne jamais avoir peur ! »

Mais Rojas avait peur, plus que jamais à présent, alors qu'il voyait les gangsters commencer à gueuler après son frère.

Le plus petit de la bande poussa Esteban, qui répliqua en le poussant à son tour, tout en s'écriant : « Je rembourserai l'argent ! »

Et à ce moment le plus grand, celui qui était resté en retrait sans mot dire, glissa la main dans son blouson et exhiba un pistolet.

Rojas étouffa un cri, se crispa, tendit la main…

La détonation le fit sursauter et cligner des yeux quand la tête d'Esteban fut rejetée de côté et que son frère s'effondra au sol.

Sans un mot, Rojas fila dans la maison, jusqu'à la chambre de son père, récupérer le fusil de chasse. Puis il se précipita de nouveau dehors. Les trois gangsters détalaient déjà dans le champ, en direction de la lune déjà basse sur l'horizon. Rojas franchit la clôture et leur cria après. Il tira deux coups de feu et les détonations résonnèrent sur les murs et les collines. Les gangsters étaient largement hors de portée. Il jura, ralentit, s'arrêta, essaya de reprendre son souffle.

Puis il retourna auprès de son frère qui gisait dans la poussière, immobile. Il se jeta à genoux et le fusil lui échappa des mains. Le trou béant dans la tête d'Esteban lui donna des frissons. Son frère le fixait avec un drôle de reflet dans les yeux et plus tard, dans ses rêves et ses cauchemars, Rojas reverrait la lune se refléter dans ces pupilles et, devant la lune, qui se découpait sur le ciel nocturne, la sentinelle qui levait son pistolet. Rojas essaierait toujours de distinguer le visage du garçon, mais sans jamais y parvenir.

Il posa la tête sur la poitrine de son frère et se mit à pleurer. Des voisins le retrouvèrent là quelques minutes plus tard et, enfin, ses parents arrivèrent. Les gémissements de sa mère transperçaient la nuit.

C'était dans une autre vie, songea Rojas en caressant du bout d'un doigt l'accoudoir de bois verni de son siège. Les histoires d'ascension sociale fulgurante étaient un cliché, lui avait-on toujours dit, mais il mettait quiconque au défi de classer sa vie actuelle parmi les clichés. Il avait beau toujours aimer et admirer son frère, Rojas comprenait maintenant qu'Esteban avait commis une erreur grave et stupide. Rojas avait passé près de la moitié de sa vie à rechercher l'assassin d'Esteban, mais personne ne s'était proposé pour l'aider.

« Ma foi, Jorge, jamais je ne pourrai assez te remercier. Pour tout ce que tu as fait. Je veux dire, je n'avais jamais encore rencontré de chef d'État.

– J'en ai connu beaucoup, dit Rojas. Et tu sais quoi ? Ce sont juste des hommes. Les gens essaieront de t'intimider mais personne n'est meilleur que les autres. Certains ont de l'argent et des armes. C'est la seule différence.

– Certains aussi ont des jets privés », ajouta Campbell avec un sourire.

Il opina. « J'aime bien les voyages.

– Je suis sûr qu'on a déjà dû te poser la question, mais les gens comme toi m'ont toujours intrigué. À ton avis, qu'est-ce qui a le plus contribué à ton succès ? La discipline ou l'astuce ? La chance ? Un peu des trois ? Je veux dire, tu m'as raconté l'histoire du patelin où tu as grandi. Et aujourd'hui, tu es une des plus grosses fortunes de la planète. Cet article de *Newsweek* disait qu'on pouvait l'estimer à au moins huit pour cent du PIB du Mexique. C'est tout bonnement… confondant. Qui aurait pu imaginer ça quand on était en fac, hein ?

– Tu ne t'es pas mal débrouillé, toi aussi. Ne te mésestime pas. »

Il hocha la tête. « Mais rien de comparable. Alors, quand je regarde autour de moi et que je contemple cet avion magnifique, je te le redemande : comment en es-tu arrivé là ?

– En achetant des affaires, en faisant des investissements avisés… je ne sais pas, franchement. Des amis, surtout, m'ont aidé.

– Ne fais pas le timide.

– Je suis sérieux. Les amitiés que j'ai nouées sont devenues le plus important, et tu le constateras quand on sera en Colombie. »

Campbell réfléchit à cette réponse puis il finit par hocher la tête, et il semblait que Rojas avait réussi à éluder la question. Mais il revint à l'attaque : « Crois-tu que c'était tes études ? Tes bons résultats ?

– Bien sûr, ça compte. Les amis et les études.

– Mais ça ne résout pas le vrai mystère. »

Rojas plissa le front. « Oh, et qui est… ?

– Le nombre de tes entreprises qui ont échappé à la récession. Si ma mémoire est bonne, pas une seule n'a été placée en redressement judiciaire. Compte tenu de la volatilité du marché, cela tient du miracle. »

Rojas s'autorisa un léger sourire. « J'ai de bons collaborateurs, plus une armée d'avocats pour me protéger moi et mes investissements.

– Les restaurants Subway que tu possèdes au Mexique gagnent plus que leurs équivalents aux États-Unis et pourtant les Mexicains disposent de revenus plus faibles. Comment fais-tu ? »

Il se mit à rire. « On vend des tas de sandwiches. » Et puis il se remémora le conseil d'administration du mois précédent, où son équipe avait présenté les bénéfices annuels pour la chaîne de revendeurs automobiles qu'il possédait, avec des concessions dans tout le pays. Beaucoup de gens ignoraient que le pays était parmi les leaders mondiaux dans la fabrication et la vente d'automobiles. Les résultats avaient été toutefois décevants, même si Rojas avait pu garantir à ses actionnaires que les primes versées aux vendeurs seraient considérablement augmentées.

« Mais comment peut-on y parvenir avec une telle chute dans les chiffres de vente ? » avait demandé son P-DG. La question était pertinente et la douzaine de personnes assises autour de la table de conférences focalisa son attention sur Rojas, installé en bout, qui se leva alors pour répondre : « J'ai négocié directement avec les constructeurs et je vous promets que vos primes seront augmentées. »

Il y eut des haussements d'épaules incrédules. Mais Rojas tint promesse. Et les coups de fil comme les mails affluèrent : « Merci ! Merci ! »

Un concessionnaire remarqua même que le señor Rojas avait « un coffre magique rempli d'argent miraculeux pour sauver les vies, protéger les familles et les écoles ».

La vérité était, comme souvent, présentée sous forme de plaisanterie, et la chambre forte installée dans la demeure de Cuernavaca, à la lisière de Mexico, était bel et bien remplie du sol au plafond de dollars et de pesos. Des murs entiers de billets. Des millions et des millions – un argent qui serait habilement blanchi via les réseaux, les sociétés-écrans, et déposé sur des comptes offshore, tout en contribuant au soutien des affaires légitimes de Rojas, des concessions automobiles aux restaurants en passant par les manufactures de cigarettes et les entreprises de télécoms.

Car la seule activité à ne pas être touchée par la crise – et qui tout au contraire était rendue florissante – était bien le trafic de drogue. Rojas aurait même souhaité parfois se détacher de cette activité qui l'avait aidé à bâtir son empire. Car ç'avait été un défi épuisant de garder secrètes son identité et ses relations avec le cartel. Même son épouse et son fils ignoraient tout du cartel de Juárez et de la façon dont Rojas, alors à l'université, s'était trouvé impliqué dans cette histoire.

Rojas avait rencontré un étudiant en licence du nom d'Enrique Juárez qui, de l'avis de ses collègues et professeurs, était un génie dans la technique de recombinaison des gènes de l'ADN et des processus de fabrication de l'insuline. Juárez désirait installer au Mexique un laboratoire pharmaceutique pour tirer profit de la main-d'œuvre bon marché. Rojas s'était montré si impressionné par la proposition qu'il avait investi une bonne partie de ses économies – pas loin de vingt mille dollars – dans la compagnie. GA Lab (pour Genetics Acuña) s'était installée à Ciudad Acuña (209 000 habitants), sur les rives du Rio Grande au sud de Del Rio, Texas. Juárez avait expliqué la procédure : le premier contrat était de produire les chaînes A et B, avec respectivement vingt et un et trente acides aminés, qui formaient les précurseurs de la synthèse de l'insuline.

Une fois les deux chaînes développées, GA rapatrierait les constituants aux États-Unis où ils seraient réunis pour former des brins circulaires d'ADN dénommés plasmides, une opération de chirurgie moléculaire réalisée grâce à des enzymes spéciales qui constituait l'étape suivante du processus de fabrication.

Les contrats arrivèrent. La production démarra et, au cours des cinq années qui suivirent, Rojas et Juárez touchèrent des salaires à six chiffres. Rojas vit l'avantage manifeste de détenir une entreprise pharmaceutique avec une façade légitime, et il se mit à engager du personnel, à l'insu de Juárez, pour produire au marché noir des versions de médicaments comme le Dilaudid, la Vicodin, le Percocet et l'OxyContin, l'ensemble rapportant bien plus que la partie insuline de la production.

Un vendredi soir, après un long dîner suivi d'un débat passablement enflammé, Juárez avait regardé Rojas à travers ses grosses lunettes et lâché : « Jorge, je n'aime pas la tournure que tu fais prendre à notre compagnie. Il y a désormais trop de risques. Il y a trop à perdre. Peu m'importe ce que nous rapporte la fabrication de ces médicaments de contrebande, si on se fait prendre, on perd tout.

– Je le sais fort bien. C'est pourquoi je suis prêt à te racheter ta part. Tu peux récupérer l'argent et ouvrir ta propre affaire. Je te ferai une offre très généreuse. Je ne veux pas te voir malheureux. On a commencé avec quelques grandes idées et bien des prières. Laisse-moi te libérer pour entreprendre autre chose.

– J'ai créé cette affaire. C'était mon idée depuis le début. Tu le sais. Je ne vais pas te l'abandonner. Nous étions partenaires, mais jamais tu ne m'as consulté sur cette nouvelle orientation. Tu as fait ça derrière mon dos. Je ne peux plus te faire confiance. »

Rojas se raidit. « Tu n'aurais rien été sans mon argent.

– Je ne te vendrai pas cette affaire. Je te demande de cesser de tout risquer.

– Il faudra bien que tu acceptes mon offre.

– Non, sûrement pas. » Juárez se leva, s'essuya la bouche, et quitta la table, furieux.

Le lendemain matin, il tentait de virer tous les chercheurs et tout le personnel de laboratoire engagés par Rojas.

Ce dernier lui dit de s'en aller, de prendre une semaine de congé, d'aller faire du ski en Suisse. Il n'avait plus les idées claires. Finalement, Juárez céda aux pressions et prit le congé. Malheureusement, c'est alors qu'il mourut d'un terrible « accident » de ski, laissant tous ses biens et son argent à sa mère, une femme âgée qui aussitôt conclut avec Rojas un marché particulièrement juteux.

Le cartel de Juárez tirait officieusement son nom de la ville où s'effectuait la majorité de ses trafics mais l'ironie avait voulu que l'homme à l'origine de sa création portât le même nom. Rojas avait commencé par un petit labo pharmaceutique, qu'il avait agrandi, puis diversifié, ces autres entreprises lui permettant à leur tour de créer de nouvelles sociétés susceptibles de blanchir l'argent mais aussi de constituer un empire immobilier touchant toutes les grandes agglomérations mexicaines.

Il reconnut que le moyen le plus rapide d'acquérir une expertise dans ces domaines variés était de court-circuiter la phase interminable d'apprentissage des compétences en rachetant plutôt des entreprises ayant déjà réussi dans leur branche. Sa compréhension des finances et des rouages du marché conduisit à une croissance extrêmement rapide de son empire. Toutefois, son organisation n'était pas à l'abri des problèmes. Trois des principaux cadres du cartel se mirent à faire péricliter les opérations de trafic de drogue à cause de leur ego et de leurs prétentions démesurées, ce qui dut le contraindre à les en « dessaisir ». La décision – tout comme celle concernant Juárez – continuait de le hanter, mais il savait que s'il n'avait pas agi avec promptitude, tout son empire aurait sombré, et lui avec.

Ces dernières années, il avait acheté des terrains à New York et encore gagné des millions en revendant ces parcelles. Il renfloua des maisons d'édition, des magazines, et y prit des participations majoritaires. Il caressait souvent l'idée de fourguer tout bonnement le cartel et l'ensemble de ses affaires à Fernando Castillo, qui saurait continuer à mener l'affaire de manière avisée. Rojas avait été sur le point de se retirer mais c'est à ce moment que la récession avait frappé et il avait alors été contraint de renforcer ses entreprises et de reconstituer ses profits en demeurant le leader clandestin de ce qui était désormais devenu le plus rentable et le plus puissant cartel de la drogue au Mexique.

Comment avait-il procédé ?

Il avait envie de se pencher vers Campbell et de lui dire toute la vérité : « *Jeffrey, ce monde est injuste. Ce monde m'a pris ma femme bien-aimée. Et à cause de cela, je suis incapable de jouer franc jeu. Je dois prendre des risques, comme jadis mon frère. Alors je fais ce que j'ai à faire. Rendre service, faire le plus de bien possible autour de moi, mais en sachant que dans le même temps d'autres vies sont ruinées, que de braves gens meurent, mais que d'autres, bien plus nombreux, sont également sauvés. Telle est l'horrible vérité. Mon terrible secret. Au moins, tu n'as pas besoin de vivre avec… Moi seul dois l'endurer.* »

J.-C. arriva avec leur dîner – l'odeur des fajitas fraîches emplit la cabine d'arômes qui lui tournèrent la tête. Rojas repensa à Miguel qui n'allait pas tarder à partir pour de brèves vacances avec sa jeune fiancée.

À quoi ressemblerait ce jour ? Celui où son fils unique apprendrait la vérité ?

18
L'EAU QUI DORT

Casa de Nario
Bogotà, Colombie

LE PALAIS PRÉSIDENTIEL COLOMBIEN avait été baptisé en l'honneur d'Antonio Nariño, né en 1765, l'un des chefs militaires et politiques du mouvement d'indépendance de la Colombie, qui avait édifié sa résidence personnelle sur ce site même. Quatre paires de colonnes imposantes soutenaient le porche à l'entrée du palais et quand Rojas passa dans l'ombre de cette magnifique œuvre d'art, il se fit la réflexion qu'il serait bien agréable de vivre dans des murs si riches d'histoire et de tradition. Jeff Campbell le talonnait et le Président Tomas Rodriguez était déjà là, radieux. L'homme avait une abondante chevelure brune et portait un complet noir, une chemise blanche habillée et une cravate de soie dorée qui firent forte impression sur Rojas. Jamais il n'avait vu des étoffes si soyeuses, si éblouissantes, et il se promit d'interroger le Président à ce sujet.

Les présentations furent brèves, le Président regarda les deux hommes droit dans les yeux et sa poignée de main ferme fut suivie, pour Rojas, d'un *abrazo* chaleureux accompagné d'une grande tape sur l'épaule. « Ça faisait si longtemps… trop, mon ami.

– Je te prie de m'excuser pour cette arrivée tardive, dit Rojas. Mais après cette folie survenue à Paris, franchir la douane a été un marathon de près de trois heures.

– Je comprends tout à fait, compatit Rodriguez. Je nous ai installés dans la bibliothèque. Je n'apparaîtrai pas avant dix heures ce soir, donc nous avons tout notre temps. On peut également aller à l'observatoire s'il ne fait pas trop froid. Je suis sûr que tu vas me rebattre les oreilles avec tes bilans et tes résultats dans le pétrole, le café et le charbon… Je veux avant tout te dire que nos affaires marchent bien mieux que lors de notre dernier entretien.

– Oui, en effet », confirma Rojas, sur un ton enjoué.

Le Président se lança.

Campbell se tourna vers Rojas et sourit : « C'est incroyable.

– Évidemment », répondit Rojas. Avant d'ajouter dans un murmure : « Et quand nous en aurons terminé, tu vas te retrouver avec un contrat gouvernemental, fais-moi confiance.

– Excellent », lâcha Campbell, estomaqué.

Ils traversèrent l'antichambre aux murs ornés de tableaux encadrés, parmi lesquels plusieurs toiles d'Antonio Nariño lui-même, et décorée de mobilier d'époque. Certains meubles dataient de plusieurs siècles. Ces témoignages d'histoire et d'opulence n'émouvaient plus autant Rojas mais il s'amusa de la réaction de Campbell, de ses yeux qui s'arrondissaient à mesure qu'ils avançaient à l'intérieur du palais.

Son téléphone vibra. Il consulta le texto envoyé par Fernando Castillo : « Je suis ici avec Ballesteros. »

Rojas hocha discrètement la tête. Ballesteros avait passé un sale moment et Rojas n'était pas mécontent de le voir de retour au pays pour aider son loyal fournisseur. Les ennemis de Ballesteros n'allaient pas tarder à subir l'ire du cartel de Juárez.

Camp de base des FARC
Quelque part dans la jungle
Près de Bogotà

Le colonel Julio Dios des Forces armées révolutionnaires de Colombie, le plus ancien et le plus important groupe révolutionnaire des deux Amériques, s'installa sur sa couchette sous la tente. C'était son cinquantième anniversaire et il avait passé la journée à boire et festoyer avec ses hommes. Ah, ce mot d'*hommes* était trop généreux. La plupart de ses forces étaient composées de garçons d'à peine dix-huit ans, certains même plus jeunes encore, quatorze ou quinze, mais il les avait bien formés et ils étaient d'une loyauté farouche envers leur chef et sa mission de pressurer toujours plus les producteurs de cocaïne pour leur extorquer toujours plus d'argent qui servirait à intensifier et mieux équiper leurs forces. Ils étaient encore loin d'avoir les moyens de renverser le gouvernement mais Dios estimait que d'ici quelques années, les forces des FARC seraient en mesure de déclencher un putsch et de remporter une victoire décisive. Ce jour-là, ils renverseraient ce Président corrompu et son régime intolérable. En attendant, ils allaient continuer d'accroître leurs revenus en augmentant le pourcentage soutiré aux producteurs de drogue. Les relations qu'il entretenait avec l'un d'eux en particulier, le sieur Juan Ramón Ballesteros, lui avaient fourni l'allié de circonstance idéal ; il échangeait souvent directement de la cocaïne contre des armes. Les FARC prenaient bien soin de se garder de toute implication dans la production et le transport des drogues et, en contrepartie, ils procuraient à Ballesteros le surcroît de sécurité dont il avait besoin pour tenir à distance les autorités judiciaires locales et fédérales.

Mais tandis que Ballesteros étendait ses activités, Dios et ses camarades se voyaient traqués avec une violence accrue, leurs effectifs commençaient à se réduire, leur sort semblait de fait lié à la générosité de Ballesteros ou d'autres trafiquants du même acabit. Cela, décida Dios, devait changer, aussi avait-il décidé d'accentuer encore la pression sur le baron de la drogue dont l'entêtement risquait sous peu de lui coûter la vie.

Dios mit sa tête entre ses mains. Il s'apprêtait à profiter d'une bonne nuit de repos.

Il ne vit ni n'entendit l'homme entrer dans sa tente, il ne sentit que la main plaquée sur sa bouche et la douleur brûlante inonder sa poitrine. Quand enfin il leva les yeux dans l'obscurité granuleuse, ce fut pour entrevoir une silhouette vêtue de noir, au visage masqué par une cagoule ne dévoilant qu'un œil – ou bien était-ce un bandeau qui masquait l'autre ?

« Ballesteros t'envoie ses hommages. On ne déconne pas avec nous. Jamais. Tes gars le sauront désormais… Tu salueras Dieu de notre part… »

L'homme le frappa de nouveau à la poitrine, la douleur fulgurante revint et soudain Dios fut incapable de maîtriser ses membres. Il aurait voulu tousser. Impossible. Il voulut reprendre sa respiration. Impossible. Et puis…

En quittant la tente avec ses gants couverts de sang, Fernando Castillo songea aux autres hommes en train de se faire tuer exactement au même moment, six autres leaders des FARC tous assassinés avec le même billet épinglé à leur poitrine, « réclamant » un surcroît de patience et de « coopération ». Le cartel de Juárez avait parlé.

Une résidence privée
Bogotà

« *Tu prendras leur tête. Tu feras revenir le djihâd sur le sol américain. Et pour ce faire, tu devras recourir aux contacts que tu as noués avec les Mexicains. As-tu compris ?* »

Tels avaient été les ordres du mollah Abdul Samad, et toutes les décisions qu'il prenait visaient à compléter cette mission. Quel que pût être son dégoût pour ce qu'il s'apprêtait à faire, il n'oublierait pas les paroles du mollah Omar Rahmani.

Samuel avait voyagé seul dans la limousine Mercedes noire. Niazi et Talwar étaient restés regarder des séries sentimentales espagnoles à l'hôtel Charleston où Ballesteros les avait installés dans des suites – tous les dix-sept. Quatorze des quinze combattants de Samad étaient arrivés en ville et c'était par la seule volonté de Dieu que Talwar, Niazi et lui avaient pu s'échapper de cette planque dans la jungle après l'attaque par les commandos des FARC. Jusque-là, ils n'avaient connu qu'un revers : la mort d'Ahmad Leghari à Paris. Que Ballesteros ne puisse pas utiliser le sous-marin pour les faire entrer au Mexique était un problème qu'on pouvait contourner, mais le plus crucial demeurait la traversée de la frontière vers les États-Unis. Si Samad parvenait à conclure un marché avec le cartel de Juárez, alors l'étape la plus délicate de leur voyage serait réglée. Sinon, il faudrait mettre en œuvre d'autres plans, et Rahmani du reste avait indiqué être déjà en contact avec au moins un autre cartel. Il avait craint, en s'adressant à plusieurs d'un coup, de mettre la puce à l'oreille de Rojas, aussi avançaient-ils avec lenteur et précaution.

Le chauffeur de la limousine, un jeune homme d'à peine vingt et un ans, engagea la voiture sur la large allée pavée qui débouchait sur l'entrée d'une spectaculaire demeure de style colonial nichée dans les collines d'où elle dominait toute la ville. Il s'agissait, avait dit Ballesteros, d'une des nombreuses villégiatures de son patron, une propriété d'une valeur de plusieurs millions, et Samad, en homme simple qui vit chichement, ne pouvait s'empêcher de mépriser un tel luxe ostentatoire, entre les dizaines de fenêtres à meneaux, les six fontaines, toutes différentes, ponctuant l'allée circulaire et les statues de marbre dont la présence ici évoquait plus un musée qu'une résidence particulière. Ils s'immobilisèrent devant une paire de portes en bois sculpté à la main de motifs floraux soulignés à la feuille d'or et couverts d'une patine couleur noyer. Le chauffeur descendit et ouvrit la portière à Samad qui se coula dehors. Vu d'un peu loin, il aurait été méconnaissable, même pour ses plus fidèles lieutenants. Barbe et cheveux avaient été sévèrement taillés et il s'était procuré un complet veston très occidental accompagné d'un attaché-case en cuir. Aux yeux de n'importe quel Colombien, il était l'image même de l'homme d'affaires étranger qui avait réussi et ne détestait pas les week-ends au grand air, comme en attestaient la barbe un peu rude et la carrure élancée.

Un homme un peu voûté portant moustache grise et habillé en majordome l'accueillit à la porte et le conduisit vers une terrasse à l'arrière. Là, celui que Samad venait voir était installé, seul, à une table en fer forgé ; il lisait l'édition quotidienne de *La Republica Bogotà*, un verre de jus d'orange posé à côté de lui.

« Señor Rojas ? Votre invité est arrivé », annonça en espagnol le majordome.

Le quotidien s'abaissa pour révéler un homme étonnamment jeune pour son poste. Samad essaya de cacher sa surprise quand son hôte se leva, passa la main dans ses cheveux bruns à peine grisonnants, puis se pencha pour offrir à Samad une solide poignée de main.

« *Buenos dias*. Asseyez-vous, je vous en prie.

– *Gracias*, répondit Samad, supposant que l'entretien se déroulerait en espagnol. C'est un grand honneur de pouvoir enfin vous rencontrer en personne. Le mollah Rahmani dit le plus grand bien de vous.

– Ma foi, j'en suis flatté. Votre petit déjeuner sera servi d'un instant à l'autre.

– Excellent.

– Le señor Ballesteros me dit que vous êtes accompagné par un groupe assez nombreux.

– C'est exact. »

Grimace de Rojas. « Voilà qui me chagrine. Et j'ai déjà fait part de mes préoccupations au mollah Rahmani.

– Alors vous comprenez notre dilemme.

– J'ai bien peur que non. Il ne m'a pas dit la raison de votre visite, juste que vous veniez et qu'il était de la plus haute importance que nous eussions un entretien.

– Eh bien, avant d'en discuter, je tiens d'abord à vous assurer que les erreurs commises au Pakistan ne se reproduiront pas. La CIA nous a mis sérieusement la pression mais nous avons recruté un agent à l'intérieur. Il nous a donné plusieurs noms. Avec son aide, les expéditions vont reprendre comme avant. »

Rojas arqua un sourcil. « J'en suis certain, car sinon, je me verrai obligé de trouver un autre fournisseur. Maints seigneurs de la guerre au nord du pays sont venus frapper à ma porte. Et comme je l'ai bien fait comprendre à Rahmani, nous sommes le seul cartel avec qui vous traiterez.

– Bien sûr.

– Écoutez-moi bien. Si jamais j'apprends que vous n'êtes pas satisfaits de nous et que vous vous avisez de vendre votre production au cartel de Sinaloa ou à quelque autre de mes concurrents, il y aura des conséquences graves. »

Tout en ne pouvant masquer son mépris devant de telles menaces, Samad était parfaitement conscient qu'il ne sortirait pas d'ici vivant si jamais il s'aventurait à doubler cet homme. « Nous comprenons parfaitement que notre arrangement est exclusif. Et nous sommes tout à fait ravis de collaborer avec vous et de constater vos efforts louables pour tenter d'étendre la diffusion de notre produit, qui, jusqu'il y a peu, était totalement ignoré des cartels. En fait, je vous suis si reconnaissant de votre aide que je vous ai apporté quelques présents… »

Samad surprit Rojas à lorgner la mallette. « Oh non, ajouta aussitôt Samad avec un sourire. Ils ne sont pas ici. Ils sont bien trop… encombrants, dirons-nous.

– Je pense deviner ce que vous avez en tête.

– Oui. Quelque chose pour vos ennemis. »

Dans la retraite de Ballesteros en pleine jungle, deux camions étaient chargés d'engins explosifs improvisés complexes conçus dans l'usine de Samad à Zahedan. En sus de ces quelques centaines de bombes, on comptait vingt-deux caisses de pistolets belges FN 5.7 dont Samad savait qu'ils avaient la préférence des cartels mexicains qui utilisaient le *mata policia* contre les gilets pare-balles de la police. Les projectiles pénétraient souvent ces derniers et Samad estimait qu'un tel cadeau ne pourrait que satisfaire Rojas et ses *sicarios*.

Samad retira de sa mallette un inventaire imprimé qu'il présenta à Rojas et ce dernier écarquilla les yeux : « Excellent.

– La livraison interviendra cet après-midi.

– Pas ici. Je vais demander à Fernando de vous appeler pour les dispositions pratiques. J'en déduis donc que vous n'avez pas parcouru tout ce chemin pour livrer des armes ou vous excuser pour ce qui s'est passé au Pakistan ?

– Non.

– Vous recherchez une faveur. »

Samad poussa un gros soupir. « Un de nos amis chers, un imam révéré, souffre d'un cancer du poumon qui nécessiterait un traitement médical de pointe aux États-Unis. Il nous a accompagnés, avec ses deux fils, deux neveux et de quelques acolytes. Je puis vous assurer qu'il n'a rien d'un terroriste, ce n'est qu'une pauvre âme en peine qui a besoin des meilleurs soins qu'on puisse lui procurer. Le CHU de Houston est en pointe pour le traitement des cancers. Nous désirons y conduire l'imam. Mais nous avons besoin de votre aide. Voyez-vous, à cause de ses croyances religieuses et de l'aide financière qu'il recevait des États arabes, son nom se trouve sur la liste des terroristes des autorités américaines ainsi que sur celle des personnes interdites de vol. Si vous voulez nous aider à le faire venir à Houston avec sa famille et ses proches, nous vous en serons éternellement reconnaissants. »

Une autre domestique apparut pour déposer devant Samad un plateau avec du pain grillé, de la confiture, des céréales et du café. L'interruption le troubla, l'empêchant de déchiffrer la réaction de Rojas.

Samad remercia la femme, puis il fixa avec insistance Rojas qui restait le nez obstinément dans son jus d'orange. Il se pencha vers lui et murmura : « Je ne peux pas vous aider.

– Mais, señor, c'est une question de vie ou de mort.

– Tout à fait. »

Rojas repoussa sa chaise, se leva, s'éloigna de la table, puis revint, en se grattant le menton, l'air songeur. Quand enfin il rouvrit la bouche, son ton était devenu bien plus sombre : « Pouvez-vous imaginer ce qui arriverait si votre groupe se faisait prendre ? Est-ce que vous pouvez l'imaginer ?

– Mais nous ne risquerions pas d'être pris, puisque nous comptons bien sur votre expertise pour nous mener là-bas. »

Rojas hocha la tête. « Les États-Unis sont comme l'eau qui dort. Et pour reprendre l'adage, il faut toujours se méfier de l'eau qui dort. Si nous ne voulons pas déclencher une tempête. Nous pourrions être arrêtés, et ce serait la ruine de nos affaires. Je l'ai bien fait comprendre à Rahmani. Vous ne pouvez pas nous embrigader dans votre djihâd. Jamais vous ne pourrez vous servir de nous pour passer librement aux États-Unis. Jamais je ne ferai quoi que ce soit susceptible de menacer la demande pour notre marchandise, et vous savez aussi bien que moi que les Américains sont nos premiers clients.

– Sans votre aide, l'imam va certainement mourir.

– Le risque est trop grand. Les États-Unis ont déjà consacré des millions pour la protection de leur frontière. Vous vous plaignez des drones au Waziristan ? Eh bien, ils utilisent les mêmes ici. Vous n'avez pas idée des difficultés que nous rencontrons désormais, la longueur et l'envergure des opérations nécessaires pour y échapper, et tout cela, alors que la tempête ne s'est même pas encore levée. »

L'expression de Rojas était pour ainsi dire implacable. Il était exclu de lui faire changer d'avis. Samad se garda bien d'insister. « Je comprends vos préoccupations. Je suis déçu de votre décision et nous allons devoir dire à l'imam qu'il nous faut chercher ailleurs un traitement.

– Pour ça au moins, je puis vous aider. Je vais demander à mon secrétariat de passer quelques coups de fil et nous devrions vous trouver un centre anticancéreux qui devrait parfaitement convenir à l'imam.

– Merci beaucoup, señor. »

Rojas pria qu'il l'excuse pour aller prendre un coup de fil et Samad, pendant ce temps, grignota son petit déjeuner. Quand son hôte revint à table, il but une grande lampée de son jus d'orange puis expliqua : « Samad, je suis toujours extrêmement décontenancé par cette visite. Je crains que vous et votre groupe ne fassiez quelque chose d'inconsidéré. Je m'en vais appeler le mollah Rahmani et lui répéter ce que je m'apprête à vous dire : si vous essayez d'entrer aux États-Unis, notre pacte est rompu. Personne au Mexique n'achètera votre opium. Personne. Je vous couperai l'herbe sous le pied. En fait, quand j'aurai terminé, plus personne au monde n'achètera votre marchandise. Je veux que vous y réfléchissiez attentivement. La relation que nous avons en ce moment est très particulière. La ruiner pour sauver un seul homme est idiot. Je ne veux pas paraître sans cœur, mais les faits sont là.

– La confiance, ça se mérite, convint Samad. Et je n'ai pas encore mérité la vôtre. Mais ça viendra. Vous verrez. Aussi, je vous en prie, ne vous mettez plus martel en tête avec cette histoire.

– À la bonne heure. Bien, maintenant, avez-vous une épouse ? Des enfants ?

– Non.

– Vous m'en voyez désolé, parce que le coup de fil que je viens de recevoir émanait de mon fils. Il est en vacances avec sa compagne et, voyez-vous, ces derniers temps, il m'a donné un sérieux coup de vieux. » Rojas sourit avant de reprendre une gorgée de son jus de fruit.

À l'hôtel Charleston, Samad retrouva Talwar et Niazi et leur fournit un résumé de la rencontre. Quand il eut terminé, leurs expressions étaient similaires.

« Ballesteros est fidèle à Rojas. Je ne pense pas qu'on puisse l'acheter. Nous allons donc devoir renoncer à nos plans et de recourir à son aide pour entrer au Mexique.

– Mais le mollah Rahmani nous a ordonné…

– Je sais, coupa Samad. (Talwar se tut.) Nous allons toujours au Mexique, mais nous devrons nous y rendre sans l'aide de Ballesteros ou de quiconque associé avec le cartel et au courant de nos projets. Je pensais vraiment que nous pourrions avoir l'aide de Rojas mais je me suis trompé.

– Tu as dit qu'il menaçait de mettre fin à notre accord.

– En effet, mais j'ai parlé à Rahmani avant de revenir ici et il m'a dit qu'il se fichait bien dorénavant de Rojas ou des Mexicains. Il y aura toujours de nouveaux acheteurs. Si les Mexicains ne peuvent pas nous donner un coup de main pour le djihâd, eh bien, on devra considérer qu'on peut également se passer d'eux. »

Ses lieutenants opinèrent et Niazi crut alors bon d'ajouter : « Nous avons, je crois, un ami qui pourrait nous conduire en avion au Costa Rica. Tu te souviens de lui ? »

Sourire de Samad. « Tout à fait. Appelle-le tout de suite. »

Ils allaient finalement entrer aux États-Unis.

Et Rojas avait eu raison : qu'ils cessent de se méfier de l'eau qui dort…

Si c'est eux qui déclenchent la tempête.

19

DE NOUVELLES ALLIANCES

Église catholique du Sacré-Cœur
Juárez

ASSIS TOUT AU BOUT de la dernière rangée de droite, Moore contemplait les vitraux dépeignant Jésus et la Vierge Marie. Des rayons de lumière scintillant de grains de poussière jouaient autour du crucifix de cuivre haut de deux mètres posé sur un piédestal de marbre. Le Sacré-Cœur était une modeste église installée dans un quartier défavorisé en lisière de la ville ; elle se dressait telle une oasis d'espoir au milieu des taudis défigurés par les épaves de voitures et les graffitis. Le tapis rouge qui se déployait jusqu'à l'autel éclairé de cierges était maculé de taches sombres et, pour Moore, il devait s'agir de taches de sang qu'on n'avait pas réussi à ôter. Il n'y avait plus nulle part de terrain sacré, plus de ligne infranchissable. Et ce n'était un secret pour personne que les cartels avaient soumis au chantage les églises des alentours, leur extorquant de l'argent et faisant des prêtres et des pasteurs leurs porte-voix pour transmettre leur message aux fidèles : « Ce dimanche soir, tous les habitants du quartier sont invités à rester chez eux. Ne sortez pas dans la rue. » Une descente était imminente. Moins de quinze jours plus tôt, une grand-mère qui vivait à trois rues seulement de l'église avait organisé une fête d'anniversaire pour les seize ans de son petit-fils. Pour de simples raisons de sécurité, elle avait décidé de célébrer l'événement chez elle plutôt qu'à l'église ou au centre paroissial. Ce qu'elle ignorait, c'est que le petit-fils avait des liens avec le cartel de Sinaloa et qu'un contrat avait été placé sur lui. Quatre porte-flingues du cartel de Juárez avaient fait irruption durant la fête et s'étaient mis à tirer. Il y avait eu treize morts, dont un petit garçon de huit ans.

À mesure que grandissait son inquiétude, Moore vit les icônes décorant le mur du fond se muer en images démoniaques, et voilà qu'il découvrait deux hommes dressés près de l'autel : un grand barbu en turban noir, serrant un AK-47, et un Mexicain, un peu plus trapu, prêt à dégoupiller une grenade. Il ferma les yeux pour se calmer, se répétant que l'Agence savait avec précision où il se trouvait, que Fitzpatrick était en soutien, et que ces gros bras de Sinaloa devaient être tout aussi inquiets que lui. Il sentit son estomac se nouer.

Un peu plus tôt dans la journée, le gros Luis Torres l'avait accompagné à la banque où il était allé encore une fois retirer cinquante mille dollars en liquide, somme qu'il lui avait donnée sur-le-champ. Le voyou s'était montré fort impressionné – il était du reste surprenant de voir combien son attitude avait pu changer à la vue de cette masse d'argent. On avait arrangé le rendez-vous avec Zúñiga, le chef du cartel de Sinaloa, et Moore avait alors été conduit à l'église où on l'avait sommé d'attendre à l'intérieur.

À combien de réunions analogues avait-il assisté ? Il y avait eu cette nuit, en Arabie saoudite, où il avait attendu treize heures un informateur. Il avait passé plus d'une semaine au fond d'un fossé dans la province de Helmand pour cinq malheureuses minutes d'entretien avec un seigneur de la guerre afghan. Passé neuf jours dans la jungle somalienne à attendre qu'un militant islamiste regagne sa planque. Trop de temps perdu à attendre. À s'interroger. Il se remit à penser à Dieu, à l'au-delà, au colonel Khodaï et à sa jeune recrue, Rana, et à tous les autres amis qu'il avait perdus. Il lui prit l'envie de prier pour obtenir leur pardon. Le tapis taché se mua en carrelage et la lueur des cierges devint la lumière crue de la salle de briefing à bord du porte-avions *Carl Vinson*. Bannières étoilées et blason de la Navy apparurent derrière leur commandant.

« Nous allons nous engager dans une reconnaissance hydrographique du terminal pétrolier de Bassorah. Les informations recueillies seront vitales pour l'organisation de l'offensive de demain. »

Moore était devenu le chef d'un peloton de SEAL, avec Carmichael comme second, même si ce dernier avait un grade identique au sien, plus d'expérience et de ténacité. Moore compensait en capacités physiques les avantages pris par Carmichael en aptitudes tactiques. Ce dernier était capable de mémoriser cartes, plans de mission, tout ce qu'on lui donnait à voir ou à lire. Il était capable de vous guider, vous introduire et vous exfiltrer en toute sécurité, sans même l'aide d'un GPS. À eux deux, ils étaient devenus une paire formidable, et leur réputation les devançait.

« Rien de glorieux, ce coup-ci, avait observé Carmichael. On s'infiltre et on prend des photos d'une plate-forme pétrolière irakienne. Emballé, c'est pesé.

– Frank, je compte sur toi, comme d'habitude. »

Le front de l'intéressé se rida : « Eh mec, faut que tu poses la question ? On est à la colle depuis nos classes. C'est quoi, le lézard ? »

Moore sentit son estomac se nouer un peu plus. « C'est rien. »

« Monsieur Howard ? »

Moore rouvrit brusquement les yeux et se tourna vers l'allée centrale de la nef.

Ernesto Zúñiga était bien plus petit et frêle que ne le laissaient penser ses photos. Ses cheveux déjà clairsemés étaient plaqués en arrière à la brillantine et ses favoris blanchissaient à la base. Un visage ingrat, marqué de cicatrices d'acné et rayé d'une balafre en travers de la joue gauche descendant jusqu'au menton. Il lui manquait le lobe d'une oreille. Sa fiche indiquait qu'il avait cinquante-deux ans mais Moore lui en aurait donné plutôt soixante. Il s'habillait de manière non voyante pour ne pas se faire remarquer, et ne portait le plus souvent qu'un polo et un jeans, mais Moore sourit intérieurement tant il contrastait avec le narcissisme d'un Dante Corrales, son rival du cartel de Juárez. On aurait pu le prendre pour un simple vendeur d'oranges au coin de la rue – et c'était ainsi qu'il se voulait.

« Señor Zúñiga, je suis content que vous soyez venu.

– Ne vous levez pas. » L'intéressé se signa, fit une génuflexion et vint se glisser près de Moore. « Les gens prient ici tous les dimanches pour la fin de la violence. »

Moore opina. « C'est aussi la raison de ma présence ici.

– Vous pouvez exaucer leurs prières, vous ?

– Nous le pouvons tous les deux. »

L'autre rit sous cape. « Certains vous diront que c'est moi la cause du problème.

– Vous n'êtes pas le seul. »

Il haussa les épaules. « J'ai cru comprendre que vous souhaitiez passer un marché.

– Nous avons le même objectif.

– Vous avez payé fort cher pour cet entretien, j'imagine donc que je vais vous prêter l'oreille… au moins quelques minutes. »

Moore acquiesça. « Le cartel de Juárez est en train de vous laminer. Je sais ce qu'ils vous ont fait.

– Vous ne savez rien du tout.

– Ils ont assassiné votre femme et vos fils. Je sais que vous n'avez jamais pu venger ce crime. »

L'autre empoigna soudain Moore et serra. « Ne parlez pas de vengeance dans la maison de Dieu.

– Alors, je vous parlerai de justice.

– Que savez-vous ? Avez-vous déjà perdu un proche, vous, un homme si jeune ? Savez-vous ce qu'est la douleur, la vraie ? »

Moore se raidit, puis il lâcha finalement : « Je ne suis pas si jeune que ça. Et vous devez me croire si je vous dis que je sais parfaitement ce que vous ressentez. »

Zúñiga fit une grimace, puis il grogna. « Vous débarquez avec votre histoire à dormir debout de rachat de mes biens pour votre usine de panneaux solaires, et puis vous allez raconter à Luis que vous êtes un assassin, mais vous n'êtes qu'un de ces connards de la brigade des stups de Californie ou du Texas qui essaient de me retourner. Je suis dans le bizness depuis toujours et vous essayez de m'enfumer ? On leur renverra votre tête par colis postal, et ce sera une affaire réglée.

– Vous vous trompez sur mon compte. Si nous collaborons, je vous promets que ni vous, ni personne de votre réseau ne sera touché. Mon groupe est autrement plus puissant que n'importe lequel de vos ennemis.

– Vous ne pourrez rien dire, Monsieur des Stups, qui soit susceptible de m'amener à vous aider. Et quitter cette église en vie va vous coûter cinquante mille de plus. »

Sourire de Moore. « Je ne travaille pas pour les stups mais vous avez raison. Ce ne sont pas vos biens qui m'intéressent mais vos ennemis, et je puis vous promettre que le groupe pour qui je travaille non seulement vous paiera bien mais que nous pourrons établir une nouvelle association pour le transport de l'opium – à l'instar de ce que fait le cartel de Juárez en ce moment. Jouons franc jeu : on ne peut pas dire que les gens fassent la queue dans cette église pour venir vous prêter main-forte. Et il est clair à notre point de vue que vous avez besoin d'aide.

– Vous êtes bien tentant avec vos mensonges, je dois l'admettre, mais vous perdez votre temps, parce que ni votre groupe ni le mien ne pourront abattre le cartel de Juárez. »

Moore fronça les sourcils. « Pourquoi dites-vous ça ?

– Je croyais que vous étiez au courant de tout.

– Si tel était le cas, je ne serais pas ici.

– Très bien. » Zúñiga prit une inspiration et ce qu'il balança parut quelque peu répété, comme s'il avait déjà tenu ce discours à ses hommes pour remettre leurs agissements en perspective. « Je vais vous raconter l'histoire d'un homme qui a grandi dans une extrême misère, qui a vu son propre frère mourir sous ses yeux, un homme qui a alors économisé assez pour aller étudier en Amérique avant de revenir au Mexique et se lancer dans tout un tas d'affaires. C'est un homme qui se servait du trafic de drogue pour contribuer à leur financement, un homme qui, avec le temps, est devenu une des plus grosses fortunes de la planète. Tel est celui que vous voulez abattre, le César que vous voulez renverser, mais ses ressources sont infinies et tout ce dont nous sommes capables aujourd'hui, c'est de livrer des escarmouches dans une guerre que nous perdrons en fin de compte.

– Quel est son nom ? »

Zúñiga se mit à ricaner. « Vous êtes sérieux ? Si votre groupe est si puissant, il devrait déjà le savoir.

– Je suis désolé, non. »

Zúñiga fit une grimace. « Jorge Rojas. »

Moore faillit en tomber de sa chaise. Il connaissait bien ce nom. « Rojas est le patron du cartel de Juárez ? Il a toujours éveillé notre curiosité mais nous n'avons jamais pu trouver la moindre preuve sérieuse pour le pincer. Comment pouvez-vous être aussi sûr ?

– Oh, mais je le suis. Il m'a menacé personnellement. Et il s'est dissimulé derrière un mur de jolis mensonges afin que personne ne puisse l'atteindre. Cet homme a l'audace de Pablo Escobar et les moyens de Bill Gates. C'est le trafiquant de drogue le plus intelligent et le plus puissant qu'on ait jamais connu.

– Vos hommes le savent-ils ? Sont-ils conscients de la puissance de leur ennemi ? »

Zúñiga hocha la tête. « Ils n'ont pas besoin de le savoir. C'est trop déprimant d'en discuter avec eux, alors on n'en parle pas… »

Moore opina lentement. Voilà qui expliquait pourquoi Fitzpatrick ne les avait pas informés plus tôt que Rojas était le chef du cartel. « S'il a autant d'argent, pourquoi continue-t-il de diriger un cartel de drogue ? »

Zúñiga écarquilla les yeux. « Et pourquoi pas ? Les gens se sont demandé pourquoi, en ces temps de crise économique, ses affaires demeuraient toujours aussi florissantes. C'est parce qu'elles sont soutenues par l'argent de la drogue, elles l'ont toujours été. Mais Rojas ne sait pas tout, car il est si détaché des contingences quotidiennes que ce sont ses lieutenants qui se tapent tout le boulot. Je crois sincèrement qu'il vit désormais dans le déni. Il fait baptiser des écoles à son nom, il se prend pour un saint, alors qu'il emploie des démons pour faire tout le sale boulot.

– Dante Corrales. »

Sa seule évocation fit sursauter Zúñiga. « Oui. Comment connaissez-vous ce nom ?

– Je vous ai dit qu'on savait pas mal de choses. Mais pas tout.

– Que savez-vous d'autre ?

– Nous savons qu'ils contrôlent les tunnels sous la frontière et qu'ils dépouillent vos gars. Nous avons appris qu'ils entravent vos expéditions, vous volent la marchandise, et qu'ils se servent de la police fédérale pour tuer vos gars pendant que les leurs ne sont pas inquiétés. Nous savons qu'à présent les Guatémaltèques sont à vos trousses. Je peux vous restituer l'accès aux tunnels et faire en sorte que vous n'ayez plus sur le dos la police ou les Guatémaltèques. Nous pouvons collaborer et nous trouverons bien un moyen d'abattre Rojas. »

Les lèvres de Zúñiga s'ourlèrent en un rictus dubitatif. « Un rêve ridicule. Je suis désolé, monsieur Howard. Luis va vous ramener à la banque. Et vous allez nous redonner cinquante mille dollars. Ensuite seulement, nous déciderons ou non de vous laisser la vie sauve. »

La voix de Moore se fit plus douce, plus insistante. « Ernesto, je ne suis pas venu tout seul. Vous n'avez vraiment pas besoin d'ennemis supplémentaires. Vous en avez déjà bien assez. Laissez-moi repartir et je mériterai votre confiance. Je vous le promets. Donnez-moi juste un numéro, que je puisse vous parler directement.

– Non.

– Vous n'avez rien à perdre. En fait, vous avez plus à perdre si vous ne réagissez pas maintenant. Même si vous ne croyez pas à ma véritable identité, et que vous continuiez de me prendre pour un agent des stups, qu'est-ce que ça peut bien faire ? Je vous l'ai dit : on ne vous touchera pas. Ce que nous voulons, c'est le cartel de Juárez. C'est Rojas.

– Vous êtes très persuasif, monsieur Howard. Vous semblez presque trop détendu, comme si vous étiez coutumier de ce petit manège. »

Zúñiga était très observateur et sans doute n'avait-il pas tort, même si la dernière fois que Moore s'était trouvé dans un lieu consacré, il s'agissait d'une chapelle, et qu'il avait pris congé de l'aumônier de la marine d'un signe de main désabusé.

« *Vous ne pouvez pas renier votre foi, avait dit l'aumônier. Pas en de tels instants, quand elle seule peut vous aider à traverser l'épreuve. Vous la surmonterez.*

– *J'aimerais bien vous croire, mon Père. J'aimerais vraiment…* »

Moore lorgna Zúñiga. « Je vous donnerai l'argent. Vous me laissez repartir et pendant que vous réfléchirez à ma proposition, je verrai ce que je peux faire pour vous donner un coup de main. Je pense que vous risquez d'être fort surpris.

– Ils vont me prendre pour un fou si je vous fais confiance.

– Pas besoin de vous fier à moi tout de suite. Je vous ai dit que je la gagnerai. M'en donnerez-vous au moins l'occasion ? »

Zúñiga fronça les sourcils. « Je ne suis pas arrivé où j'en suis en prenant le chemin de la facilité. J'ai dit à ma chère épouse de prendre le risque de partager ma vie et elle a accepté. Et je sais à présent ce qu'elle doit ressentir.

– Merci, señor. » Moore tendit la main et, après un instant d'hésitation, Zúñiga la saisit.

Il la serra fermement, puis attira Moore contre lui. « Faites au mieux. »

Moore ne flancha pas. « C'est entendu. »

Auberge Consulado
Juárez

Il était près de dix heures du soir et Johnny Sanchez était seul dans sa chambre d'hôtel, à pianoter furieusement sur son ordinateur portable après avoir englouti deux cheeseburgers et une méga portion de frites. Les emballages gras traînaient encore sur le bureau près de sa souris. Les lumières de la ville brillaient et le consulat américain n'était qu'à cinq cents mètres de là, bien visible derrière la vitre. Il repoussa sa chaise et relut ce qu'il venait de taper :

EXTÉRIEUR NUIT – L'HÔTEL EN FEU
Alors que Corrales tombe à genoux dans la rue, les flammes se ruent vers le ciel : l'enfer d'une vie passée réduite en cendres. Le garçon lève les yeux, les flammes se reflètent dans son regard empli de larmes, et il maudit le Ciel. Nous pleurons avec lui…

« Putain, ce que c'est beau, s'écria Johnny en contemplant l'écran. Putain, ce que c'est beau ! Et c'est qui le héros ? C'est toi le héros, Johnny ! Cette connerie va faire un tabac ! »

Un léger déclic provint du couloir et au moment même où Johnny se retournait pour regarder, la porte s'ouvrit. Johnny bondit de sa chaise et contempla, bouche bée, le type en pantalon, chemise noire et blouson de cuir. L'homme faisait un peu plus d'un mètre quatre-vingts, portait une barbe bien taillée, une boucle d'oreille, et ses longs cheveux étaient coiffés en queue de cheval. Il avait l'air arabe ou latino, Johnny n'aurait su dire, mais ce dont il était sûr, c'était de la marque du flingue qu'il tenait dans la main. Un Glock, pas de doute, avec un silencieux, certainement chargé, et pointé droit sur sa tête. Le pistolet de Johnny était resté dans le tiroir de la table de nuit, hors d'atteinte, merde.

« Putain, c'est quoi, ce truc ? » s'écria Johnny en espagnol.

L'autre répondit en anglais. « C'est moi en train de te dire : "Eh, salut Johnny, j'ai lu ton article. Bon papier. Jolie plume."

– Merde, mais vous êtes qui, vous ? »

L'autre fit grise mine. « Ta mère ne t'a-t-elle pas appris les bonnes manières avec les gens qui braquent un canon sur ta tête ? C'est le genre de petites leçons de savoir-vivre qu'elle aurait dû t'enseigner.

– Bon, c'est fini, votre numéro pourri de mâle dominant ? Qu'est-ce que vous venez foutre ici, bordel ?

– À ton avis, ça pouvait prendre combien de temps ? T'as vraiment cru que tu pourrais descendre ici au Mexique et traîner avec un cartel de la drogue sans attirer l'attention de personne ?

– J'ignore de quoi vous voulez parler. Je suis un journaliste d'investigation. J'enquête sur des activités criminelles. Vous avez lu mon putain d'article. Vous croyez que je suis en cheville avec eux ? Merde, vous êtes cinglé. Et je vais appeler la police. »

L'homme se rapprocha aussitôt, relevant un peu plus le canon de son arme. Fini de rigoler. « Assis, enculé. »

Johnny regagna sa chaise. « Bon Dieu…

– La roue tourne, hein ? T'es en train de te dire : *Putain de merde, dans quoi ai-je bien pu me fourrer* ? Eh bien, t'aurais dû y réfléchir à deux fois avant de te mettre à bosser avec Corrales. Le sang est peut-être plus épais que l'eau, mais comme je dis toujours, le plomb, ça reste toujours mauvais pour la tête.

– Écoute, ducon, tout ce que je fais, c'est écrire. Je ne fais de mal à personne. Et je ne mange à aucun râtelier.

– Mais tu n'aides pas grand-monde non plus.

– Putain, sûrement pas. Je fais découvrir au public américain les tranchées de cette guerre de la drogue. C'est une visite guidée exclusive en enfer, la description de la débâcle de cette communauté.

– C'est que ça sonne vachement dramatique, ton truc, et j'imagine que tu n'as pas tort, vu que te retrouves avec un flingue braqué sur toi. Est-ce que tu vas me mettre dans ton article ?

– Putain, mais vous êtes qui, vous ? »

L'homme écarquilla les yeux. « Je suis ton dernier ami en ce vaste monde. À présent, montre-moi ta main.

– Quoi ?

– Montre-moi ta main. »

Johnny obtempéra et l'homme, de sa main libre, saisit celle de Johnny et la retourna.

« Tiens, prends ça », dit l'homme, en lui offrant son arme.

« M'enfin, c'est quoi, ce délire ?

– Oh, t'inquiète. Il n'est pas chargé. »

L'homme lui avait confié son arme, avant de glisser la main dans une poche intérieure de son blouson et d'en sortir une grosse seringue. Il planta l'aiguille dans le gras de la main de Johnny, juste entre le pouce et l'index. Johnny ressentit une vive douleur pendant une seconde, puis il hurla et demanda ce qui arrivait. L'homme le relâcha et demanda : « Pas de flingue ?

– Je rêve, ou quoi ? »

L'homme fit la grimace. « Pas de flingue ?

– Qu'avez-vous fait ? Vous m'avez empoisonné ?

– Pas de délire, Shakespeare. C'est juste un implant. Un GPS. Qu'on puisse te garder en vie.

– Qui ça, “on” ?

– Il y a tout un tas de lettres dans l'alphabet, Johnny, et je parie qu'avec ton métier, tu dois pouvoir deviner ça.

– La DEA, la brigade des stups ? Oh, mon Dieu…

– Désolé, fit l'homme. J'ai bien peur que tu viennes de t'acoquiner avec le gouvernement américain. »

Les épaules de Johnny se tassèrent. « C'est pas Dieu possible.

– Écoute, tu ne peux pas parler. Il est déjà trop tard. Si tu vas voir Corrales et lui dis que nous sommes ici, t'es mort. Si ce n'est pas nous qui te tuons, ce sera lui. Comme je te l'ai dit, je suis ton dernier ami. Tu ne quitteras pas le Mexique vivant sans moi. »

Johnny sentit ses paupières le brûler, il se sentait le souffle court. « Qu'est-ce que vous voulez ? Que suis-je censé faire ?

– Le cartel de Juárez est dirigé par Jorge Rojas. »

Johnny éclata de rire. « C'est tout ce qu'ont trouvé vos grosses têtes du FBI ?… Ce qu'il faut pas entendre comme sornettes !

– Je le tiens de Zúñiga.

– Vous vous foutez de moi ?

– Alors, tu sais de qui il s'agit, et je suis sûr que Corrales pourra confirmer que Rojas est son patron. J'ai besoin de toi pour soutirer à Corrales un maximum sur Rojas.

– J'aurai à porter un micro ?

– Pas pour l'instant. Mais on avisera. »

Johnny se raidit. « Je ne ferai pas ça. Je quitte le Mexique dès ce soir ; vous autres fédéraux, vous pouvez allez vous faire mettre.

– Ouais, et à l'instant où tu poseras le pied en Californie, on te mettra en état d'arrestation.

– Sous quel chef ? »

Le type lorgna les emballages gras qui traînaient sur le bureau. « Pour infraction à un régime équilibré.

– Mec, tu ferais mieux de dégager, maintenant.

– Tu es le fils de la marraine de Corrales. Il te fait confiance comme à son propre fils. Et tu entretiens son ego. C'est très important pour nous et tu peux faire une bonne action. T'as peut-être les chocottes mais je veux que tu penses au nombre de gens qui seront sauvés grâce à toi. Je pourrais passer la semaine à te décrire combien de familles ont été ruinées par la drogue.

– Épargnez-moi le couplet moralisateur. Les gens choisissent d'acheter et d'utiliser les drogues. Corrales et le cartel ne sont que les fournisseurs. Si vous voulez parler politique, parlons plutôt de l'économie du Mexique. »

L'homme balaya l'objection d'un revers de main avant de tirer de sa poche une carte de visite qu'il donna à Johnny. Le type s'appelait Scott Howard, et il était patron d'une boîte d'énergie solaire. « Donc, vous êtes monsieur Howard ? Eh bien, enchanté.

– Tu as mon numéro. Tu me préviens la prochaine fois que tu entres en contact avec Corrales. »

Le dénommé Howard récupéra son arme vide, la remit dans sa poche et se dirigea prestement vers la porte.

Johnny resta planté là, soudain pris de frissons. Qu'allait-il faire ?

20

DIVERSIONS

Site de construction du tunnel
Mexicali, frontière du Mexique

Il était 7 heures du matin et Dante Corrales n'était pas d'humeur à attendre l'homme qui était censé travailler pour lui, un homme qui lui devait obéissance, et qui ferait mieux de ne pas lui manquer de respect de la sorte. Corrales n'avait pas encore pris son café matinal, et il aurait voulu régler cet entretien en cinq minutes, mais les ouvriers du tunnel lui avaient dit que Romero n'était pas encore arrivé et que, de manière générale, il ne se pointait pas avant 8 heures. De qui se moquait-on ? Ce type était grassement payé, et il croyait pouvoir se permettre de traînasser tous les matins jusqu'à des 8 heures ? Pour qui se prenait-il ? Pour un banquier ? Eh bien merde, il allait le payer – et avec des intérêts, encore – et son absence de réponse sur son portable était la goutte d'eau qui faisait déborder le vase.

Corrales l'attendait donc à l'intérieur de l'entrepôt, assourdi par les cliquetis et les grondements des engins de travaux publics qui s'activaient à côté. Les vibrations lui remontaient dans les jambes et le dos. Ces gars bossaient de l'aube au crépuscule. Ils ne se prélassaient pas à 8 heures du matin. Ils avaient un sens du devoir que Romero ferait bien d'apprendre.

« Va me chercher du café, merde ! » s'écria finalement Corrales en s'adressant à Raúl qui traînassait avec Pablo près du volet roulant métallique.

Ral hocha la tête, marmonna quelque chose dans sa barbe, puis il sortit, dans le ciel rose du petit matin. Pablo se rapprocha de Corrales pour lui demander s'il allait bien.

« Ce putain de mec ne sera pas là avant 8 heures, non, mais tu y crois ? Le con. Et d'abord, pourquoi ne répond-il pas au téléphone ?

– T'as un autre souci, observa Pablo. Tu veux en parler ?

– Pour qui tu te prends ? Mon psy ?

– T'as toujours les boules à cause des deux gars qu'on a perdus au V Bar ? Faut pas. Ces enculés ont merdé dans les grandes largeurs. Je te l'avais dit depuis le début que c'étaient des *cabrones*.

– Je m'en bats les couilles. C'est l'Américain qui m'emmerde. Impossible de remettre la main sur lui. Il pourrait bosser pour la police fédérale, qui sait ?

– Bof, ce connard a dû sans doute simplement avoir la trouille. Il n'avait pas la gueule d'un fédé. Juste un abruti d'homme d'affaires qui s'imaginait pouvoir s'installer ici et faire bosser pour lui des esclaves mexicains, l'enculé...

– Non, il se passe un truc et si on ne garde pas l'œil ouvert, tout ça... tout ça va nous retomber sur la tronche et le patron fera tout pour qu'on reste enfoui sous les décombres. »

Corrales soupira puis attendit cinq minutes encore son café. Pablo continuait de bavasser, même si pour l'essentiel, Corrales ne l'écoutait plus. Raúl revint enfin et Corrales lui arracha quasiment le gobelet des mains pour boire une grande lampée. Il fronça le nez. Le breuvage ne valait sûrement pas le Starbucks qu'il trouvait de l'autre côté de la frontière mais il le but néanmoins, et alors qu'il terminait sa tasse, à 7 h 49 précises, Pedro Romero pénétra dans l'entrepôt en traînant la savate. Il remonta ses lunettes sur son nez et tira sur son jeans qui descendait sous sa bedaine. Il regarda Corrales et les autres, fronça les sourcils et lança : « *Buenos dias*.

– Putain, mais où t'étais passé ? » lança Corrales en s'avançant vers lui d'un pas décidé. L'autre écarquilla les yeux.

« J'étais chez moi, puis je suis venu.

– Tu sais pas répondre quand on t'appelle sur ton mobile ?

– Plus de batterie. Je le rechargeais dans la voiture. Z'avez essayé de m'appeler ?

– Ben ouais. On m'a dit que t'arrivais à 8 heures. C'est vrai ?

– Oui. »

Corrales lui flanqua une baffe. Romero recula et se frotta la joue.

« Sais-tu pourquoi j'ai fait ça, espèce de vieux débris ? Est-ce que tu le sais ? Parce que tu es un terrassier ! T'es pas un putain de banquier. Tu te pointes ici quand le soleil se lève et tu repars quand il se couche. Est-ce que tu m'as compris, bordel de merde ?

– Oui, señor.

– Tu veux sauver ta fille ?

– Oui, señor.

– Tu veux ramasser ton fric ?

– Oui, señor.

– Alors tu te radines quand je t'appelle. À présent, dis-moi, tout de suite, que nous avons percé jusqu'à l'autre côté et que nous serons prêts au transfert dès ce soir.

– J'ai encore besoin de quelques jours.

– Quoi ? “Quelques jours” ? C'est quoi, ce délire ?

– Je vous montrerai où on en est, mais on a eu des pépins. Comme je vous disais au tout début, la nappe phréatique est toute proche et on a déjà dû plusieurs fois pomper l'eau pour vider le tunnel. C'est une opération compliquée.

– Peut-être que si tu te mettais à bosser plus tôt, ce ne serait plus un problème.

– Señor Corrales, je peux vous assurer qu'arriver sur place une heure plus tôt ne ferait guère de différence. Il faut une nuit entière pour pomper toute l'eau et, dans l'intervalle, on ne peut pas creuser.

– Ne me contredis pas, vieux débris. Tu ferais mieux de me convaincre. Allons-y.

– Très bien, mais vous devez savoir que tous ces hommes travaillent aussi dur que moi. On bosse en deux équipes, à votre demande, mais je ne peux pas rester sur place vingt-quatre heures sur vingt-quatre. J'ai une famille, et ma femme a besoin de moi.

– Alors tu ferais mieux de trouver du renfort parce que je veux que ce tunnel soit ouvert et opérationnel dès ce soir.

– Ce soir ? Il y a trop de déblais à évacuer. C'est matériellement impossible.

– Non, pas du tout. Et tu vas y arriver, crois-moi. »

Le smartphone de Corrales sonna. C'était Fernando Castillo.

« Allô ?

– Dante, le patron a un nouveau boulot à te confier. On a besoin de toi tout de suite. »

Hélicoptère Bell 430
En route pour San Cristóbal de las Casas
Chiapas, Mexique

Miguel Rojas et Sonia Batista étaient installés dans deux des trois sièges arrière de l'hélico bimoteur dont la cabine pouvait accueillir sept passagers en plus du pilote et du copilote. L'appareil appartenait à la petite flotte utilisée par Jorge pour ses déplacements courts, et même s'il s'agissait d'un hélicoptère d'affaires et non d'un appareil militaire, les deux membres d'équipage étaient armés de pistolets. Comme pour tous ses autres moyens de transport, Jorge n'avait pas regardé à la dépense : cuir italien et bois exotique, écrans plats et casques pour regarder films ou présentations commerciales. Miguel et Sonia avaient renoncé à voir un film, préférant jouir du panorama. Ils avaient coiffé casque et micro, ce qui leur permettait de dialoguer malgré le vrombissement des moteurs Rolls-Royce.

Devant eux se trouvaient les gorilles-chaperons à la mine patibulaire qu'ils avaient été forcés de prendre avec eux : Corrales, Raúl et Pablo. *Enfin, ça aurait pu être pire*, songea Miguel. Jorge avait dit qu'il envoyait une équipe de douze hommes pour les accompagner, et plusieurs allaient arriver avant eux. Ils devaient louer quatre gros 4 x 4 pour se déplacer constamment en caravane, où qu'ils aillent. Miguel avait protesté. Il voulait passer des vacances tranquilles, intimes, en compagnie de Sonia. Et pas d'une délégation de gros bras pour les suivre partout. Du reste, et sur l'insistance de son père, il s'était toute sa vie toujours montré discret, et le Mexicain moyen aurait été bien en peine de l'identifier comme il pouvait identifier Jorge. Rien ne portait à croire qu'ils eussent besoin d'un tel équipage qui, bien au contraire, risquait plutôt d'attirer l'attention sur eux et peut-être même de susciter une activité criminelle, avec les gens qui ne manqueraient pas de se retourner en s'écriant : « Eh, regardez donc passer l'autre richard avec tous ses gardes du corps. » Jorge avait finalement accepté de réduire l'escorte à trois hommes et Miguel avait remercié son père avec effusion pour ce compromis. Mais ce sur quoi il avait omis de compter, c'était avec l'attitude de Corrales. Miguel s'était montré explicite vis-à-vis du bonhomme – le plus arrogant de la bande : pas touche à Sonia. Et qu'il cesse de la reluquer. Mais même le « oui, señor » de l'intéressé lui avait paru sarcastique. Miguel était convaincu que ce type détestait le fait qu'il n'avait jamais eu besoin de travailler, ayant toujours eu l'habitude de se voir tout servi sur un plateau – alors que lui, Corrales, avait sans doute été une petite frappe qui zonait dans la rue avant d'avoir la chance d'être recruté par Jorge Rojas.

« Combien de temps avant qu'on arrive ? demanda Sonia en regardant par la fenêtre.

– Encore environ trois heures, répondit Miguel. Mais nous devons faire un arrêt pour ravitailler. As-tu déjà volé en hélicoptère ?

– Quelquefois, avec mon père. Il y avait ce célèbre coureur cycliste, j'ai oublié son nom, je n'avais que onze ans, à l'époque, c'était comme un légende vivante, et le type avait son hélicoptère privé. Il nous avait emmenés en vacances.

– Je vais te raconter une anecdote. Il y a un gros écrou en haut du rotor et tu sais comment l'appelle le pilote ? »

Elle fit non de la tête.

« Le Petit Jésus, parce que si jamais il se dévisse, on a intérêt à faire nos prières…

– Ouah, voilà qui me rassure, fit-elle en levant les yeux au ciel.

– T'as la trouille ? »

Elle hocha de nouveau la tête et ses cheveux à contre-jour lui firent comme une auréole.

« Ça vaut le voyage, crois-moi, poursuivit-il. Et on y sera pile au moment du carnaval qu'ils organisent pour les touristes. Tu vas adorer. »

Elle lui saisit la main et la serra. « J'en suis sûre. »

Auberge Consulado
Juárez

Il était quasiment évident que Moore, alias Scott Howard, ne pouvait plus retourner à l'hôtel appartenant à Dante Corrales, car il lui aurait fallu s'expliquer sur la disparition des types qui le filaient. Il sourit intérieurement à l'idée de s'y rendre malgré tout, et de passer d'un air nonchalant devant Ignacio qui n'aurait pas manqué de demander : « Comment s'est déroulée votre journée, señor ?

– Super. Je me suis d'abord fait enlever par ce *sicario* du cartel de Sinaloa, mais grâce au ciel, deux gars de Corrales nous suivaient, parce qu'ils avaient tué mon ravisseur, mais c'est alors qu'ils se sont fait descendre à leur tour, donc, tout comptes faits, ça n'a pas été si terrible, puisque en vérité, j'espérais me faire enlever par la bande à Sinaloa. En bref, tout s'est plutôt pas mal goupillé. En attendant, ai-je reçu du courrier, des coups de fil ? Ah, et puis aussi, j'aimerais que la femme de chambre m'apporte des serviettes supplémentaires. »

Au lieu de cela, Moore choisit l'option plus sûre et bien moins audacieuse de se trouver un autre hôtel. Mais pourquoi arpenter les rues en vaines recherches quand Johnny Sanchez s'était trouvé un petit coin de paradis tout près du consulat américain ? Moore se prit donc une chambre à trois portes de celle de Johnny et se loua une nouvelle voiture. Johnny n'était pas trop ravi par cet arrangement et il menaça de rendre sa clé. Moore l'en dissuada fermement.

Towers, le chef de l'unité d'intervention, envoya un message : Miguel, le fils de Rojas, venait de partir en hélicoptère avec sa petite amie, direction l'ouest du pays. L'accompagnaient Dante Corrales et deux autres sbires.

Que le fils de Rojas fraternise avec un membre d'un cartel connu semblait apparemment relier Rojas au dit cartel, mais ce n'était pour l'instant qu'une preuve indirecte.

Pourtant, il y avait là un détail qui tracassait Moore. C'était même plus qu'un détail. Leur unité d'intervention avait déjà reçu des informations qui identifiaient Dante Corrales comme le membre d'un cartel. Ces renseignements dataient d'avant la constitution de l'unité. Il était raisonnable de penser que l'Agence avait gardé à l'œil – humain comme électronique – le susdit individu, sitôt confirmée son implication. Moore comptait éplucher son dossier pour voir depuis quand cela remontait – car si Rojas était mouillé, on pouvait supposer sans grande erreur que ce n'était pas la première fois que Corrales était en rapport avec sa famille, auquel cas l'Agence aurait dû identifier celui-ci comme un peu plus qu'un simple individu « digne d'intérêt ».

Ou peut-être n'était-ce après tout que la première fois que Corrales entrait en contact avec la famille ? Moore avait du mal à le croire. Bon, alors, quel était le plan maintenant ? Quelle était leur destination ? Moore compta sur Sanchez pour appeler Corrales, et ce dernier répondit qu'il laissait le scénario en suspens pendant une semaine, parce qu'il devait se rendre à San Cristóbal de la Casas « faire du baby-sitting ».

Gagné !

Moore appela Towers illico. Il avait une idée. Rojas ne faisait que de rares apparitions publiques, le reste du temps, il demeurait invisible. Moore avait un plan pour le faire sortir du bois et quand il l'eut exposé à Towers, ce dernier lui donna sa bénédiction.

Une heure plus tard, Moore était installé à l'arrière du Range Rover de Torres. Le gros bonhomme était au volant, Fitzpatrick, l'agent des stups, était assis à côté de lui.

« Les gars, vous allez devoir voler jusque là-bas pour enlever le fils et sa copine. Si vous y arrivez, vous aurez un super moyen de pression. Ça fera sortir Rojas de sa tanière, et je me chargerai du reste. Filez ce plan à Zúñiga et voyez ce qu'il en pense. Et dites-lui aussi qu'il faudrait qu'il me réponde quand je l'appelle.

– Il ne vous fait pas confiance, monsieur Howard. Et je doute que ça change dans un avenir proche.

– J'ai d'excellents clichés d'eux en train de monter à bord de l'hélico. J'ai un informateur qui a eu un contact personnel avec Corrales qui lui a confirmé qu'ils étaient partis pour la semaine. Vous descendez là-bas, vous tuez Corrales et les autres gardes du corps, vous enlevez le môme, et on tient Rojas par les couilles. C'est quoi, la partie que vous ne pigez pas ? Je suis en train de vous aider à vous débarrasser de votre principal rival. Votre ennemi est mon ennemi. Combien de fois faudra-t-il que je vous l'explique ?

– Vous pourriez nous tendre un piège, nous expédier là-bas pour nous faire descendre par votre petit groupe d'intervention. Qui sait si vous ne bossez pas pour Rojas ?

– Les mecs, si j'avais voulu me débarrasser de vous, il y a belle lurette que les pissenlits pousseraient sur votre tombe. Soyez pas cons. Vous avez besoin de faire ça. Dites à Zúñiga que c'est le plan.

– Je crois qu'il a raison, intervint Fitzpatrick, en tâchant de ne pas rendre son appui trop manifeste. Regardons d'abord ce qu'il a à nous proposer, et ensuite seulement le señor Zúñiga pourra prendre une décision.

– Ne perdez pas trop de temps. » Moore ouvrit la portière et redescendit. « Vous devez être dans l'avion dès aujourd'hui. »

Moore traversa la chaussée pour rejoindre sa voiture de location, y monta, démarra.

Les petites vacances de Miguel Rojas avec sa copine étaient une occasion idéale et Moore avait déjà discuté de l'info avec Ansara du FBI, qui travaillait avec son nouvel informateur pour infiltrer l'un des principaux itinéraires de contrebande du cartel de Juárez.

De son côté, Vega, sa collègue de la CIA, continuait de surveiller de près l'inspecteur Alberto Gómez, le fameux vétéran de la police fédérale mouillé depuis sa première année dans le service. Toutefois, Vega avait fourni d'autres nouvelles inquiétantes. Gómez, avec quelques-uns de ses collègues, était en train d'essayer de « démasquer la corruption » en piégeant un autre inspecteur, histoire de détourner l'attention. Vega le soupçonnait de se savoir observé et d'avoir ourdi cette astuce en réaction.

Whittaker – l'agent des douanes – signalait d'autre part qu'un gros contingent d'armes n'allait pas tarder à descendre du Minnesota. Des membres du cartel étaient en train de constituer ce qu'il estimait être leur plus grosse cache à ce jour.

Fitzpatrick rappela un peu plus tard dans la journée pour confirmer que Zúñiga continuait de ruminer sur le plan et les photos, mais il ajoutait par ailleurs que le cartel de Sinaloa avait depuis peu recueilli d'un guetteur des informations concernant une grosse expédition en provenance du sud ; le guetteur pensait que le groupe de mules utiliserait un des plus petits tunnels du cartel – un boyau d'une quarantaine de mètres qui passait sous une partie bétonnée du Rio Grande près de Juárez et du pont des Amériques.

Moore envoya un message à Fitzpatrick : dire aux gars de Sinaloa de ne pas s'occuper du tunnel mais plutôt de Miguel Rojas. Moore intercepterait lui-même cette cargaison et la livrerait en personne à Zúñiga, en signe manifeste de sa volonté de coopération. Que Moore doive piéger une bande de contrebandiers pour en aider une autre était le prix à payer pour capturer un plus gros gibier. Il avait déjà procédé de la sorte dans au moins quatre autres pays et ne se posait plus la question de la moralité ou des conséquences éthiques de ses actes. C'était la seule façon de livrer un combat asymétrique contre un ennemi qui n'avait aucune règle. Il contacta ensuite Ansara et lui dit de poster une patrouille de gardes-frontières devant un déversoir bien précis à El Paso. Ansara était sur le coup, prêt à lancer son coup de filet.

Moore fut quelque peu surpris de constater que le patron était là en personne pour le rencontrer sur un parking à trois rues du déversoir des égouts. Sa montre indiquait 1 h 08 du matin et, d'après Towers, les mules devaient arriver d'ici un quart d'heure à bord d'une camionnette blanche.

« Ils ne convoient pas de la drogue, précisa Towers, mais des femmes et des enfants. Ce sont des gros coyotes employés par le cartel. Ces gars ont dû passer un marché avec un groupe de rabatteurs en Chine. Parce que toutes les jeunes nanas que nous avons pu voir étaient asiatiques. Elles viennent ici pour servir d'esclaves sexuelles.

– Putain, ça devient de plus en plus glauque. Drogue, trafic de chair humaine…

– On s'en tient au plan.

– D'accord. Alors, qu'est-ce qui vous amène dans cette partie riante de la ville ? » Moore jugeait naturel de poser la question puisqu'ils avaient supposé que Towers resterait en retrait à San Diego.

« Je suis un agent de terrain. Ils le savaient quand ils m'ont engagé. S'imaginaient-ils qu'ils allaient me garder tout le temps planqué derrière un bureau ? Merde, sûrement pas…

– Je vous comprends.

– Très bien, dans ce gars, vieux, prépare-toi. »

Moore sourit et enfila un treillis noir, un gilet pare-balles et une cagoule. À peu près la même tenue que celle des deux gardes que le cartel de Juárez avait postés à l'entrée du tunnel.

Son arsenal comprenait deux Glock 21 de calibre 45, dotés de silencieux et dont les chambres avaient été déjà graissées pour atténuer le bruit au maximum. Il prit également avec lui deux grenades fumigènes et deux assourdissantes, au cas où le groupe ne se montrerait pas aussi « coopératif » qu'il le faudrait. Il coiffa une oreillette avec micro, puis traversa le parking au pas de course. Il avait encore la voix de Towers à l'oreille : « Prochaine à gauche, le déversoir sera droit devant. Le mur sud procure une bonne couverture. Une fois passée la grosse grille, vos deux potes seront juste de l'autre côté. »

Une clôture grillagée courait le long du côté gauche de la rue ; à droite, il y avait une rangée de taudis menaçant ruine – tous inoccupés –, des machines abandonnées et des ateliers vides, à en juger par les enseignes effacées au-dessus de leurs portes. Même les graffitis sur les pas de murs semblaient délavés. Il était difficile de distinguer d'autres détails car les lampadaires étaient tous éteints – ampoules sautées ou détruites. Une lumière vacillante provenait du pâté de maisons voisin et Moore n'en savait pas trop l'origine.

Il parvint au mur de béton haut d'un mètre qui longeait le côté sud du fossé et resta collé contre, jusqu'à ce qu'il avise les deux grilles métalliques situées en face, à une dizaine de mètres : l'entrée principale du déversoir et du petit tunnel qui le jouxtait. La saison avait été particulièrement sèche et il ne restait au sol que quelques flaques d'eau et un tapis d'herbes aquatiques qui grimpait sur les grilles. Une vague odeur d'égouts le fit grimacer et il espéra qu'elle n'allait pas s'amplifier, une fois de l'autre côté du fossé.

« Arrivée de la camionnette estimée dans cinq minutes », annonça Towers.

Ça ne laissait pas beaucoup de marge. Moore sortit de sa poche revolver un monoculaire à amplification infrarouge. Il le porta à son œil et zooma sur la grille. Derrière celle-ci, il avisa l'un des deux gardes assis juste à côté d'un orifice circulaire creusé dans le mur latéral. Un peu plus loin, les ombres fluctuaient comme une brume de chaleur vert pâle. Le type mesurait environ un mètre cinquante, il n'était pas masqué – on voyait juste son crâne rasé avec un tatouage dessinant une serre sur sa nuque. Moore s'imagina une balle de sniper traversant pile la grille pour descendre le mec sur place. Il était bon tireur, mais quand même pas à ce point…

Après une longue inspiration pour se calmer, il remit le monoculaire dans sa poche et fila de l'autre côté du fossé. Il atteignit la grille et comprit aussitôt que la soulever allait provoquer du raffut. Impossible de tomber sur ces gars par surprise. Une section du grillage avait été découpée pour y ménager un sas d'un mètre de côté. Moore donna une secousse. Verrouillé. *Merde.* Il en avertit Towers qui répondit : « Eh ben, t'inquiète, mec, tu fonces, merde ! Force-les à t'ouvrir !

– Eh, s'écria l'un des gardes à l'intérieur. Déjà là ? Z'êtes en avance.

– Grouille, répondit Moore en espagnol. On a une grosse livraison. »

Moore leva un de ses Glock et attendit que l'homme déverrouille la grille. Même avec le silencieux, on risquait d'entendre le coup de feu. Certes la balle sortirait du canon à une vitesse subsonique – ce qui contribuerait à atténuer la détonation – mais le déclic du retour de la culasse suffirait à donner l'alerte à quiconque se trouvait à proximité, en particulier l'autre garde. Ce terme de *silencieux* était quelque peu usurpé. En outre, contrairement à ce qu'on voyait au cinéma, tenir ce genre d'arme d'une seule main était le plus sûr moyen de se blesser au poignet (et de rater son coup), à cause du transfert de l'énergie cinétique : il fallait toujours tenir le pistolet à deux mains, comme Moore en ce moment.

D'aucuns diront que la manière la plus silencieuse de tuer le garde eût été de le poignarder mais, là encore, tuer quelqu'un d'un seul coup de couteau était d'une difficulté insigne. Après le premier coup, on devait en général non seulement se débattre à mains nues, mais donner d'autres coups pour parvenir à neutraliser l'adversaire. Bref, tout cela était salissant et surtout bien plus dangereux – et Moore le savait d'expérience, tant par sa formation de SEAL que par l'élimination de quelques pirates en Somalie qui avait nécessité à chaque fois une demi-douzaine de coups de couteau. Alors il préférait courir sa chance avec le déclic de la culasse et l'assurance que la balle réglerait le boulot sans qu'il eût à poser la main sur l'adversaire.

Un verrou cliqueta, suivi d'un crissement de chaîne. La grille se releva en grinçant et l'homme passa la tête à l'extérieur pour tomber sur Moore.

Il écarquilla les yeux, surpris d'abord par Moore lui-même, puis par le silencieux vissé au canon de son Glock. Il ouvrit la bouche pour crier.

Moore tira, le projectile atteignit le garde juste au-dessus de l'œil gauche et le propulsa en arrière.

La douille n'avait pas atteint le sol que Moore s'était déjà engouffré dans la brèche, pénétrant dans le conduit d'évacuation des eaux de pluie, un puits en béton de section rectangulaire d'environ deux mètres sur cinq. Il dut escalader le corps du premier garde pour scruter les ténèbres, à la recherche de son collègue.

Où était passé cet enculé ? Il avait certainement dû entendre le coup de feu et s'était enfui sans demander son reste.

« J'ai dû tuer une des mules ! » s'écria Moore. Sa voix se répercuta dans le conduit tandis qu'il portait à nouveau à son œil le monoculaire amplificateur. « Il essayait de nous avoir. »

Du mouvement devant…

Moore se jeta au sol, plongeant dans une flaque qui traversait le conduit. Un coup de feu retentit, la balle touchant l'eau au niveau de son coude. Il roula sur le dos pour s'éloigner, comprenant que s'il ne se relevait pas pour riposter dans les toutes prochaines secondes, il était un homme mort.

21

À L'ÉPREUVE DES BALLES

Terminal pétrolier de Bassorah
Golfe Persique, Irak
19 mars 2003

L'ESPACE D'UNE SECONDE, alors qu'il gisait étendu dans cette flaque d'eau, les yeux levés vers les ténèbres, Moore se retrouva en 2003, là aussi allongé dans le noir mais submergé sous sept mètres d'eau et observant les silhouettes de deux énormes pylônes de béton qui s'évasaient comme les jambes musculeuses d'un géant enfoncé dans la mer jusqu'aux genoux. L'éclairage de sécurité de la plate-forme pétrolière transformait la surface en un miroir ondulant de lames jaunes qui se muaient en bleu profond en périphérie. Dans ces étendues sombres, flottaient quatre autres ombres, comme autant de baleines ballottées au gré du courant. Un calme étrange l'envahit – grâce à son circuit fermé, son scaphandre LAR V Dräger n'émettait pas la moindre bulle – et il maîtrisait sa respiration pour garder les idées claires et concentrées sur la tâche en cours. L'appareil photo numérique travaillait sans effort, accumulant les images qui leur permettaient de localiser les caméras de surveillance sous-marines que Moore et le reste de son commando s'empressaient d'éviter.

Moore, Carmichael et les autres SEAL répartis en deux groupes de quatre avaient utilisé plusieurs petits sous-marins de poche – des Mark 8 modèle 1 – pour rejoindre la plate-forme sud-ouest du terminal. L'ensemble évoquait un trampoline suspendu à bonne distance de la surface par des dizaines de pattes de crabe. Antennes et paraboles hérissaient la superstructure, accompagnant un dôme géodésique et des mâts de surveillance. Des gardes patrouillaient sur les passerelles courant sur les quatre côtés de la tour.

« *Rien de glorieux, ce coup-ci. On file prendre des photos d'une plate-forme pétrolière irakienne. Et youpi !* »

Et de fait, c'était une opération de reconnaissance photo de niveau élémentaire qui serait torchée en deux minutes et leur laisserait le temps d'ouvrir quelques bières pour le petit déjeuner. Pendant que Moore prenait les clichés sous-marins, les trois autres membres de son groupe prenaient des photos d'éléments proches de la surface, repérant les itinéraires et la position des navires de patrouille irakiens et les emplacements de canons sur la plate-forme.

En ce moment, quatre pétroliers étaient amarrés simultanément pour emplir leurs cuves. Durant le briefing, Moore avait appris que quatre-vingts pour cent du PNB de l'Irak transitait par ce terminal, l'équivalent d'un million et demi de barils par jour, ce qui faisait de Bassorah un élément vital de l'économie du pays et avait justifié une présence inhabituelle, comme l'avait encore une fois souligné Carmichael à la radio : « Unité Deux pour Mako Deux, écoutez bien. La garnison régulière est partie. C'est désormais la Garde révolutionnaire qui assure la surveillance. Ils ont amené de gros canons et sont armés jusqu'aux dents.

– Bien reçu, répondit Moore. Tout le monde aux aguets.

– On est sur le coup, Mako Un », répondit Carmichael.

Moore venait de demander à leurs deux équipes de rechercher des traces de démolition sous-marine, des preuves de charges fixées aux jambages extérieurs de la plate-forme. Les

Irakiens préféreraient en effet détruire leur terminal pétrolier que le voir tomber entre des mains ennemies et, les connaissant, Moore avait imaginé qu'ils utiliseraient du C-4 mais qu'ils n'auraient sans doute pas la présence d'esprit de disposer les charges pour qu'elles sautent vers l'intérieur, pas plus qu'ils ne devaient connaître l'existence d'explosifs à expansion comme le Dexpan, qui aurait permis de fissurer les pylônes avec moins d'aléas et une bien plus grande efficacité. Si en revanche ils avaient disposé des charges de C-4 sous la surface, il y avait de gros risques qu'en appuyant sur le bouton rouge, non seulement ils détruisent toute la structure mais tuent également tous les SEAL présents sous l'eau car les déflagrations se produiraient vers l'extérieur.

« Unité Deux, pour Mako Deux. Répéré signes en surface ! Je répète, repéré signes : charges fixées sous la balustrade côtés sud et est… »

Mais à présent, ce n'était plus la voix de Carmichael dans l'oreillette de Moore, mais celle de Towers, le chef de l'unité conjointe d'intervention. « La camionnette est en train de s'arrêter devant ! Moore, vous copiez ? La camionnette est là ! »

Fossé d'assainissement
Près du pont des Amériques
Juárez

Moore était toujours étendu sur le dos, les yeux fixés au plafond. Towers gueula encore et soudain la réalité lui déboula dessus en avalanche. Il se releva en position assise, roula sur la droite, à l'instant précis où un faisceau de lumière l'éblouissait et où le ricochet d'une balle sur la paroi lui criblait le cou d'éclats de béton, à l'endroit non protégé par la cagoule. Il releva le monoculaire, repéra aussitôt le second garde tapi à trois mètres environ de la découpe circulaire dans la paroi et, sans hésiter une seconde, il riposta, tirant quatre munitions jusqu'à ce que retentisse un cri étouffé et qu'il voie une lampe de poche rouler sur le sol. Un coup d'œil au monoculaire lui montra le gars étendu à plat ventre, du sang s'écoulant de sa bouche.

Avec un juron, Moore pivota pour rejoindre l'entrée. Il s'empara du corps du premier garde et le tira du plus vite qu'il put, arrivant hors d'haleine à la hauteur du second. Il regarda alentour.

Non, ça n'allait pas. La conduite se prolongeait en ligne droite sur une douzaine de mètres encore, avant de buter sur un mur de pierre. Même s'il traînait les deux cadavres jusqu'au bout, on pourrait toujours les repérer d'un simple coup de lampe.

Dans toute embuscade, il fallait prévoir un plan pour cacher les corps des gardes éliminés – Moore en déduisit illico que ce plan-ci n'était pas très bon.

Il retourna vers la grille et entendit alors des voix retentir à l'extérieur. Ils avaient garé la camionnette juste au débouché de la canalisation, devant la grille. Ces gars avaient un Q.I. encore inférieur à celui des deux peigne-culs qui l'avaient filé depuis la sortie de l'hôtel de Corrales. À moins qu'ils se sentent assez sûrs d'eux-mêmes pour tenter une manœuvre aussi hardie : rejoindre direct la grille ? Après tout, qui les en empêcherait ? La police locale ? Les fédéraux ? Une telle audace de leur part était certes déroutante mais, pour se rassurer, Moore décida qu'ils étaient idiots et que même si son plan n'était pas si fameux, il était bien suffisant pour les feinter.

Il ressortit en enjambant l'ouverture de la grille et braqua sur le groupe son arme avec silencieux. Il compta six jeunes filles, toutes asiatiques, comme précisé par Towers, ainsi que quatre jeunes gens de seize ou dix-sept ans maximum, tous lestés d'un lourd sac à dos sans aucun doute empli de sachets de marijuana et de cocaïne.

Juchés en équilibre instable sur la pente herbeuse, deux hommes, entre vingt et trente ans, vêtus de blousons des New York Yankees et portant leur kalach en bandoulière, tenaient le groupe en respect avec des pistolets. Ces hommes étaient des *sicarios*, bien sûr, avec leurs gros sourcils touffus, leurs multiples piercings et leur visage grimaçant criblé de cicatrices. Ils avaient engagé les mômes les plus maigres qu'ils avaient pu trouver pour se faufiler dans le tunnel étroit tout en poussant devant eux leur sac de came. Pas question de passer le sac au dos ; l'intervention de Moore leur avait déjà fait échapper à un passage encore plus ardu. Il avait lu en effet dans le dossier que d'autres passages impliquaient le recours à de petits chariots montés sur rails, avec des cordes fixées à chaque extrémité, qui permettaient à la drogue de franchir la frontière sans recourir au moindre mulet.

« Putain, t'es qui, toi ? » demanda le plus grand des deux *sicarios*.

« Un supporter des Red Sox de Boston », répondit Moore avant de lui loger une balle en pleine tronche. Nulle culpabilité, nulle hésitation, juste une action et une réaction. Si Moore éprouvait quoi que ce soit, c'était une répulsion totale pour les salauds qui étaient descendus à ce niveau. Aider et soutenir une organisation qui contribuait à l'esclavagisme, c'était se réserver une suite royale au fin fond de l'enfer. Le plus grand des deux types en avait déjà entrouvert la porte. Il n'était pas près d'en revenir.

Les femmes piaillèrent, les gamins retournèrent fissa vers la camionnette et Moore tourna son Glock vers le second individu qui avait justement une piaule réservée à côté de son pote.

Le salaud leva son arme.

Moore pressa la détente.

Et le *sicario* s'effondra une demi-seconde plus tard.

Mais Moore avait déjà fait un pas de côté tandis que l'autre s'affalait pour rouler dans le fossé. Il s'était pris lui aussi une balle dans la tête.

Towers, qui avait sans doute observé toute la scène depuis l'autre bord du fossé, lança d'un ton pressant dans la radio : « Faites entrer les femmes dans le tunnel. On ne peut rien faire pour les aider tant qu'elles ne sont pas de l'autre côté. Je descends m'occuper des cadavres.

– OK », grogna Moore.

Puis, se tournant vers les jeunes : « Remettez vos sacs à dos dans la camionnette. Tout de suite. Et je veux que vous redescendiez tous ici ! Je ne suis pas un bandit ! Je vous expédie dans le tunnel. Je ne suis pas un bandit. Allons-y ! »

Pendant que les gamins battaient en retraite, Moore entreprit de récupérer les armes des deux *sicarios*, au cas où l'un de leurs prisonniers aurait l'idée de faire pareil. Les filles, quant à elles, se hâtèrent de franchir la grille sans demander leur reste pour descendre dans la conduite d'évacuation. Toutes étaient chaussées de ces tennis blanches qu'on trouve en solde au supermarché, sans doute un cadeau des *sicarios*.

Une fois qu'ils eurent remis leur cargaison dans la fourgonnette, Moore cria aux garçons de suivre les filles, avant de fermer la marche, lesté de ses deux kalachnikov, des pistolets récupérés et de son propre arsenal. Une fois tout ce petit monde à l'intérieur, il récupéra par terre une des torches abandonnées par les *sicarios* et la braqua dans le puits.

Il se tourna vers le petit groupe et ne leur dit qu'un mot : « America. »

Les filles (dont certaines pleuraient à présent) hochèrent la tête, apeurées, mais l'une d'elles, la plus grande et sans doute l'aînée, remonta la file et s'engouffra la première dans le tunnel. Elle se retourna pour crier aux autres de la suivre, en chinois, avec le débit d'une mitrailleuse. Au vu de son courage et de sa détermination, ses compagnes la suivirent, l'une après l'autre, et se coulèrent dans l'orifice étroit.

« Quand vous serez de l'autre côté, on vous viendra en aide. Je ne veux plus vous voir retravailler pour les cartels, avertit Moore à l'adresse des garçons. Peu importe ce qu'ils diront. Peu importe ce qu'ils feront. Ne travaillez plus pour eux, vu ?

– OK, señor, dit un des garçons. OK. »

En moins d'une minute, tous s'étaient introduits dans le tunnel et Moore était au téléphone avec Ansara. « Ils se dirigent vers toi, mec. Je te les confie.

– Bien reçu. On va les récupérer en douceur pour éviter qu'ils ne battent en retraite. »

Les filles seraient citées à comparaître et renvoyées en Chine, à moins qu'une organisation humanitaire n'intercède en leur faveur. Les garçons seraient sans aucun doute mis en examen et, en cas d'infraction dûment constatée, certainement renvoyés au Mexique – raison pour laquelle Moore les avait implorés de ne pas retourner travailler pour les cartels. Le plus triste dans l'affaire était que la plupart ignoreraient ses conseils, en particulier ceux qui savaient comment fonctionnait le système : eux seraient prêts à prendre de nouveau le risque.

Moore appela ensuite Luis Torres : « J'ai un cadeau d'anniversaire en avance pour ton patron.

– Combien ?

– Un joli petit lot. »

Ce qu'ignoraient Torres, Zúñiga et le reste du cartel de Sinaloa était que Moore et Towers allaient introduire dans chaque brique de drogue une balise GPS, ce qui permettrait aux autorités de les localiser et les confisquer aussitôt qu'elles auraient passé la frontière. Jamais les patrons de Moore ne le laisseraient délibérément faire entrer de la drogue aux États-Unis sans un moyen quelconque de la récupérer, et c'était bien compréhensible. Cependant, si minuscules que fussent les trous d'injection des balises miniaturisées, Moore était certain que Zúñiga et ses sbires éplucheraient chaque paquet avec le plus grand soin. Moore et Towers devraient choisir avec précaution le point d'injection le long des bords du ruban adhésif utilisé pour fermer les colis.

« OK, on est parés pour décoller d'ici », avertit Towers.

Le téléphone de Moore se remit à sonner : Ansara. « Les premières filles viennent de nous arriver. On les a interceptées en douceur. Excellent boulot, chef. Un point pour l'équipe !

– Eh mec, remarqua Moore, avec un soupir un peu las. On n'en est qu'au début. La nuit promet d'être très longue.

– Parce qu'on en a déjà connu des courtes ? » remarqua Ansara.

Moore sourit et se hâta de rejoindre la camionnette.

Somoza Designs International
Bogotà

Avant de quitter Bogotà, Jorge Rojas avait prévu une ultime visite à son vieil ami Felipe Somoza qui avait appelé pour lui dire qu'il lui réservait un cadeau très spécial. À 10 heures du matin, donc, Rojas et son vieux copain d'université Jeff Campbell – qui avait signé un contrat de téléphonie mobile fort lucratif avec le gouvernement colombien – arrivèrent devant la boutique, un bâtiment d'un étage tout en longueur, attenant à un entrepôt. Ils y furent accueillis par Lucille, une quinquagénaire brune qui travaillait depuis plus de dix ans comme réceptionniste pour Somoza et qui, à l'instar de tous ses autres employés, était d'une fidélité sans faille, considérant son supérieur plus comme un membre de la famille que comme un patron, au point qu'elle se chargeait de son pressing, des vidanges de sa voiture et même de son emploi du temps personnel pour lui permettre d'assister aux matches de foot de ses trois fils étudiants.

Rojas et Campbell furent escortés jusqu'à l'atelier de couture, situé derrière la boutique, où des dizaines de femmes âgées de dix-huit à quatre-vingts ans, toutes vêtues de la même blouse bleue, étaient studieusement assises derrière des machines à coudre pour confectionner toutes sortes de vêtements, chauds, froids, imperméables, sport ou habillés pour hommes comme pour femmes.

Il ne s'agissait pas cependant de vêtements « ordinaires ».

Somoza était connu sous le sobriquet de l'« Armani du blindage » et ses vêtements à l'épreuve des balles étaient réputés dans le monde entier. Son affaire avait prospéré depuis le 11-Septembre, quand il avait redéfini son cœur de cible sur les sociétés de gardiennage et de sécurité. Mais il fournissait également des diplomates, des ambassadeurs et les princes et présidents de plus de quarante pays, des particuliers fortunés et plus de deux cents entreprises de sécurité privée, sans oublier les forces de police locales des deux Amériques. Ce qui le classait à part de ses concurrents dans le métier était l'attention qu'il portait au confort et au dessin de ses modèles. Il ne se contentait pas de fabriquer de moches gilets de style militaire ; sa gamme allait des complets veston aux cravates en passant par les chaussettes. Il tenait boutique à Mexico dans la même rue que les Hugo Boss, Ferrari, BMW et Calvin Klein. Il envisageait d'en ouvrir une nouvelle sur Rodeo Drive à Beverly Hills, qui lui permettrait de fournir les célébrités du show-biz ainsi que leurs gardes du corps, en leur offrant des tenues à la fois « sûres » et à la dernière mode.

Les plaques de blindage proprement dites étaient fort soigneusement dissimulées à l'intérieur des vêtements. Chaque plaque était composée d'un sandwich de polymères variés : Kevlar, Spectra Shield et parfois même Twaron (un équivalent au Kevlar) ou Dyneema (similaire au Spectra) entraient dans leur composition, en fonction des mensurations du client, du poids désiré et des matériaux disponibles. On utilisait du fil de Kevlar pour coudre ensemble les couches de ce tissu tandis que le Spectra Shield était recouvert et collé avec des résines polymères comme le Kraton avant d'être emballé entre deux couches de polyéthylène.

« À présent, Jeff, murmura Rojas alors qu'ils approchaient du bureau de Somoza dans l'arrière-boutique, il va nous faire son petit numéro et il va falloir jouer avec lui.

– Comment cela ?

– Je veux dire, ne l'insultez pas. Faites juste ce qu'il vous dit, OK ?

– Vous êtes le boss, Jorge. »

Campbell n'avait aucune idée de ce qui se tramait et Rojas réprima un rire.

Somoza les attendait déjà devant la porte. Tout juste la cinquantaine, une épaisse crinière de cheveux bruns à peine grisonnants par endroits, c'était un imposant gaillard d'un mètre quatre-vingt-cinq, large d'épaules, et doté d'une bedaine trahissant un faible pour les sucreries. De fait, quatre pots de bonbons en verre de la taille d'une boîte de café s'alignaient sur son vaste bureau en acajou, contraste surprenant avec une large affiche accrochée au mur du fond : l'insigne de l'entreprise – deux épées entrecroisées sous un bouclier noir sur lequel une balle en argent bien contemporaine suggérait quelque combinaison d'armure médiévale et de technologie dernier cri.

Somoza s'avança. Il portait une paire de jeans griffés étroits et une chemise à manches longues qui offrait une protection partielle contre les tirs de longue portée. L'homme portait toujours ses propres productions. On ne sait jamais…

« *Buenos dias*, Felipe, s'écria Rojas en lui donnant l'accolade. Je te présente mon ami, Jeff Campbell.

– *Hola*, Jeff, ravi de faire votre connaissance. »

Les deux hommes se serrèrent la main. « C'est un honneur de rencontrer le fameux tailleur à l'épreuve des balles.

– Fameux ? Non, mais occupé, ça, certainement ! Mais entrez, messieurs, entrez donc. »

Rojas et Campbell se laissèrent choir dans les confortables sièges en cuir qui faisaient face au bureau de Somoza tandis que ce dernier s'éclipsait une seconde pour demander à Lucille d'apporter le cadeau. Sur leur gauche, étaient accrochées des dizaines de photos du maître des lieux en compagnie de vedettes du cinéma et de personnalités politiques, toutes portant ses créations. Rojas indiqua les clichés et Campbell les considéra, sidéré. « Sacrée affaire que la sienne. Regardez-moi toutes ces célébrités. »

Rojas opina. « Avant qu'on reparte, je vous montrerai son entrepôt. C'est une affaire très ambitieuse en effet. Je suis vraiment fier de lui. Je m'en souviens, quand il a débuté.

– Le monde d'aujourd'hui est bien plus dangereux.

– Oui, et c'est celui que nous laissons à nos enfants. » Rojas poussa un gros soupir avant de tourner la tête quand leur hôte retourna dans la pièce avec un trench-coat de cuir noir.

« Pour vous, Jorge ! »

Rojas se leva et prit le vêtement. « Vous plaisantez ? Impossible que ce soit à l'épreuve des balles. » Ses doigts coururent sur l'étoffe et les plaques flexibles qu'elle recouvrait. « C'est bien trop fin, bien trop léger.

– N'est-ce pas ? renchérit Somoza. C'est notre toute dernière création et je tiens à vous l'offrir. Le modèle est à votre taille, bien entendu.

– Merci beaucoup.

– Nous venons de le présenter lors de notre défilé annuel à New York.

– Waouh ! Un défilé de mode à New York pour des vêtements pare-balles ? s'étonna Campbell.

– Ils rencontrent un grand succès. »

Jorge lorgna Campbell, puis il se tourna vers Somoza en lui adressant un clin d'œil. « Vous êtes certain qu'il peut arrêter une balle ? »

Somoza glissa la main dans un tiroir et en ressortit un calibre 45 qu'il déposa sur le plateau du bureau.

« Houlà, s'écria Campbell. On fait quoi, maintenant ?

– On a besoin de l'essayer, expliqua Somoza, un éclat diabolique dans le regard. Jeff, je veux que vous sachiez que je fais subir ce test à tous les employés. Vous ne pouvez travailler ici que si vous acceptez de porter la marchandise et de recevoir une balle. Vous devez savoir quelle impression cela fait, et vous devez avoir confiance dans le produit et dans votre travail. C'est pour cela que mon contrôle de qualité est si efficace : je tire sur tous mes employés. »

Somoza l'avait dit avec une telle aisance, un tel naturel, que Rojas ne put s'empêcher d'éclater de rire. Puis il tendit le trench-coat à Campbell. « Enfilez-le.

– Vous êtes sérieux ?

– Il n'y a aucun problème, dit Somoza, s'il vous plaît… »

Le regard de Campbell devint vitreux et il resta comme en suspens entre deux précipices – vexer Somoza ou obéir à l'avertissement de Rojas et jouer le jeu. Rojas connaissait l'homme depuis fort longtemps, il savait qu'il aimait le risque, aussi fut-il surpris quand Campbell répondit : « Je suis désolé, c'est simplement que c'est… tellement imprévu.

– Lucille ? » appela Somoza.

La femme se présenta sur le seuil presque aussitôt.

« Vous ai-je tiré dessus ?

– Oui, señor. Deux fois. »

Somoza se retourna vers Campbell. « Vous voyez. Cette dame s'est bien fait tirer dessus, elle. Auriez-vous la trouille ?

– Très bien », dit Campbell qui se leva à contrecœur en arrachant le vêtement des mains de Rojas. « Je n'en crois pas mes oreilles, mais d'accord, vous pouvez me tirer dessus.

– Excellent ! » s'exclama Somoza qui pivota sur sa chaise pour aller chercher dans un placard trois paires d'oreillettes protectrices.

Une fois que Campbell eut revêtu le trench-coat, Somoza le boutonna avec soin, puis il plaça un autocollant circulaire sur le côté gauche du vêtement, un peu au-dessus de l'abdomen.

« C'est donc là votre cible, constata Campbell.

– Oui, j'en ai besoin parce que je ne suis pas très bon tireur », répondit Somoza, pince-sans-rire.

Rojas étouffa un nouveau gloussement.

« Allez-y, rigolez, dit Campbell. C'est pas sur vous qu'on tire.

– Il se prend des pruneaux tout le temps, observa Somoza. Pas vrai, Jorge ? Combien de fois vous ai-je tiré dessus ?

– Cinq, je crois.

– Regardez-moi ça. Cinq fois, insista Somoza. Vous pouvez sûrement vous en prendre un petit. »

Campbell secoua la tête. « Regardez, j'ai les mains qui tremblent. » Il les leva et oui, en effet, il avait la tremblote.

« Tout va bien. Il ne va rien vous arriver », promit Somoza, en l'équipant d'une paire d'oreillettes.

Rojas fit de même, tout comme Somoza, avant que ce dernier ne sorte d'un tiroir une balle. Il chargea le pistolet. Puis il éloigna Campbell du bureau et tendit l'arme, lui visant la poitrine quasiment à bout portant.

« Si près ? Vous êtes cinglé ?

– OK, écoutez-moi, voilà comment on va procéder. Vous inspirez un grand coup puis vous retenez votre souffle. Vous comptez jusqu'à trois et je tire. Je recommence : un, deux, trois et PAN ! OK ? » Somoza avait élevé la voix pour qu'ils puissent l'entendre malgré les bouchons d'oreilles.

Campbell déglutit et regarda Rojas, le regard implorant.

« Regardez-moi, dit Somoza. Inspirez à fond. Prêt ? Un, deux... »

PAN !

Somoza tira après deux, c'était toujours ainsi qu'il procédait avec les nouveaux qui se crispaient trop au moment où ils s'attendaient à entendre la détonation. Il tirait donc plus tôt, quand son cobaye était encore détendu.

Campbell tressaillit légèrement puis il arracha ses protections acoustiques, imité par les deux autres. Il laissa échapper un soupir. « Waouh ! Vous avez triché ! Mais c'est OK. Je n'ai rien senti du tout, tout juste une légère pression. »

Somoza déboutonna le trench-coat et sortit la chemise de Campbell pour bien lui prouver qu'il n'était pas blessé. Puis il glissa deux doigts dans l'étoffe du manteau et fit apparaître un disque de plomb aplati. « Et voilà ! Un souvenir. »

Campbell saisit le bout de plomb et sourit. « C'est assez incroyable. »

Et puis, il porta la main à sa bouche, se précipita vers la corbeille à papier et eut un haut-le-cœur.

Ce que voyant, Somoza rejeta la tête en arrière et partit d'un rire à s'en faire mal aux côtes.

Plus tard, autour d'un café, Rojas s'entretint seul à seul avec son vieil ami tandis que Campbell avait droit à une visite plus approfondie des installations, guidé par Lucille. Rojas partagea ses sentiments au sujet de son fils. Somoza parla des siens, qui grandissaient trop vite et qui étaient destinés à travailler avec lui.

« Nos garçons se ressemblent, constata Rojas. Des enfants de privilégiés. Comment faire pour… comment dire… qu'ils restent normaux ?

– C'est bien difficile dans ce monde de fous. Nous voulons les protéger mais l'un comme l'autre, nous ne pouvons que leur apprendre à faire les bons choix. Je veux que mes fils portent des vêtements pare-balles. Oui, je peux les protéger des coups de feu mais pas de tous les coups tordus que la vie leur réserve. »

Rojas acquiesça. « Tu es un sage, mon ami.

– Et plutôt pas mal de sa personne, en plus ! »

Tous deux rirent.

Mais Rojas redevint sérieux. « À présent, Ballesteros a de nouveau des problèmes et je voudrais que tu t'occupes de lui et de ses hommes. Tu m'enverras la facture. Quels que soient leurs besoins.

– Entendu. Un plaisir de faire affaire avec toi, comme toujours. Et je voudrais prendre les mensurations de ton ami, le señor Campbell. Nous allons lui confectionner un trench-coat comme le tien – pour le remercier d'avoir été si bon joueur.

– Je suis sûr qu'il appréciera le geste.

– Et encore une chose, Jorge… » C'était à présent au tour de Somoza de prendre un ton sérieux ; la voix était tendue. « J'y pense depuis un long moment. Nous sommes tous les deux à un stade de notre vie où nous n'avons plus besoin de rester dans le métier. Mon affaire est légale et désormais florissante. Bien sûr que j'aiderai notre ami Ballesteros, mais pour moi, ce sera le dernier deal, l'ultime connexion. Je suis très inquiet. Le gâchis à Porto Rico nous a tous ébranlés. Je veux que tu comprennes que je continue de travailler pour toi, mais je dois couper les ponts dorénavant et, honnêtement, Jorge, je pense que tu devrais faire pareil. Passe la boutique à un autre. Il est temps. Comme tu l'as dit, ton enfant passe à autre chose. À ton tour. »

Rojas réfléchit un long moment. Somoza s'adressait certes à lui comme à un ami cher, et sa voix était celle du bon sens – mais ses paroles étaient dictées par la peur et Rojas pouvait lire celle-ci dans les yeux de son interlocuteur.

« Mon ami, tu ne devrais jamais avoir peur de quiconque. Des gens essaieront de t'intimider, mais personne n'est supérieur à ses semblables. Dans la vie, il faut être un battant.

– Oui, Jorge, oui. Mais un homme doit être assez avisé pour choisir ses combats. Tu n'as plus vingt ans. Que les garçons livrent cette bataille, pas nous. Nous avons bien trop à perdre. »

Rojas se leva. « J'y réfléchirai. Tu es un bon ami, et je sais ce que tu veux dire. »

22
ACCUSER LE COUP

Ranch de Zúñiga
Juárez

LE LENDEMAIN MATIN, aux environs de 11 heures, Moore, Zúñiga et six autres membres du cartel se réunirent dans le vaste garage de ce dernier. Les portes étaient entrouvertes. Moore livra la marchandise qu'il avait saisie et regarda les hommes de Zúñiga inspecter les briques sans rien y trouver de suspect – en particulier, les minuscules injections faites par Moore et Towers pour implanter les balises GPS. Le cartel de Sinaloa était puissant mais pas aussi technologiquement évolué que celui de Juárez – Moore était presque certain qu'eux auraient radiographié les briques et découvert les mouchards.

Comme l'avait espéré Moore, Zúñiga parut tout à fait ravi du « cadeau » et il avait de toute évidence prévu de déplacer la marchandise avant la tombée de la nuit. Après avoir contemplé le butin en hochant la tête, il se tourna vers Moore. « Il semblerait que votre ennemi soit mon ennemi.

– Quand un cartel devient trop puissant, il devient l'ennemi de tout le monde.

– Entièrement d'accord.

– Très bien. J'aimerais continuer à vous aider. Laissez-moi vous emprunter quelques hommes. Nous irons kidnapper le fils de Rojas. Comme je vous l'ai dit, nous sommes tous embarqués sur le même rafiot, conclut Moore.

– Monsieur Howard, je suis peut-être devenu assez fou pour vous croire désormais. Peut-être que je vais vous dire d'accord.

– Ça prendra presque une journée pour descendre là-bas avec un de vos avions, alors peut-être vaudrait-il mieux se mettre en route tout de suite ?

– Je ne me suis peut-être pas encore décidé. »

La réaction fit aussitôt réagir Moore – sans doute aurait-il dû s'en abstenir, mais il n'avait presque pas dormi. Il éleva le ton, criant presque : « Señor Zúñiga, que vous faut-il de plus ? Cent cinquante mille en cash, une énorme cargaison subtilisée à Rojas ? Quoi d'autre ? Mes chefs s'impatientent. »

Torres, resté silencieux jusqu'ici, s'approcha pour intervenir, élevant la voix à son tour. « On ne parle pas ainsi au señor Zúñiga ! Je m'en vais te démonter la tête ! »

Moore le fusilla du regard avant de se retourner vers Zúñiga. « Je suis las de jouer à vos petits jeux. Je vous ai fait une proposition honnête. Qu'on en finisse. »

Zúñiga lui jeta un dernier regard approbateur, puis il tendit la main : « Je veux que vous tuiez Rojas. »

Deux heures plus tard, Moore, Torres et Fitzpatrick, entassés derrière un pilote et un copilote à bord d'un bimoteur Piper PA-31 Navajo, filaient cap au sud-est en direction de San Cristóbal de las Casas. Le temps était clair, le panorama spectaculaire, et l'ambiance au plus bas parce que Torres souffrait du mal de l'air et avait déjà vomi à deux reprises dans son petit sac blanc. Si la nuit avait été longue, la journée ne s'annonçait pas mieux et Moore lança un regard vers Fitzpatrick qui leva les yeux au ciel devant l'incapacité du gros bonhomme à supporter les voyages aériens. Torres avait apparemment l'estomac massif mais délicat et Fitzpatrick l'avait taquiné avant d'embarquer, redoutant qu'ils ne puissent décoller « à cause de l'excédent de bagage ». La réplique de Torres à cette remarque désobligeante fut cinglante et prit la forme de ce sac à l'odeur pestilentielle calé entre ses jambes.

Moore ferma les yeux pour chercher à récupérer une ou deux heures de sommeil, bercé par le ronronnement des deux hélices...

Les lumières de la plate-forme s'éteignirent et soudain Carmichael s'écria : « Ils nous ont repérés ! »

Moore s'ébroua brusquement sur le siège de l'avion.

Torres se retourna. « Un mauvais rêve ?

– Oui, et vous étiez dedans. »

Le gros bonhomme s'apprêtait à répliquer mais il porta soudain la main à sa bouche.

Site de construction du tunnel
Mexicali, frontière du Mexique

Rueben Everson, le lycéen, avait cru d'emblée que travailler pour le cartel de Juárez en passant de la drogue en contrebande était une proposition plutôt effrayante. Et puis ils lui avaient montré tout l'argent qu'il pourrait se faire et, avec le temps, il avait fini par s'habituer au système, n'hésitant même plus à convoyer d'importantes charges, tout en gardant un calme total. Certes, il s'était toujours montré adroit, évitant les erreurs stupides qui avaient fait tomber tant d'autres mules. Il prenait toujours soin de se montrer poli avec les agents, et ne s'était jamais encombré de statuettes ou de cartes de tous les saints auxquels se vouaient ces imbéciles pour les protéger durant leurs passages. La Santa Muerte avait la faveur de la plupart des voyous qui lui avaient même construit des autels. Faire passer la représentation squelettique de la Vierge de Guadalupe pour salvatrice, alors qu'elle était l'image du mal incarné, était pour lui de la dernière stupidité. Et puis il y avait saint Jude, le patron des causes perdues ; celui-là, un crétin en avait rempli une statue de quinze kilos de came pour traverser la frontière. Quel abruti. Ramón Nonato était un saint moins connu. La légende voulait qu'il ait eu la bouche cadenassée pour l'empêcher de recruter de nouveaux disciples. L'idée plaisait aux voyous qui le priaient pour que l'on garde le silence sur leurs crimes.

Certains des collègues de Rueben avaient un faible tout particulier pour d'autres sortes d'amulettes : bijoux de pacotille, montres, pendentifs, pattes de lapin, voire des talismans comme l'affiche du film *Scarface*. Le seul porte-bonheur à faire rire Rueben était le Titi du dessin animé. Au début, il n'avait pas compris pourquoi tant de mules et autres trafiquants de drogue appréciaient le volatile, puis il se rendit compte qu'il n'était jamais capturé par Gros-Minet, d'où son statut de héros parmi les voyous. L'ironie était que des mules se choisissent pour mascotte un oiseau.

Pour l'heure, cependant, nulle forme de magie ou de religion ne pouvait sauver Rueben. Il s'était fait capturer par le FBI, avait rencontré un ado qui s'était fait trancher les orteils après un convoyage raté, et voilà qu'il se trouvait contraint de travailler pour le gouvernement s'il voulait éviter de passer par la case prison. Il pouvait dire définitivement adieu à l'argent facile pour se payer l'université. L'agent Ansara s'était montré très clair à ce sujet. Ils lui avaient introduit sous la peau une balise GPS et ils avaient transformé son téléphone mobile en mouchard à l'aide d'une oreillette Bluetooth. Il n'était plus qu'un chien tenu en laisse.

Un peu plus tôt dans la journée, il avait reçu un appel de son contact au sein du cartel ; on lui demandait de se présenter à Mexicali où une voiture serait chargée à son intention. Et alors qu'il patientait à l'intérieur de l'entrepôt, un homme d'âge moyen, portant lunettes et les cheveux couverts de poussière, vint l'aborder et lui demanda en espagnol : « C'est toi, le nouveau ?

– Je suppose. Mais je ne suis pas un bleu. Simplement, c'est la première fois que je bosse par ici. Ils m'affectent en général ailleurs. Qu'est-ce que vous faites par ici ? Vous creusez un nouveau tunnel ?

– Ça ne te regarde pas, mon garçon. »

Rueben fourra les mains dans ses poches. « Peu importe.

– Quel âge as-tu ?

– Ça vous regarde ?

– T'es encore au lycée, pas vrai ?

– Z'êtes mon nouveau patron ?

– Peu importe. »

Rueben fronça les sourcils. « Alors, pourquoi cette question ?

– T'as de bonnes notes ? »

Rueben hennit. « Sans blague ?

– Réponds à la question.

– Très bonnes. En général des A et des B.

– Alors, il faut que t'arrêtes ce boulot. Définitivement. Ou tu te feras tuer ou tu seras arrêté et dans tous les cas, ta vie sera foutue. Est-ce que tu me comprends ? »

Rueben sentit ses yeux le brûler. *Je te comprends bien mieux que tu ne l'imagines, mon vieux. Mais c'est trop tard pour moi.* « Je veux entrer à l'université et c'est comme ça que je compte payer mes frais de scolarité. Dès que j'aurai assez de sous, je décroche.

– Ils disent tous la même chose. J'ai besoin d'argent pour ceci ou cela, mais la semaine prochaine, j'arrête.

– Je veux juste faire mon boulot pour être débarrassé.

– Quel est ton nom ?

– Rueben. »

L'homme tendit la main et le jeune homme la saisit, à contrecœur. « Je suis Pedro Romero. J'espère ne pas te revoir ici à l'avenir. D'accord ?

– J'aurais bien aimé vous faire plaisir, mais vous allez me revoir à coup sûr. C'est comme ça, c'est tout.

– Réfléchis à ce que je t'ai dit. »

Rueben haussa les épaules et se retourna au moment où l'un des transporteurs s'approchait de lui : « C'est prêt.

– Réfléchis-y », insista Romero, d'un ton qui lui évoquait la voix de son père.

J'aurais bien voulu, mon vieux. J'aurais bien voulu.

Rueben traversa sans incident la frontière en voiture et remit celle-ci à une équipe de collègues d'Ansara. Ils le déposèrent ensuite près d'une agence de location où il prit un autobus pour revenir. À l'arrivée, il avisa un Chevrolet Escalade noir garé en face de chez lui et monta à l'arrière, sitôt que le bus eut quitté sa rue. Ansara, l'agent du FBI, était au volant.

« Beau boulot aujourd'hui, Rueben.

– Ouais, si vous le dites.

– Le vieux bonhomme avait raison, pas vrai ?

– Ouais, d'accord, j'aurais dû décrocher avant que vous m'arrêtiez, mais à présent, je suis foutu.

– Non, tu t'es débrouillé comme un chef. Tu m'as fourni d'excellentes photos de ce bonhomme. Plus l'enregistrement de sa voix. Désormais, on peut l'identifier et voir ce qui se trame dans cet entrepôt. »

Rueben ferma les yeux. Il avait envie de pleurer. À présent, il n'arrivait presque plus à dormir. Il rêvait qu'ils venaient le chercher pendant la nuit, déguisés en squelettes armés de couteaux pour lui arracher le cœur. Il regardait ses parents assister à ses obsèques et au moment de repartir, une pleine voiture de *sicarios* passait devant le cortège et mitraillait la foule, tuant ses parents, qui lâchaient dans un dernier soupir, les yeux levés au ciel : « Tu étais un si bon garçon. Que t'est-il arrivé ? »

Commissariat de Delicias
Juárez

Au titre d'agent de la CIA, Gloria Vega avait travaillé dans plus de vingt-six pays, accomplissant des missions d'une durée qui pouvait varier de huit heures à seize mois. Elle avait connu sa part de corruption et d'effusions de sang, et s'était plus ou moins attendue au même traitement lorsqu'elle avait rejoint l'unité Juárez et s'était rendu compte qu'on l'envoyait dans une ville réputée comme la capitale mondiale du meurtre. Toutefois, elle n'avait pas escompté voir le sang couler entre des membres de ses propres forces.

L'émoi avait atteint son bureau à peine cinq minutes plus tôt et tous s'étaient précipités pour enfiler leur gilet pare-balles, saisir leur arme et sortir. L'inspecteur Alberto Gómez, après avoir enfilé une cagoule pour masquer son identité, se tenait à ses côtés. Chaque bout de la rue était bloqué par des véhicules de la police fédérale et Vega estimait qu'au moins deux cents agents cagoulés en uniforme noir s'étaient rassemblés pour crier en cœur : « Faites sortir le salaud ! »

Et puis, avant que Vega, Gómez ou quiconque ait pu les arrêter, un petit groupe d'une demi-douzaine d'agents s'était rué à l'intérieur du commissariat, et la foule avait rugi de nouveau. Cette fois, Vega distingua un nom : Lopez, Lopez, Lopez !

Elle le connaissait, sans aucun doute, et son sang se figea soudain. Lopez était un des collègues de Gómez, un inspecteur ayant presque la même ancienneté que lui. L'enquête effectuée de son côté par Vega lui avait prouvé que Lopez avait les mains propres et ne cherchait qu'à faire correctement son boulot. En fait, il était l'homme qu'Alberto Gómez aurait dû être. À l'inverse, le téléphone de ce dernier avait été mis sur écoute, il avait été filé par deux agents fournis à Vega par Towers, le patron de l'unité d'intervention, et au total, elle avait réuni suffisamment de preuves pour faire tomber Gómez pour corruption et liens manifestes avec le cartel de la drogue de Juárez. Towers n'était toutefois pas encore prêt à donner le feu vert à son interpellation car celle-ci mettrait illico au courant le cartel. Il fallait que tous les dominos tombent d'un coup.

Ainsi, grâce au répit offert, Gómez avait pu retourner la situation avant que Vega pût réagir. Alors qu'elle se retournait vers la porte d'entrée, elle vit six hommes traîner Lopez hors du bâtiment ; l'un d'eux tenait le vieil homme par une mèche de ses cheveux grisonnants. Sitôt que le visage imberbe du policier fut reconnu par la foule, les cris redoublèrent et certains glapirent : « Tuez ce salaud ! » Les agents entourèrent Lopez, et au moins deux battirent en retraite et se mirent à tabasser le vieux policier.

« Ils lui donnent une leçon avant de l'arrêter, souffla Gómez à l'oreille de Vega. Il a accepté l'argent des cartels et leur servait d'indic. Des enfants sont morts par sa faute. À présent, il doit payer. »

Espèce d'enculé d'hypocrite, avait envie de lui balancer Vega. « Ils ne peuvent pas faire ça. Ils ne peuvent pas le lyncher ! »

Le groupe se mit à scander : « Lopez est le diable, il doit être exécuté ! Lopez est le diable… »

La psalmodie continua et Vega réprima un frisson en voyant un autre agent aux biceps gros comme ses hanches lui donner un violent coup de poing sur la joue.

C'en était trop. Gloria Vega, ancien officier de renseignement de l'armée et agent de la CIA, désormais incorporée dans la police fédérale mexicaine, en avait assez vu.

Elle dégaina et tira en l'air. Le crépitement de la salve fit taire la foule. Avant qu'elle ait pu comprendre ce qui lui arrivait, une main lui entoura le cou, d'autres lui avaient arraché son arme et d'autres encore la ramenaient de force à l'intérieur du poste de police. Elle hurla, essaya de se dégager mais en pure perte. Ils la traînèrent à l'intérieur et elle fut aussitôt relâchée quand Gómez passa devant elle et ôta sa cagoule. « Putain, mais qu'est-ce que vous fabriquez ?

– C'est injuste. Quelles preuves ont-ils ? Ils ne peuvent pas passer à tabac comme ça le vieux bonhomme !

– Il fricote avec la racaille. Alors, il fait partie de la racaille ! »

Gloria se mordit la langue. Fort.

« Je vous ai dit que j'essaierais de vous garder en vie, ajouta Gómez, mais vous me compliquez sacrément la tâche quand vous vous comportez ainsi. À présent, écoutez-moi. Lopez n'est pas le seul. Les autres commandants ont eux aussi les mains sales. Aujourd'hui, nous allons nettoyer cette maison, alors, soit vous m'aidez, soit je vous fourre en cellule pour votre propre protection. »

Elle arracha sa cagoule au moment où les cris dehors semblaient redoubler. « Vous feriez mieux de me boucler tout de suite. Parce que je ne le supporterai pas. »

Vega se massa le coin des yeux, si retournée qu'elle se sentait sur le point de vomir. Qu'allait-elle encore devoir endurer ? Combien de temps allaient-ils devoir attendre avant de passer les menottes à Gómez, qu'on en finisse une bonne fois pour toutes ? C'était lui, le loup dans la bergerie dont il fallait se débarrasser. Elle s'imaginait l'éliminer là, sur-le-champ, trancher ainsi une des veines de la corruption, mais elle se rendit compte aussitôt que le réseau était si complexe et ramifié que sa mort ne ferait aucune différence. Elle se sentit défaillir.

« Gloria, venez avec moi », lui ordonna-t-il.

Elle le suivit dans un petit bureau dont il ferma la porte, les mettant ainsi hors d'écoute des agents et des autres inspecteurs.

« Je sais ce que vous ressentez.

– Vraiment ?

– J'ai eu votre âge, moi aussi. Je voulais sauver le monde, mais il y a trop de tentations autour de nous.

– Sans blague ! Ils nous paient des clopinettes. C'est pour ça que nous ne pouvons rien faire. Les dés sont pipés et on perd tout notre temps ici. Complètement. Qu'est-ce qu'on peut faire d'autre ?

– Ce qu'il faut. Toujours faire ce qu'il faut. C'est la volonté de Dieu.

– De Dieu ?

– Oui. Je prie Dieu chaque jour pour qu'Il sauve notre pays et notre police fédérale. Il le fera. Nous devons garder foi en Lui.

– Il doit y avoir un meilleur moyen. J'ai besoin de plus de fonds pour y parvenir. Et j'ai besoin de bosser avec des gens à qui je puisse me fier. Pouvez-vous m'y aider ? »

Il plissa les yeux. « Vous pouvez me faire confiance… »

Bar-restaurant Montana
Juárez

Johnny Sanchez avait garé sa voiture de location sur l'Avenida Abraham Lincoln, à cinq minutes à peine du pont de Cordova, afin d'inviter sa petite amie Juanita à son restaurant préféré de la ville. L'intérieur de style western du Montana se déployait sur deux niveaux avec force boiseries. La jeune femme n'ignora pas les nappes blanches et les bougies parfumées, et Johnny s'était assuré de réserver une table près de la cheminée alimentée au gaz. *El capitan de meseros* (le chef de rang) était un jeune homme du nom de Billy ; Johnny s'était lié d'amitié avec lui et réglait de généreux pourboires à toute sa brigade de serveurs. En échange, Billy lui offrait des apéritifs et lui servait des portions plus généreuses. Ce soir-là, Johnny commanda son plat habituel, un steak club New York, tandis que Juanita, qui venait récemment de se faire teindre en blonde et s'était fait spectaculairement gonfler les seins, choisit une salade taco.

Alors qu'ils attendaient leurs hors-d'œuvre, Juanita tira nerveusement sur les bretelles de sa robe rouge et demanda : « Qu'est-ce qui ne va pas ?

– Comment cela ?

– Tu n'es pas là. T'es ailleurs. » Elle leva le menton, indiquant la devanture et le pont derrière la vitre.

« Je suis désolé. » Il n'allait pas lui dire que le filleul de sa mère était un *sicario* et qu'il travaillait à présent pour la CIA. Cela eût sans nul doute gâché leur soirée.

Elle fronça les sourcils et lâcha tout de go : « Je pense que nous devrions quitter le Mexique.

– Pourquoi ?

– Parce que je ne m'y plais plus.

– Mais tu viens juste d'arriver.

– Je sais… mais si je suis venue, c'est uniquement pour toi. Tout tourne toujours autour de toi et de ton écriture. Mais moi, dans tout ça ?

– Tu as dit que tu voulais danser.

– Tu veux que je montre mon corps à d'autres hommes ?

– Tu as payé assez cher pour ça.

– Ce n'est pas une raison.

– Non, mais si ça peut te rendre heureuse… »

Elle se pencha et lui saisit la main. « Ne comprends-tu pas ? Je veux que tu dises non. Je veux que tu sois jaloux. Enfin, qu'est-ce qui t'arrive ?

– Je n'arrive plus à penser correctement. Et tu as raison. Nous devons quitter le Mexique. (Sa voix se brisa.) Mais c'est impossible.

– Pourquoi cela ?

– Señor Sanchez ? »

Johnny se retourna à l'approche de deux hommes aux habits chic. Vingt-cinq ans environ, de taille modeste, et si Johnny avait dû deviner leur nationalité, il aurait dit colombienne ou guatémaltèque.

« Qui êtes-vous ? »

L'un des hommes baissa le ton et le regarda sans ciller. « Señor, vous allez devoir nous accompagner. C'est une question de vie ou de mort. » L'accent n'était pas mexicain. Ces types étaient à coup sûr sud-américains.

« Je vous ai posé une question, répéta Johnny.

– Señor, veuillez nous suivre maintenant, et il n'y aura de mal pour personne. Ni pour vous, ni pour elle. S'il vous plaît.

– Johnny, c'est quoi, cette embrouille ? » demanda Juanita, élevant le ton et projetant sa poitrine en avant – ce qui eut le don de détourner l'attention des deux hommes.

« Pour qui travaillez-vous ? » insista Johnny, soudain nerveux.

L'homme le fixa : « Allons-y, señor. »

Oh non, se dit Johnny. *Dante doit déjà savoir que la CIA m'a placé sur écoute. Ils sont venus me tuer.*

Il avait laissé son flingue dans sa chambre à l'hôtel. Il regarda Juanita, puis se pencha et l'embrassa passionnément.

Elle le repoussa : « Que se passe-t-il ?

– Allons, mon chou. Il faut qu'on les accompagne. » Il se leva, tremblant, alors que le serveur lui apportait son steak. « Je vais demander qu'on me l'emballe. »

Les deux hommes acquiescèrent.

Et c'est à cet instant que Johnny agrippa la main de Juanita et se précipita vers la porte.

Il s'attendait à entendre des cris ou le son d'une fusillade, si les hommes venus pour l'enlever avaient décidé de le tuer sur place.

Mais Juanita et lui purent sortir sans encombre et gagner le parking, et quand il se retourna, personne ne les avait suivis.

« Johnny ! s'écria Juanita. Que veulent-ils ? »

Avant qu'il ait pu ouvrir la bouche, deux petites berlines arrivèrent en vrombissant pour leur couper la route. D'autres hommes – au moins six – en descendirent ; tous vêtus à l'identique, tous à peu près de la même taille et du même âge.

Johnny leva les mains. C'était terminé. *Désolé, Dante.*

Ils prirent Juanita à la gorge et la fourrèrent dans une voiture, s'emparèrent de lui et le jetèrent dans l'autre véhicule. Sa tête heurta la banquette arrière quand le chauffeur redémarra sur les chapeaux de roues et peu de temps après qu'ils eurent quitté le parking, peut-être une minute ou deux, terrassé par la nervosité, il tomba dans les pommes.

Johnny reprit ses esprits quelque temps plus tard, les bras et les jambes ligotés à un tube métallique – en fait, se rendit-il compte, l'un des pieds d'un pont élévateur. Il se trouvait à l'intérieur d'un garage, encombré de véhicules en cours de démontage et de réparation. Une lumière chiche filtrait d'une rangée de fenêtres sur sa droite, tandis que deux vastes portes métalliques s'ouvraient en façade.

Les deux hommes du restaurant se tenaient devant lui. Le plus mince des deux tenait une caméra vidéo HD. Johnny soupira. Ils venaient de l'enlever et s'apprêtaient à réclamer une rançon. Il se laisserait filmer. Corrales paierait. Tout allait bien se passer.

« OK, OK, OK, fit-il avec un autre soupir. Je dirai ce que vous voudrez. Où est Juanita ? Où est mon amie ? »

L'homme à la caméra détourna les yeux du moniteur pour s'écrier : « C'est bientôt fini ?

– Oui ! » lui répondit une voix.

Et c'est alors que Johnny les vit : deux autres types, vêtus d'une combinaison noire, de celles qu'on utilise pour peindre des carrosseries, mais sans le casque protecteur. Les combinaisons portaient des taches humides aux bras et aux hanches. Un des hommes était muni d'un outil pneumatique jaune, assorti d'une courte lame – une scie sauteuse. Johnny avait couvert maints faits divers pour la presse locale quelques années plus tôt, et il était coutumier des outils utilisés par les secouristes pour désincarcérer les victimes d'accidents de voiture.

L'homme à la scie emballa le moteur de l'outil et lorsqu'il se rapprocha, Johnny découvrit que la lame était tachée… de sang.

« Écoutez, les menaces sont inutiles. Je ferai ce que vous me direz. »

Avec un grognement de mépris, l'autre roula des yeux et s'approcha encore.

« Attendez ! s'écria Johnny. Que voulez-vous de moi ? Je vous en supplie !

– Señor, répondit l'homme à la caméra. Juste que vous mouriez. »

23

BUITRES JUSTICIEROS

Villas Casa Morada
San Cristóbal de las Casas
Chiapas, Mexique

MIGUEL ROJAS fut réveillé à 6 h 40 par un désir intense. Il roula sur le ventre et sa main remonta lentement le long de la cuisse de Sonia. Elle frémit et chuchota : « Toujours du matin, toi. La nuit ne t'a pas suffi.

– C'est la nature.

– Non, c'est toi.

– Je n'y peux rien. C'est ta faute. Je n'arrête pas de penser à toi, vois-tu…

– Eh bien, il y a d'autres choses dans la vie.

– Je sais, je sais.

– Bien. Je comprends comment sont faits les hommes, pas de problème, mais je crains que tu ne me manques de respect.

– Jamais de la vie.

– Tu dis ça maintenant ». Elle cala un bras sous sa nuque. « Parfois, j'aurais envie… »

Il fronça les sourcils. « De quoi ?

– J'aurais envie d'avoir eu une autre existence.

– C'est impossible.

– Tu es peut-être bien l'homme parfait pour moi, mais la vie est compliquée et je me fais du souci pour toi. J'aurais tant voulu que tout soit différent avant que je te rencontre.

– Qu'est-ce que tu reproches à ta vie d'avant ? Tu as des parents super qui t'adorent. Tu t'es très bien débrouillée.

– Je ne sais plus ce que je raconte, vraiment.

– Est-ce une question d'argent ? Parce que…

– Non, ça n'a rien à voir. »

Il se tendit. « Alors, quoi ? Un autre homme au pays ? C'est ça. T'es encore amoureuse d'un autre. »

Elle se mit à rire. « Non. »

Il la saisit délicatement par le menton. « Est-ce que tu m'aimes ?

– Trop.

– Qu'est-ce que ça veut dire ? »

Elle ferma les yeux. « Ça veut dire que parfois, ça fait mal.

– Eh bien, ça ne devrait pas. Que puis-je faire ?

– Embrasse-moi simplement. »

Ce qu'il fit et de fil en aiguille… Il se demanda si Corrales et les autres pouvaient les entendre de la chambre voisine. Elle gémit doucement mais ils firent de leur mieux pour rester discrets.

Ils n'avaient pas fait grand-chose de leur première journée dans la vieille ville, passant le plus clair de leur temps aux environs de la villa pour découvrir le quartier. Miguel avait décidé de s'installer dans un lieu inédit et de vivre en touriste, plutôt que de profiter des relations paternelles et de résider encore et toujours dans les mêmes vieilles résidences ennuyeuses. Il leur avait trouvé une pittoresque maison d'hôtes tenue par des Européens et leur villa de plain-pied avait une cuisine, un coin repas, un coin salon et une chambre avec salle de bains. Des tentures murales et des tapisseries mayas décoraient les murs et il y avait une grande cheminée face à leur lit. La chambre n'était pas climatisée mais c'était inutile. Dehors, ils avaient une véranda garnie de sièges, d'où ils pouvaient observer les gens dans la cour paysagée dotée d'un hamac tendu à l'ombre entre les longues branches d'un grand arbre. Un jeune couple qui occupait le hamac échangeait un baiser passionné. L'image avait suffi à les ramener dans la chambre pour de brèves galipettes quelques heures à peine après leur arrivée.

Comme Miguel roulait sur le dos en se séparant de Sonia, les jeunes coqs se mirent à chanter. C'est que le soleil se levait. Ils avaient l'impression de vivre à la ferme mais Miguel appréciait leur raffut. C'était le Mexique semi-rural et Sonia et lui étaient seuls, livrés à eux-mêmes pour visiter cette magnifique petite ville. Le concierge leur avait indiqué que de nombreux écrivains, artistes, chercheurs et archéologues descendaient dans cet hôtel et passaient leur journée à explorer l'agglomération et visiter, à trente minutes de voiture, la cité antique de Palenque, où les palais et les temples mayas avec leurs grands escaliers et leurs murs en partie effondrés attiraient chaque année des milliers de touristes. Miguel avait déjà visité les ruines, quand il était petit, et il se disait qu'il aimerait bien y retourner.

Mais avant toute chose, ils iraient faire les boutiques, ce qui – il le savait – ne saurait déplaire à Sonia. Ils n'étaient qu'à dix minutes à pied de l'animation du centre-ville, au pied de la colline. Miguel se leva et s'approcha de la fenêtre pour contempler les contreforts boisés, encore plongés dans l'ombre face aux montagnes découpant un paysage lunaire à l'horizon.

Au loin, les rues semblaient se tortiller à flanc de coteau et les maisons aux couleurs vives – vertes, violettes, jaunes mais toutes coiffées de tuiles rouges – se serraient le long de ces sentiers étroits. Derrière, assis sur un grand épaulement rocheux, se dressaient une cathédrale richement décorée et couverte de dorures, et plusieurs hôtels particuliers dont les imposantes grilles de fer forgé s'élevaient à plus de quatre mètres. Sonia avait d'emblée remarqué que la ville ressemblait à un parc à thème tant elle était vivement colorée et d'une propreté irréprochable. Miguel lui avait expliqué que les habitants étaient extrêmement fiers de leur héritage maya et que, du reste, on pouvait trouver des influences de cette civilisation à tous les coins de rue : de l'architecture des bâtiments à la cuisine en passant par la décoration intérieure. D'ailleurs le père de Miguel disait souvent que San Cristóbal lui évoquait plus le Guatémala que le Mexique.

« Quand a lieu le carnaval ? » demanda Sonia en s'asseyant sur le lit.

Il lui sourit. « Il débute dès ce soir. Mais nous devons d'abord visiter le village de San Juan Chamula. Je veux te montrer l'église. Et puis demain, on visitera les ruines. »

On frappa à la porte.

Sonia fronça les sourcils et Miguel traversa la chambre pour coller l'oreille au battant avant d'ouvrir. « Qui est là ?

– C'est moi, monsieur. Corrales. Est-ce que tout va bien ? »

Miguel pivota, regarda Sonia, et faillit éclater de rire – tout comme elle.

« Oui, Corrales, tout va bien. Retournez vous coucher. Nous prendrons le petit déjeuner à 8 heures, merci.

– Entendu, monsieur. Je vérifiais juste. »

Miguel retourna précipitamment vers le lit et se jeta dessus, manquant expédier Sonia de l'autre côté. Elle se mit à glousser tandis qu'il la retournait et l'embrassait avec fougue.

Du balcon d'une chambre d'hôtel au coin de la place, Moore regarda Rojas embrasser sa copine. Le garçon avait ouvert les rideaux et lui présentait une vue parfaite de leur deux corps étendus nus sur le lit.

Moore rabaissa ses jumelles et se retourna vers Fitzpatrick et Torres. Le gros roupillait, avachi sur son lit. Fitzpatrick tapait avec frénésie sur son ordinateur portable ; il envoyait un mail à Zúñiga.

« Ça doit être sympa d'être jeune, constata Moore avec un soupir pour les années enfuies.

– Ils sont rudement excités, hein ? observa Fitzpatrick. Bon, alors on a quoi, question sécurité ? Corrales et ses deux sbires ? C'est tout ?

– Je ne vois personne d'autre. Il va rester près d'eux et garder les deux autres en réserve. Ceux-là, il faut les éliminer en premier. Corrales, je le veux vivant, et ce n'est pas négociable. Il faut qu'on le capture vivant.

– Entendu. » Puis Fitzpatrick, d'un geste du pouce, indiqua Torres avant de murmurer : « Et lui, qu'est-ce qu'on en fait ?

– T'inquiète. Il est le cadet de nos soucis pour l'instant... »

Le smartphone de Moore vibra, avec l'arrivée d'un texto de Gloria Vega :

Avons retrouvé Sanchez et sa copine devant le Monarch, un club de strip-tease. Massacrés. Gómez pense que les Sinaloas sont responsables à cause de l'endroit où l'on a découvert les corps. Vous pouvez voir ça de plus près ?

Il tapota une réponse : « Je m'y mets. »

Puis il annonça la nouvelle à Fitzpatrick qui hocha la tête.

« Hors de question. On aurait dû être prévenus.

– Laisse-moi appeler Zúñiga. »

Torres s'agita soudain et leva les yeux sur eux. « Eh vous deux, qu'est-ce que vous tramez, debout si tôt ? »

Moore ricana. « Parce que, mon gros, nous, notre mission ne se résume pas à gerber dans un sac. »

Grimace de Torres. « J'en ai encore l'estomac retourné. Mais dès que je me sens mieux, je t'écrabouille.

– Eh, mec, coupa Fitzpatrick, détournant l'attention de Torres. Il faut qu'on passe à l'action dès aujourd'hui. Laissons-les s'installer, se mettre à l'aise, être en confiance, et alors paf ! Donc, t'as intérêt à te réveiller.

– Exactement, renchérit Moore. Je pense qu'on passera à l'action à leur villa. L'environnement est propice. On les file toute la journée et puis, quand ils rentrent, bien crevés et prêts pour la bagatelle, on enlève Miguel et la fille. Mais il faut d'abord qu'on s'occupe de Corrales et de ses mecs.

– Écoute-moi, gringo, dit Torres. C'est moi le responsable, ici. Mais ton plan me plaît bien. Cependant, une fois qu'on aura mis la main sur le gars et sa copine, on la tue devant ses yeux. De cette façon, il saura qu'on n'est pas des branques. »

Moore regarda Fitzpatrick qui répondit : « On pourrait obtenir plus si on les a tous les deux. Et on pourra négocier avec Rojas l'ouverture des tunnels.

– On est venus ici tuer Rojas et tout son entourage. Le señor Zúñiga me l'a très clairement fait comprendre, et à mon tour de vous passer le message… »

Fitzpatrick le fusilla du regard.

« Non, dit Moore. On garde la fille, comme moyen de pression supplémentaire. Bon, et quid des autres mecs ? Est-ce qu'ils nous rejoignent ? »

Torres se racla la gorge. « Ils devraient être à Guadalajara dans l'après-midi.

– Bien. » Moore composa le numéro de Zúñiga mais tomba sur sa boîte vocale. « Rappelez-moi, señor. »

« Hé, on se débarbouille et on ne traîne pas, nota Fitzpatrick. Ils ne vont pas tarder à décoller. »

Assis à la table du petit déjeuner avec Raúl, Pablo, Miguel et Sonia, Corrales ne pouvait détacher ses yeux de la jeune femme. Elle était la nana la plus sexy qu'il ait jamais rencontrée, bien plus que sa Maria, et tout en sachant que la reluquer de la sorte risquait à nouveau de lui attirer des ennuis, c'était devenu le cadet de ses soucis. Il était clair que ces deux-là avaient fait exprès d'oublier toute discrétion, alors, il n'allait pas leur faciliter la tâche.

« Encore merci d'être venu prendre de nos nouvelles ce matin, dit Miguel entre deux bouchées de céréales. Ça rassure de se savoir aussi bien protégé.

– *Gracias*. C'est notre boulot.

– Et c'est ton boulot de lorgner les nichons de ma copine ?

– Miguel ! s'offusqua Sonia.

– Eh bien, regarde-le. Il en a la bave aux lèvres. » Miguel se leva, contourna la table, vint se placer derrière Corrales et lui gronda à l'oreille : « T'as intérêt à garder tes distances aujourd'hui. Je ne veux pas te voir une seule fois. Pas une seule. Tu nous protèges, c'est parfait. Mais je ne veux pas m'apercevoir de ta présence. Est-ce que tu me comprends, bougre de porc ? »

Corrales se crispa, luttant contre l'envie de dégainer son flingue et de descendre ce salaud d'enfant gâté. Mais il demeura assis sans broncher. « Oui, señor. Vous ne nous verrez pas, mais nous serons là…

– T'aimes ton boulot, pas vrai ?

– Oui.

– Alors, fais ce que je te dis et tu le garderas. »

Miguel retourna se rasseoir. « Je suis terriblement désolé, Sonia. Je ne voulais pas t'infliger ce spectacle.

– C'est OK, Corrales, dit la jeune fille en pinçant les lèvres. Je sais que vous essayez de faire votre boulot. Je suis désolée pour cet incident. »

Il lui sourit. Un sourire de loup.

Moins d'une heure plus tard, ils déambulaient dans les rues de San Cristóbal, avec Corrales qui avait ordonné à ses hommes de se disperser et de se tenir en retrait. Pablo l'appela sur son mobile pour remarquer : « Ce n'est pas bon du tout. S'il arrive quoi que ce soit, nous sommes trop loin pour intervenir.

– Tu sais quoi, Pablo ? Au point où nous en sommes… »

Corrales n'eut pas le temps de terminer sa phrase. Un autre appel arrivait de son ami Hernando Chase, le patron du Monarch, la boîte de strip-tease. « Dante, très mauvaises nouvelles. Johnny s'est fait tuer. Ils ont tué aussi sa petite amie. Ils ont abandonné les corps devant le club. Ils ont dû les torturer, puis les découper à la scie. Ils ont laissé une note, et je l'ai récupérée avant de prévenir la police.

– Cet enculé de Zúñiga, siffla entre ses dents Corrales.

– Non, je ne pense pas que ce soit les Sinaloas, coupa Hernando. J'ai fait ma petite enquête.

– Que dit le message ?

– Rien que deux mots : Buitres Justicieros. »

Corrales se crispa. Les Vautours vengeurs. Salopards de Guatémaltèques – qui étaient censés travailler pour le cartel de Juárez, pas exécuter ses alliés.

Corrales savait toutefois parfaitement pourquoi ils avaient tué Johnny.

Et c'était entièrement sa faute.

Planque des talibans
Près de San José
Costa Rica

Selon les instructions de Rahmani, Samad avait commandé le missile Anza MkIII (QW-2), considéré comme l'équivalent chinois du Stinger américain. Grâce à Dieu, il l'avait également reçu franco de port – et même avec un bon de réduction valable en ligne ! Ses lieutenants avaient fort apprécié la blague et, de fait, elle n'était pas si loin de la réalité. La transaction d'achat d'arme avait été finalisée via un site Internet sécurisé et réglée par paiement électronique ; de plus, leurs alliés chinois avaient réussi sans problème à faire entrer les armes en fraude au Costa Rica à bord d'un porte-conteneurs.

Samad et les siens avaient quitté la Colombie pour le Costa Rica à bord d'un petit avion cargo affrété par un allié qui les avait conduits dans une cache des talibans située dans le canton d'Uruca, aux abords de la capitale. C'est là, dans cette modeste maison de deux chambres qui sentait l'eau de Javel et la naphtaline, qu'ils avaient pris livraison des lance-missiles surface-air, six en tout, emballés dans des caisses en plastique dotées de harnais genre sac à dos pour faciliter leur transport. Et c'est là que Talwar et Niazi s'étaient encore une fois enquis des détails de leur mission.

« Quand vas-tu nous dire ce qui doit se passer ? demanda Niazi.

– À notre arrivée aux États-Unis.

– Comment y parviendrons-nous sans l'aide des Mexicains ? demanda Talwar.

– Quand on élabore un plan, on doit aussi en prévoir d'autres, de sorte que chaque fois que l'un d'eux échoue, un autre le remplace.

– Et quand il n'en reste plus ? » s'enquit Talwar.

Samad arqua les sourcils. « On réussit ou on meurt.

– Alors, quel est ton plan pour entrer aux États-Unis ?

– Patience, répondit Samad. D'abord, gagner le Mexique. Et quand nous y serons, tu verras. Nous avons des amis qui surveillent de près la frontière. Nous ne sommes pas seuls. Le mollah Rahmani a bien pris soin de nous.

– Samad, ce n'est pas lui qui m'inquiète. Mais les autres, ils sont si jeunes, si impressionnables. Je crains qu'une fois parvenus en Amérique, certains nous lâchent en découvrant le genre de vie qui s'offre à eux – McDonald's, Burger King et Walmart.

– Comment peux-tu douter maintenant de leur foi ? »

Talwar haussa les épaules. « C'est une chose d'avoir la foi dans la vallée. C'en est une autre de l'avoir au palais. Je suis ici en tant que combattant, mais je reste malgré tout préoccupé. »

Samad posa la main sur l'épaule de son lieutenant. « Nous abattrons tous ceux qui désertent. Avez-vous compris ? »

Talwar et Niazi acquiescèrent.

« Alors il est inutile de poursuivre cette discussion. Nous avons les missiles et les lanceurs. Chargeons les camions et retournons à l'aéroport. »

Ils devaient quitter le Costa Rica pour aller se poser sur un petit aérodrome privé doté d'une piste en terre battue, au milieu de nulle part, à quinze cents kilomètres environ au sud de Mexicali. Camions et chauffeurs les y attendaient déjà pour accomplir la dernière étape de leur voyage vers le nord, en direction de la frontière.

Samad sentait l'excitation commencer à monter. S'ils parvenaient sans encombre jusqu'à la frontière, le reste de la mission se déroulerait alors avec la précision décrite par le mollah Rahmani. Ces longues années de préparation et de dévouement de tous ces combattants de Dieu porteraient enfin leurs fruits.

Samad avait du mal à dissimuler sa fierté. Il portait en son cœur la volonté d'Allah et tenait entre ses mains le feu du djihâd. Il ne leur fallait rien de plus.

San Cristóbal de las Casas
Chiapas, Mexique

Moore n'avait pas pu obtenir plus tôt des photos numériques des trois « gardes du corps » qui suivaient Miguel et sa compagne. Et quand il les eut renvoyées à Towers, les résultats s'avérèrent impressionnants. Non seulement Corrales était classé comme cible « de haute valeur », mais c'était également le cas de Pablo Gutiérrez, responsable du meurtre d'un agent du FBI à Calexico. En fait, l'agent Ansara de l'unité de Moore avait suivi plusieurs pistes concernant Pablo qui l'avaient conduit au parc national des Séquoias. En conséquence, comme l'avait formulé Towers, ils pouvaient désormais faire d'une pierre deux coups.

« Et même trois, avait rectifié Moore. N'oublions pas le gros gibier, Rojas…

– Faites-moi confiance, je ne l'ai pas oublié, celui-là, avait répondu Towers. Mais soyons patients. »

Filer Miguel, sa copine et leurs trois gorilles s'avéra un défi plus complexe que ne l'avait imaginé Moore. Ils s'étaient bien entendu tous déguisés en touristes, avec appareil photo autour du cou, mais Torres avait un physique et un visage qui ne passaient pas inaperçus et Moore l'avait dûment interrogé : « Corrales ne risque-t-il pas de te reconnaître s'il te voit ?

– Non, ça risque pas », avait répondu le gros bonhomme. Ni lui, ni Fitzpatrick n'avaient eu en effet de contact direct avec Corrales, mais cela n'excluait pas la possibilité que celui-ci ait eu en main des photos des autres. Ses indics semblaient grouiller à Juárez.

Raison pour laquelle Moore enjoignit Torres et Fitzpatrick de se tenir le plus possible en retrait pour ne pas prendre le moindre risque. Torres avait protesté, remarquant que Corrales avait également dû voir des photos de Moore, puisqu'il était descendu dans le même hôtel. Même si l'hypothèse était plausible, Moore pouvait plus aisément se fondre dans la foule que les deux autres. Il portait une chemise à fleurs, un gilet de photographe et arborait le sourire ébahi et un peu niais du touriste lambda. Le gilet était idéal pour planquer ses deux Glock avec silencieux. Fitzpatrick et Torres se chargeraient des deux caniches de Corrales mais Moore tenait spécifiquement à surveiller ce dernier. Une fois qu'ils leur auraient réglé leur sort, ils s'occuperaient du fils de Rojas et de sa compagne et tout ce petit monde serait transféré dans une planque à Guadalajara. À partir de là, Zúñiga se chargerait des négociations avec Rojas. Alors que Torres voulait qu'on élimine la fille, Moore avait insisté pour que les innocents fussent laissés hors du coup. Point final. Torres avait réfléchi quelque peu et conclu qu'après tout, un otage supplémentaire n'était pas une si mauvaise idée.

Ses deux complices déambulant loin en retrait, Moore fila Miguel et Sonia. Ils s'étaient arrêtés devant un des dizaines de stands tenus par des femmes du pays pour vendre leurs productions : ceintures et robes aux étoffes de couleurs vives, poupées de bois. Plusieurs parmi ces dernières surprirent Moore car elles avaient été modelées pour ressembler à des soldats en armes coiffés de cagoules en laine. C'était un message intéressant à l'adresse des enfants de la ville : vos héros portent des masques et sont armés…

Un peu plus bas dans la rue se trouvait la partie la plus dense du marché, avec tout un assortiment de fruits et de légumes soigneusement empilés en pyramides ou présentés dans des paniers d'osier. D'autres stands vendaient du riz et du poisson, d'autres encore du bœuf et de la volaille, il y en avait même un qui arborait fièrement un calicot vantant des fèves de café de production locale, car cette vallée était l'une des plus réputées du Mexique pour cette culture.

Moore se glissa jusqu'à quelques mètres de l'amie de Miguel ; cette dernière était en train de brandir une robe pour mieux détailler en pleine lumière son motif à fleurs jaune et rouge. La jeune femme était mince, athlétique, et elle portait une paire de lunettes noires surdimensionnées.

« Qu'est-ce que t'en penses ? » demanda-t-elle à son copain.

Miguel quitta des yeux son smartphone. « Oh, Sonia, c'est bien trop criard pour toi. Continue de chercher. »

Elle haussa les épaules et rendit la robe à la vieille femme qui tenait le stand.

« Les hommes ne savent pas habiller les femmes, nota cette dernière. Celle-ci vous va parfaitement. Il ne sait pas de quoi il parle. »

Sonia (Moore aimait bien ce prénom) sourit. « Je suis bien d'accord, mais il est têtu comme une mule. »

À cette remarque, Moore fronça les sourcils. À la place de son fiancé, il aurait dit à Sonia que la robe était superbe et puis qu'elle sentait si bon, qu'elle était si jeune, fraîche et sexy qu'il était facile d'oublier que ses amis voulaient la tuer.

Enfin, il ne lui aurait peut-être pas dit tout ça.

« Allons, Sonia, continuons d'avancer », pressa Miguel.

Moore fit mine d'examiner un portefeuille sur une table voisine. Alors qu'ils s'apprêtaient à s'éloigner, Moore leva les yeux et, regardant par-dessus la monture de ses lunettes noires, il avisa Dante Corrales, ce petit fils de pute, planqué de l'autre côté de la rue, sur le pas d'une porte, en train de les contempler, lui aussi, les bras croisés.

On surveille le fils du patron, hein, l'ami ? J'ai hâte qu'on se retrouve autour d'un café… J'espère bien que t'auras des tas de choses à raconter.

Moore en était là de ses réflexions quand une main se plaqua soudain sur la bouche de Corrales et que deux hommes se jetèrent sur lui, pour l'attirer vers l'intérieur du bâtiment. Moore prit aussitôt son mobile pour prévenir Fitzpatrick. « Deux mecs viennent à l'instant d'intercepter Corrales.

– Sans blague. Et nous venons tout juste de perdre les deux autres loustics. Putain, c'est quoi cette embrouille ?

– Ramène-toi par ici. Ils l'ont entraîné dans l'immeuble rose sur ma gauche. Moi je reste avec Miguel et la fille. »

Mais quand Moore se retourna, le jeune homme et son adorable compagne avaient disparu.

FIN DU VOLUME UN

Du même auteur
aux Éditions Albin Michel

Romans :

À LA POURSUITE D'OCTOBRE ROUGE
TEMPÊTE ROUGE
JEUX DE GUERRE
LE CARDINAL DU KREMLIN
DANGER IMMÉDIAT
LA SOMME DE TOUTES LES PEURS, tomes 1 et 2
SANS AUCUN REMORDS, tomes 1 et 2
DETTE D'HONNEUR, tomes 1 et 2
SUR ORDRE, tomes 1 et 2
RAINBOW SIX, tomes 1 et 2
L'OURS ET LE DRAGON, tomes 1 et 2
RED RABBIT, tomes 1 et 2
LES DENTS DU TIGRE
MORT OU VIF, tomes 1 et 2
LIGNE DE MIRE, tomes 1 et 2
CYBERMENACE

Deux séries de Tom Clancy et Steve Pieczenick :

OP-CENTER 1
OP-CENTER 2 : IMAGE VIRTUELLE
OP-CENTER 3 : JEUX DE POUVOIR
OP-CENTER 4 : ACTES DE GUERRE
OP-CENTER 5 : RAPPORT DE FORCE
OP-CENTER 6 : ÉTAT DE SIÈGE
OP-CENTER 7 : DIVISER POUR RÉGNER
OP-CENTER 8 : LIGNE DE CONTRÔLE
OP-CENTER 9 : MISSION POUR L'HONNEUR
OP-CENTER 10 : CHANTAGE AU NUCLÉAIRE
OP-CENTER 11 : APPEL À LA TRAHISON

NET FORCE 1
NET FORCE 2 : PROGRAMMES FANTÔMES
NET FORCE 3 : ATTAQUES DE NUIT
NET FORCE 4 : POINT DE RUPTURE

NET FORCE 5 : POINT D'IMPACT
NET FORCE 6 : CYBERNATION
NET FORCE 7 : CYBERPIRATES

Une série de Tom Clancy et Martin Greenberg :

POWER GAMES 1 : POLITIKA
POWER GAMES 2 : RUTHLESS.COM
POWER GAMES 3 : RONDE FURTIVE
POWER GAMES 4 : FRAPPE BIOLOGIQUE
POWER GAMES 5 : GUERRE FROIDE
POWER GAMES 6 : SUR LE FIL DU RASOIR
POWER GAMES 7 : L'HEURE DE VÉRITÉ

Documents :

SOUS-MARINS. Visite d'un monde mystérieux : les sous-marins nucléaires
AVIONS DE COMBAT. Visite guidée au cœur de l'U.S. Air Force
LES MARINES. Visite guidée au cœur d'une unité d'élite
LES PORTE-AVIONS. Visite guidée d'un géant des mers